복합의 시각

역사교육 새로 보기

· 강선주 지음 ·

한울
아카데미

이 도서의 국립중앙도서관 출판예정도서목록(CIP)은 서지정보유통지원시스템 홈페이지(http://seoji. nl.go.kr)와 국가자료공동목록시스템(http://www.nl.go.kr/kolisnet)에서 이용하실 수 있습니다. CIP제어번호: CIP2015028020(양장), CIP2015028022(반양장)

차 례

복합적 시각의 역사교육

우리가 '중요하다'고 배웠던 것, 받아들였던 것들에 대해 '그것이 중요한가?', '왜 중요한가?'라는 질문을 다시 할 필요가 있다. 지난 세기에 학교에서 '꼭 암기해야 한다 했던 것들' 혹은 '몰라도 된다고 했던 것들'을 지금 학생들에게도 똑같이 말해야 할까? 오늘날에도, 세계사를 처음 가르치던 때처럼, 유럽사가 매우 중요하고 그래서 꼭 기억해야 한다고 강조하면서 동남아시아에 대해서는 몰라도 된다고 해도 될까? 여전히 '정치'는 역사교육의 핵심 주제이며 일상생활은 비역사적인, 사소한 영역으로 치부해야 하나? 사회 그리고 사회를 분석하고 해석하는 담론이 변하고 있음에도 혹시 '타성'에 젖어서 우리가 배웠던 것들을 그대로, 우리가 배웠던 방식으로 가르치고 있는 것은 아닌지에 대해 성찰해볼 필요가 있다.

근대 역사학은 역사에서 '진리'를 찾게 했다. 역사가는 둘도 아닌 하나의 진실을 찾기 위해 매진했다. 역사 교과서들은 흔히 역사를 두 가지 개념으로 설명한다. '사실로서 역사'와 '기록으로서 역사'이다. 역사는 실제 일어난 사건이기도 하고, 그것에 대한 기록이기도 하다는 것이다. 역사를 과거에 실제 일어났던 일로서 인식하든, 역사가가 연구와 해석을 통해 과거에 일어났던 일을 확증하는 것으로 인식하든, 모두 역사적 사실이 존재한다는 것에 대한 확고한 믿음을 기초로 역사를 정의한다.

에드워드 H. 카Edward H. Carr는 해석에 작동하는 주관성이 있지만 역사적 사실이 객관적으로 존재한다는 것을 부정해서는 안 된다고 주장했다. 그렇다고 모든 해석을 같은 것으로 봐서도 안 된다고 주장했다. 즉, 역사에서 객관적인 사실만을 추구하는 이론이나, 역사가의 주관적 해석을 강조하는 이론 모두 문제가 있다고 비판했다. 그리고 사실의 선택과 해석 과정에서 과거의 사실과 현재를 살고 있는 역사학자 사이의 부단한 상호 작용이 이루어진다고 주장한다. 카의 "역사는 과거와 현재의 대화"라는 유명한 명제가 여기에서 나온다.

키이스 젠킨스Keith Jenkins는 이제 '역사란 무엇인가'라는 질문은 의미가 없으며 '누구를 위한 역사인가'라는 질문을 해야 한다고 주장한다. 왜냐하면 역사는 하나로 정의될 수 없기 때문이라고 보기 때문이다. 역사가의 역사 서술 과정에 작동하는 인식론과 이데올로기 그리고 그가 사용하는 방법론이 다를 수 있으며, 따라서 역사는 하나가 아니라 여러 개라는 것이다. 그는 '과거'와 '역사 서술'을 구분해야 한다고 주장한다. 그는 '순수한' 역사의 존재를 부정한다. 역사는 과거에 대한 역사가의 담론이며 그 담론이 구성되는 과정에는 권력관계가 작동한다고 본다. 그러므로 역사가는 자신의 이데올로기나 인식론을 드러내면서 '정직하게' 역사 서술에 임해야 하며, 역사 서술 과정에 작동했던 담론적 질서를 파악하고 역사에 잠재하는 이데올로기를 비판적으로 분석하고 드러내는 '해체적 읽기'를 해야 한다고 주장한다. 젠킨스의 이론에 따르면 모든 역사는 담론으로서 해체의 대상이다. 해체란 담론의 이데올로기성, 폭압적 권력을 폭로하는 것이다. 즉, 우리가 '역사적 사실'이라고 믿었던 것은 특정한 맥락에서 이루어진 권력 투쟁의 산물이다. 역사교육은 이러한 패러다임 변화를 겪고 있는 역사학과 어떻게 소통할 것인가? '근대'적 혹은 '탈근대'적 패러다임, 어떤 것으로 접근하든 역사는 하나의 '이야기'가 아니다. 그런데 역사교육은 자주 하나의 '이야기'만을 학생들에게 제시할 것을 요구받는다. 그러나 다원화되고 있는 사회에서 '하나의 이야기'로서 가르치는 역사는 "현재를 약화시키고 생명력 있는 미래의 뿌리를 말살"시킬 가능성이 있다. 역사교육도 과거에 대한 이야기 차원은 물론 과거에 접근하는 방법에서도 '복수'의 역사들이라는 점을 고려하면서 방향을 설정하고 구체적인 기획에 나서야 한다. 그런데 '복수'의 역사로 역사교육을 기획하는 문제는 결코 간단하지 않다. 역사 지식과 방법의 '공적'이고 '집단적' 혹은 '제도적' 활용으로서 역사교육은 역사학과 다른 강도로 규범·가치·윤리의 문제의 압박을 받기 때문이다. 또한 역사 전문가 양성이 아닌 인문사회적 소양과 시민적 역량 개발의 측면에서 역사교육은 역사학과는 다른 제도적 제약 속에서 학생의 인지적이고 정의적인 특징을 고려하면서 추구되어야 하기 때문이다.

역사교육은 무엇에 대해, 어떻게 '가르쳐야 하는가?'라는 질문에 대답해야 한다. 이 질문은 집합 기억collective memory, 그리고 역사의식의 문제와 긴밀하게 연결된다. 집합 기억은 다양한 방법으로 형성되고 또 발현된다. 그 가운데 하나가 학교의 역사교육이다.

사회 변화와 그 사회 변화를 읽는 담론은 집합 기억에 대한 성찰과 변화를 요구한다. 우리는 어떤 집합 기억들을 가르쳐왔는가? 그 기억은 과거를 어떻게 형상화하고 현재와 미래를 위해 어떤 사명을 제시해왔는가? 또 어떤 기억을 중심화하고 어떤 기억을 주변화했는가? 역사교육이 관계하는 집합 기억은 단일하지 않다. 또 인류로서의 집합 기억이든, 한민족으로서의 집합 기억이든 그 구성 요소도 초역사적으로 고정된 것이 아니다. '인류', '민족',

'국가', '시민' 등의 사회적 의미 변화는 학교가 관계해야 할 집합 기억들을 다르게 정의할 것을 요구한다. 현재 사회는 어떤 방향에서 집합 기억들의 변화를 요구하는가?

또 새로운 역사 인식의 도전은 우리가 집합 기억과 관계하는 방식의 변화를 촉구한다. 집합 기억의 전수, 새로운 구성, 혹은 해체, 우리는 어떤 방식으로 집합 기억과 관계를 설정할 것인가?

근대 역사는 백인/유색인, 서구/비서구, 서양/동양, 부르주아/프롤레타리아, 남성/여성 등의 이항대립적 위계질서를 만들었고, 이를 근거로 차이를 분석하고 차별을 견고화했다. 상상된 '경계'와 만들어진 '위계'에 기초해 '보편'이 정의되었고 '우리'와 '그들'의 역사적 과정이 구성되었다. 그런데 근대가 구획한 경계와 위계는 꾸준히 비판 및 성찰의 대상이 되어왔다. 특히 최근에는 '근대'의 이데올로기적 · 구조적 억압성이 폭로되면서, 또 근대가 만든 경계와 위계가 현실 세계를 설명하는 능력을 상실하면서, 경계가 다르게 상상되고 있다.

또한 최근 몇십 년 동안 좋든 싫든 '노동의 유연화'를 내세운 신자유주의 경제 질서는 일상의 경계와 사회관계, 그리고 사회에 대한 인식 방법을 급속도로 변화시키고 있다. 이에 따라 매우 당연하게 여겼던 '국가'라는 '경계'의 부자연스러움이 부각되고 있다.

현대사회는 다양한 문화적 배경을 가진 이주민들이 서로 섞여 사는 사회가 되고 있다. 한국도 예외는 아니다. 많은 한국인이 다른 지역으로 이주해 살고 있고, 한국에 동남아시아, 동북아시아, 유럽 등의 여러 나라 사람들이 다양한 목적으로 이주해 들어와 살기도 한다. 텔레비전에는 '한국인처럼 보이지 않는 한국인'들, 또는 '한국인처럼 보이는 외국인'이 많이 등장한다.

2010년 한류의 본토인 한국에서 왔다는 이유만으로 필자의 사인을 받고

자 줄을 서고, 사진을 함께 찍고자 했던 터키 학생들에게서 한국 문화도 터키 문화도 아닌 그들이 해석한 한국 문화, 즉 경계에서 교차하는 다른 종류의 문화를 본다. 그들은 서구 문화와 융합되어 새로 만들어진 한국 문화를 그들의 시각과 감정으로 다시 읽으면서 또 다른 문화를 창조한다. '우리'의 혹은 '그들의' '고유한' 문화라는 신화가 깨지고 있다. 얼마 전 한 외국인 연구자가 필자에게 한국인이 웨스턴팝Western pop을 잘 듣느냐고 물었다. 흔히 유럽이나 미국에서 부르는 노래는 웨스턴팝이고, 한국에서 부르는 노래는 케이팝K-pop이라고 구분한다. 케이팝은 웨스턴팝에 한국인의 정서와 창의력을 융합시켜 만든 새로운 장르이다.

여러 나라 청년들이 모여 토론하는 텔레비전 프로그램에서 만두, 스파게티나 축구를 처음으로 개발한 나라에 대해 공방을 벌이는 것을 본 적이 있다. 여러 나라 젊은이들이 자신의 나라가 처음으로 그것을 만들었다고 주장했으나, 결론에서는 여러 설이 있다는 것으로 사이좋게 마무리했다. 불교가 처음 탄생한 곳은 우리가 '인도'로 알고 있는 곳이다. 그런데 현재 인도의 주된 종교는 불교가 아니다. 그나마 한때 '인도'의 일부였던 스리랑카의 불교는 현재 중국, 한국, 태국의 불교와 다르다. 불교가 다른 지역으로 들어가면서 그 지역의 토착 문화와 상호 작용해 변형되었기 때문이다. 유교, 기독교, 이슬람교도 마찬가지이다.

얼마 전 학회에서 만난 중국 역사교육 연구자들은 중국인이 유교를 중국의 '전통'으로 보지 않을 뿐 아니라, 유교의 발상지로서의 자부심을 강조하지도 않는다고 했다. '구舊전통'과 '신新전통'을 구분하면서, 유교가 구전통이라면 문화혁명 이후에 만들어진 문화는 신전통이라 할 수 있다는 것이다. 신전통은 사회주의 문화와 관련된다. 유교가 중국의 '구전통'으로서 눈에 보이지 않게 사회에 영향을 미칠 수는 있겠지만, 현재 유교를 중국인의 독특한 문화로 정의하지는 않는다는 것이다. 그리고 유교 문화가 전통으로 남아 있는 곳은 한국, 일본, 베트남이지 중국은 아니라고 강조했다. 이러한 사례들은 현재 문화들을 이해하기 위해서라도 역사에서 특정 문화의 뿌리를 '기념비적'으로 기억하는 것보다는 문화들이 상호 교차하면서 만들어지는 역사적 과정을 공부하는 것이 중요하다는 점을 알려준다. 문화의 흐름을 막을 수 있는 장벽은 없다. 그러나 항상 새로운 문화가 토착 문화를 대체하면서 변화를 추동하지는 않는다. 토착 문화 집단이 자기 문제의식에 기초해 '선택적' 수용을 하거나 저항, 변형, 그리고 창조하는 과정이 있기 때문이다. '원조'에 대한 절대적인 신뢰가 깨지고 있다. 창의적 능력은 '원조'만이 아니라 변형에서도 평가되어야 한다.

우리에게 매우 익숙한 단어인 '다문화 가족'이나 '한류'가 단순히 일방향적인 노동력의 이동이나 문화 전파의 수준으로 파악될 수 없는 복잡성을 만들고 있다. 근대적인 기획인 '국가'의 제도적 규정력과 근대 식민주의 산물인 '인종'이나 '민족'의 위계적 구획이 지구적 이동성이 만들어내는 이질적인 문화 간의 교차와 복합을 경계, 저항, 때로 혐오하게 하고 문화교차 지역을 외딴섬으로 고립시키기도 하지만, 한편 다른 시각에서 환호하게 하고 문화교차 지역이 '이국적'이라는 환상을 심기도 한다. 근대가 제도화한 구획과 그것에 기반을 둔 정체성이 한편으로는 억압의 폭력을 행사하면서 다른 한편으로는 열망의 신화를 만들기 때문이다. 우리가 어떤 '교차'를 혐오하고 어떤 '교차'에 환호하는가 생각해볼 필요가 있다. 또 교차 지역에서 이루어지는 융합과 혼합의 과정에 대해서도 살펴볼 필요가 있다.

그런데 때로 경계가 더욱 부각되기도 한다. 최근 자주 뉴스에 오르내리는 미국 백인 경찰의 흑인 사살, 유럽인의 반反이주민(난민) 시위, 중국과 일본 간의 영토 분쟁, 여러 국가 내에서의 인종차별이나 여성 차별 문제 등은 여전히 국가, 민족, 인종, 젠더, 문화 등의 차이와 그에 기초한 차별로 설명한다. 그러나 표면적으로 민족 혹은 인종차별과 충돌처럼 보이는 문제일지라도 그 사건의 구체적인 장면들을 파고들어가 보면 민족이나 인종의 틀을 넘어 경제적 이해관계나 정치권력관계, 그리고 구체적인 관련 당사자들의 개인적인 경험이나 이해관계가 복합적으로 얽혀 있는 것을 종종 확인하게 된다.

또 국가 단위에서 설명할 수 없는 현상들, 해결하기 어려운 문제들이 점점 늘어나고 있다. 아주 멀리 떨어져 있는 곳에서 일어난 사건이 어느 날 갑자기 자신의 삶에 치명적인 영향을 미치는 현상을 예전과 다르게 자주 그리고 파급력 크게 경험한다. 메르스MERS라는 서아시아의 '풍토병'이 어느 날 한국 사회를 혼란과 공포의 소용돌이로 몰아넣으면서 많은 사람들을 격리시키고, 휴교령을 내리게 하며, 한국 주식시장을 뒤흔들어 놓았을 뿐 아니라 경제성장 지표를 변화시켰다. 또 이웃 나라에서는 메르스 때문에 '반한국' 혹은 '혐한류'의 기류까지 나타나 문화 지형도를 변화시키기도 하고, 그 나라의 여행 경기에 영향을 미치기도 했다. 메르스 문제를 해결하기 위해 세계보건기구WHO는 다국적 조사단을 한국에 파견했다. 즉, 메르스는 더 이상 특정 지역의 '풍토병'이 아닌 것이다. '우리'의 삶이 '그들'의 삶과 구별되는 듯하면서도 구별하기 어려운 상황이 심화되고 있다.

종래 문화나 문명이라는 개념이 '갈등'과 '협력'을 설명하는 능력도 신뢰를 잃어가고 있다. 영국인, 일본인, 한국인 등의 IS Islam State 가담, IS 추종 미국인이나 영국인의 자살 폭탄 테러, IS를 탈출하는 시리아 난민들, 현대적 이슬람 지하드 주창자들의 반IS 선언 등 IS 관련 뉴스들은 '서구 기독교 대 서아시아(서구의 표현으로 '중동')의 이슬람교'라는 문명적 구분이나, 이슬람교 내의 서로 다른 분파들의 갈등 구도 등과 같은 문화적 차이로는 세계 여러 곳에서 일어나는 충돌을 설명할 수 없다는 점을 보여준다. 또한 유럽이 유럽연합EU을 만드는 데 유럽의 공통된 역사와 문화가 그 배경이 된 듯이 이해하고, 동아시아 공동체는 유럽과의 다른 경험 때문에 가능하지 않다고 주장하기도 하지만, 유럽 내로 들어가 보면 개별 국가들 사이의 다른 역사적 경험과 경제적 사정, 정치 문화, 그리고 그로 인한 '감정'들을 보게 되고, 과연 유럽을 정체성을 공유하는 하나의 공동체로 볼 수 있을까라는 의문이 들기도 한다. 2015년 그리스 경제 위기의 파급력을 분석하고 그에 대한 해결 방안을 논의하는 데서도 역사를 설명하는 기본 틀이 되어왔던 유럽 대 비유럽이라는 이분법적 구도가 더 이상 유효하지 않다는 것을 보게 된다.

폭증하는 지구적인 이동성은 국가의 경계 안에 있던 개인과 집단의 생활세계를 확장시키고, 새로운 유형의 공동체와 관계, 그리고 정체성을 만들고 있다. 근대 국가가 만든 '우리'의 동질성이 깨지고 맥락성이 희미해지면서 정체성이 새로운 시각에서 고민되고 있다.

학자들은 이러한 최근 세계의 복잡한 변화를 '세계화' 혹은 '전 지구화'라는 용어를 통해 설명해왔다. 그런데 세계화라는 개념은 여전히 논쟁적이며, 세계화를 설명하는 각각의 이론이 분석하는 현재의 문제와 해결 방안, 미래에 대한 전망도 다르다. 세계화를 '근대적·구조적 인식론'에 기초해 설명하는가 또는 '탈근대·탈구조적 인식론'에 기초해 해석하는가에 따라 사건이나 현상, 문제를 분석하는 초점이나 방법론이 달라진다. 또 경제적 측면에 집중해 여러 복합적인 현상들을 설명하는가, 정치나 문화적 측면에 초점을 맞추는가 등에 따라 미래에 대한 전망도 달라진다. 현재 세계를 이해하기 위해 일반적으로 사용하는 '세계화'의 정의는 "사회 모든 부분에서 상호 연결성과 관련성이 증가하는 것"이다. '국가' 단위가 아니라 여러 행위 단위체들 간의, 서로 관련 없어 보이는 부분들 사이에서의 복잡한 상호 연결성과 상호 의존성의 심화를 의미한다. 이러한 상호 의존성의 심화는 협력의 필요성을 극대화하지만, 다른 한편 많은 갈등을 야기한다.

세계화 이론가들은 사람들이 경험하는 시공간적 경험의 본질이 변화하는 것이 세계화의 가장 기본적인 단계라고 주장한다. 세계화는 개인, 집단 및 조직의 관계가 재조직되고 재구성되며 시간과 공간의 경험이 확장되는 과정이다. 그 과정에서 충돌, 갈등, 통합, 협력, 재조직, 권력관계 등의 재편 등이 일어난다. 그러므로 사건이나 쟁점을 지역사회local community, 국가nation, 인종race, 문화culture, 지역region, 세계globe 등의 서로 별개의 단위나 틀에서 분석할 것이 아니라 이들 사이의 복합적인 관계까지 고려한 다중 규모의 틀에서 이해해야 한다.

세계화 담론에 대해 역사학계에서는 '새로운 세계사new world history'나 '지구사global history' 등의 이론을 검토하면서 역사 연구와 교육의 변화를 모색하고 있다. 이 이론들은 종래 문명, 지역, 문화라는 '편의적인 분석 틀'을 넘어 상호 연결성을 고려해 시기적으로 달랐을 새로운 공동체 혹은 분석 범주들을 상상하려 한다. 미국 연구자들이 '지구사' 혹은 '새로운 세계사'라는 개념으로 유럽 중심 문명사의 한계를 넘어 새로운 시각의 인류 역사 재구성에 대해 논의했다면 유럽 연구자들은 '보편사universal history' 이론하에 '지구사와 비슷한 문제의식을 심화시키면서 새로운 시각의 인류사 서술을 주장해왔다.

지구사 이론은 포스트모던 역사 인식론과 포스트콜로니얼리즘post-colonialism과 함께 근대 역사학이 만든 가정과 전제를 공격했다. 서유럽의 내적 발전론과 근대화론을 축으로 하는, 단선적인 역사 발전론의 인종적 편견을 비판하고 '진보'에 대한 믿음은 '신화'에 불과하다고 설파했다. '보편사'의 정치적 의도를 폭로하고 비서구 문화의 가치를 복원하고자 했다.

서구 중심적 · 식민주의적 역사관의 해체를 추구하는 학자들은 '역사'가 아니라 '역사들'을 추구할 것을 주장한다. 특히 역사적 자본주의를 유럽사적인 것으로 축소하면서, 자본주의적 근대성과 다른 대안적 궤도의 가능성, 복수의 근대성에 대해 논의할 필요가 있다고 강조한다. 근대를 외부로부터 주어지거나 강제된 것이 아니라 많은 집단이 자율적으로 참여해 창출한 과정으로, 여러 요인이 작용해 만들어진 과정으로 재구성해야 한다고 주장한다. 그런데 유럽이나 미국 내의 지구사를 비판하는 사람들은 대체로 보수적 정치가나 연구자로, 그들은 지구사가 추구하는 서구 중심성의 해체를 매우 '위험한' 것으로 간주한다. 서구 패권에 대한 도전으로 보기 때문이다.

한편 여러 연구자들은 지구사를 신자유주의적 자본주의를 뒷받침하는 이데올로기라고 비판한다. 역설적이게도 한국 내에서는 물론 외국에서도 지구사의 신자유주의적 자본주의 이데올로기로서의 가능성에 대해 경계하는 이들이 지구사의 비교사적 접근 방법을 가장 유력한 대안적 세계사 서술과 교육의 방법으로 주장한다. 비교사적 접근 방법은 '하나의 집합 기억'을 전수하는 것이 아니라 여러 집합 기억들을 비교함으로써 기억의 공유를 통한 연대나 기억의 상대화를 통한 견제를 추구할 수 있는, 그리하여 지구사의 이름하에 구축되는 여러 이론들과 서사들을 비판적으로 접근할 수 있는 방법을 제공한다.

포스트모던 역사 이론과 포스트콜로니얼 역사 이론은 민족사나 국가사의 이데올로기적 억압성이나 식민주의적 인식 체계에 대해서도 비판한다. 자국사를 통해 국민국가와 자본주의 근대로의 역사적 과정을 연구하고 가르치는 작업은 결국 유럽 '근대'를 표준이자 우월한 모델로 설정한 유럽 중심적 식민주의자의 역사 인식을 모방하고 추종하는 것에 지나지 않는다는 것이다. 보편사적, 근대화 담론의 틀을 벗어나 종래 억압되었던, 다른 역사적 경로들의 가능성을 탐구하는 것은 매우 중요하다. 그러나 아리프 딜릭 Arif Dirlik 이 주장한 것처럼 사실 유럽적 자본주의 근대성이 갖는 전 지구적 영향의 물리적·이념적 결과들을 지워버리는 것은 비역사적이다.

그렇다면 신자유주의적 자본주의 세계화를 비판하고 그에 대항할 수 있는 역사는 어떤 것일까? 종래와 같은 제국주의 시각의 문명사로 되돌아가는 것일까? 민족주의 역사학은 자본의 세계화를 비판하고 저지할 수 있는 연대로서 '민족/국가'를 내세운다. 사실 아직까지 자본의 세계화를 그나마 견제할 수 있는 제도는, 비록 그 권위가 축소되고 있기는 하지만 '국가'이다. 그렇다고 '국가사' 혹은 '민족사'만 가르쳐야 할까? 그러나 다른 한편 세계 무대에서 중요한 영향력을 발휘하는 행위체로서의 국가도 한계를 드러내고 있고, 경제통합기구, NGO, 개인 등 국가 이외에 여러 층위의 행위체가 국가를 넘어 세계 무대에서 영향력을 발휘하고 있다. 그러한 행위체의 영향력은 결코 단위체 내로 국한되지 않는다. 이러한 현실 속에서 민족과 국가를 지원해왔던 거대 서사를 다른 각도와 층위에서 비판적으로 분석하면서, 여러 인식 주체들을 강조하는 역사 연구 방법들이 주목받고 있다. 국가 이외의 단위에서 역사적 사건들을 분석하거나, 신문화사나 일상사 등의 방법론을 적용 혹은 변용하여 여러 종류의 집단과 개인이 주관적으로 경험한 세계들에 주목하기도 한다. 이러한 사회 현실과 역사 이론들을 역사교육에서는 어떻게 고려해야 할까? 이 질문은 곧 '근대'를 완성하면서, 동시에 '근대'를 비판적으로 성찰하는 방향에서 역사교육을 구상하는 것과 관계된다.

2015년 교육과정 개정은 '역량'을 강조했다. 오늘날 학생이 고등학교를 졸업하고 대학과 사회에 나가면서 갖추어야 할 역량 중 하나는 문제나 쟁점을 과거와의 관련성 속에서, 그리고 지구·지역·국가, 그 밖의 여러 층위의 집단 사이의 복잡한 관계망 속에서 여러 요인을 복합적으로 고려하며 분석할 수 있는 시각과 능력이다. 이를 위해서 역사교육은 학생들에게 역사를 여러 층위에서 읽어보고, 그러한 여러 층위의 역사를 상호 관련시키고 비교하면서 분석해볼 수 있는 기회를 체계적으로 제공할 필요가 있다.

이 책은 총 2부로 구성된다. 제1부(제1장에서 제5장)에서는 지구사 이론, 포스트콜로니얼리즘, 포스트모던 역사교육 이론, 동아시아 담론 등을 검토하고, 2부(제6장에서 제9장)에서는 생활사, 신문화사, 여성(젠더)사, 박물관 등의 이론을 검토하면서 역사교육의 방향에 대해 고민했다.

제1부는 세계사, 역사, 동아시아사 등을 새로운 시각에서 재편하는 방안에 대해 검토했다. 세계화는 이제 추세를 넘어 현실이다. 근대적인 국민국가 체제와 자본주의 질서가 새로운 국면으로 전환되면서 종래와 다른 사회질서와 인간관계를 만들고 있다. 이러한 세계 변화를 읽고 해석하는 담론들과 역사교육은 어떻게 소통해야 할까?

제1장과 제2장은 세계화 담론, 지구사 이론과 역사교육의 소통 문제를 다루었다. 필자는 대학의 세계사 강좌 첫 시간에 학생들에게 기억하는 세계사 내용에 대해 말해보게 한다. 학생들이 기억하는 사건은 '서유럽사'에 집중되어 있다. 학생들은 서유럽의 고대에서 현대에 이르기까지 사건, 제도, 역사적 인물, 장소 등 놀라울 정도로 많은, 심지어 다른 지역의 중요한 사건이나 인물들을 기억하지 못하는 것에 비해서는 너무 사소하다고 생각되는 것까지 기억한다. 중국사는 당, 송, 명, 청 등과 같은 왕조의 이름을 기억하고 제국주의 침략 이후 아편전쟁, 양무운동 등과 같은 근대사의 여러 사건들을 떠올린다. 그러나 현대사의 경우는 세계대전 이후의 사건이나 인물에 대해 무지함을 드러낸다. 오세아니아는 물론, 아프리카나 남아메리카, 동남아시아, 서아시아의 역사와 관련된 사건을 기억하는 학생은 많지 않다. 고등학교에서 세계사나 동아시아사를 공부했든 그렇지 않았든 학생들은 서유럽에 편중된 세계사 지식을 보인다.

사실 세계사에서 얼마나 많은 사건들을 기억하는가는 중요하지 않다. 그러나 학생들에게 각인되어 있는 지식과 그것이 그리는 세계 역사와 문화의 지형도를 분석하는 것은 중요하다. 학생들의 유럽, 동남아시아, 아프리카 등의 문화나 역사에 대한 인상, 혹은 '편견'도 예상에서 빗나가지 않는다. 서구의 문화를 '세련', '고급' 등의 형용사로 장식하고 유럽사를 '진보'와 '발전'으로 치장한다면 그 밖의 지역의 문화와 역사는 '촌스러움', '낙후', '정체' 등과 관련된 표현들로 굴레를 만든다. '다문화교육'을 통해 '문화상대주의'에 대해 배웠고, 문화적·민족적·인종적 '편견'의 문제를 잘 알고 있기 때문에 직접적으로 드러내어 표현하지는 않지만 많은 학생들은 서구와 비서구라는 이분법적 담론의 지배를 받고 있다.

역사교육은 아직까지 서구와 비서구, 동양과 서양이라는 '구분'과 '위계'에 충실하면서 역사적으로 '교차'하는 과정을 망각시키고 있다. 그런데 '서양'의 것 혹은 '동양'의 것이라고 알고 있는 것들도 그 기원을 따져 올라가면 경계들을 넘어서 이루어진 교섭과 충돌의 산물, 상호 차용의 결과라는 것을 알게된다. 지역, 국가, 문명이라는 경계가 제한한 역사는 '여러 시기에 걸쳐 아프로-유라시아Afro-Eurasia 세계에서, 그리고 그를 넘는 세계에서 서로 차용하고 변형했던 과정에 대한 이야기, 함께 겪었을 경험에 대한 이야기들을 들려주지 않는다.

학생들은 '근대' 혹은 '근대성'이란 무엇인가라는 질문에, 중세와 근대의 기점을 어떤 사건으로 나누는지, 왜 그 사건이 기점이 되는지 등에 대해, 혹은 한국인에게 '근대'란 무엇인지 등에 대한 질문에도 매우 당황스러워한다. 처음부터 근대를 르네상스, 종교개혁, 시민혁명, 산업혁명 등의 사건들과 민주주의, 대량생산 등의 특징을 단순하게 나열하는 것 이상의 심층적이고 분석적으로 대답하는 경우는 드물다. 그것이 유럽의 근대를 이야기하는 것인가? 세계사적 근대를 설명하는 사건인가라는 질문에 직면하면 질문의 의도에 대해 생각해보기 시작한다. 종교개혁의 역사적 의미가 무엇인지 그리고 그 사건은 세계사에서 왜 중요한지, 우리는 왜 그것을 배우고 또 기억하는지 등 자신이 공부한 세계사가 어떤 것인가에 대해 '반성적' 혹은 '비판적'으로 '성찰적'으로 대답하는 학생이 전혀 없는 것은 아니다. 여기에서 희망을 보기도 한다. 그러나 대학에 오기 전까지 대부분의 학생들은 주어진 역사 지식을 비판 없이 받아들이는 것이 습관화되어 있다. 그런데 현재 세계 변화는 그러한 역사 인식 방법의 한계를 지적한다. 그렇다면 어떤 세계사를 가르쳐야 할까? 이러한 질문에 대답하고자 했던 글이 제1장과 제2장이다.

제3장의 '탈식민주의와 세계사 교육'에서는 탈구조주의적 탈식민주의 이론이 비판하는 유럽 중심주의를 세계사 교육이라는 측면에서 검토했다. 탈식민주의 이론은 국민국가와 자본주의 중심의 근대성을 비판하고 극복을 주장한다. 또 전문 역사학 자체가 유럽 중심주의, 식민주의와 공모 관계에 있다고 설파한다. 즉, 전문 역사학 틀에서 과거를 이해하거나 설명하고 또 가르치는 것 자체도 유럽 중심주의의 그늘 아래에 있는 것이다. 그렇다면 학문이나 교육은 사회 전반을 물들이고 있는 식민주의, 즉 유럽 문화에 의한 비유럽 문화의 억압과 축소, 가치 절하 등을 고발하고 비유럽의 문화적 가치를 복원해 가르쳐야 하지 않을까? 또 유럽을 참조하지 않고 '한국적 시각'에서 독자적으로 '과거'에 접근하는 이론 제체를 만들어야 하는 것은 아닌가?

그러나 현 단계의 역사교육의 관점에서 획기적으로 과거의 모든 것을 이데올로기적으로 해체하고 없었던 것으로 만드는 것이 가능하며 또 사회적으로 실효성이 있을까? 어떤 수준에서 식민주의·유럽 중심주의 역사관을 비판하고 그에 대한 대안을 모색해야 할까? 탈식민주의적 시각에서 유럽과 다른 인도 벵골의 근대를 설명하기 위해 새로운 이론적 틀과 개념들을 만들려고 했던 디페시 차크라바르티Depesh Chakrabarty는 결국 '근대 역사학' 자체를 부정하기보다는 거기에서 새로운 가능성을 찾으려고 했다. 그런데 '보편'을 깨고 '특수들'만을 추구하는 것이 식민지주의를 극복하는 방안이 될 것인가? 제3장은 이러한 질문들을 하면서 세계사 교육에서 극복해야 할 유럽 중심주의란 어떤 것인가에 대해 논했다.

제4장 '한국사와 세계사 통합'은 2007 개정 교육과정에서 중학교 '역사' 과목의 탄생을 앞두고 한국사와 세계사 간의 통합 방안에 대해 궁리한 글이다. 이 글의 시작은 '역사' 과목을 개념화하는 이론적 문제의식이었다. 그러나 2014년에 고등학교 3학년 학생들의 집단 토론회를 심사하면서 그들의 국가와 세계 사이의 단절적 문제 분석과 해결 방식을 관찰한 후, 학생들의 문제 인식 및 해결 틀의 확장이라는 '실제적'인 측면에서도 한국사와 세계사를 연결시켜 탐구할 수 있는 기회를 주는 것이 중요하다는 생각을 하게 되었다.

고등학생 토론 대회에서는 아직 실험 단계에 있는 에볼라 바이러스 치료제를 환자에게 투여해야 하는가에 대해 토론하게 했다. 그리고 토론을 돕기 위해 다음과 같은 질문을 지문으로 제시했다. 치료제를 인간 대상으로 실험해본 적이 없는 상태에서 어떤 부작용이 일어날지 알 수 없다. 만약 투여한다면, 인권 차원에서 문제가 되지는 않는가? 나타날 수 있는 부작용에 대해서는 누가 어떻게 책임질 것인가? 에볼라 바이러스가 계속 퍼져나가고 있고 다른 치료제도 없는 상황에서 그냥 지켜볼 것인가? 이에 대한 해결책에 대해 고등학생 여섯 명이 함께 고민해 발표하게 했다. 학생들의 해결책은 우선 아프리카에서 치료제 투여 상황을 지켜 본 후 우리나라에서 투여할지를 결정해야 한다는 것이었다. 학생들은 질문의 취지와 다르게 에볼라 바이러스 문제를 인류 전체를 위협하는 그리고 인류 차원에서 해결해야 하는 문제가 아니라, '국가' 단위의 문제로 보고 아프리카 '그들'과 한국의 '우리'로 구분하면서 해결책을 제시했다.

  학생들의 토론을 보면서 국가라는 단위체와 그보다 더 크고 작은 여러 단위체들 사이의 복합적인 상호 작용과 연결 관계를 보면서, 또 문제를 과거와의 관련 속에서 분석하고 해결할 수 있는 '태도'나 '능력'을 키워야 한다는 생각을 다시 하게 되었다. 사실 역사를 들여다보면 국가나 민족 단위에서만 설명할 수 없는 사건들도 많다. 그렇다고 국가나 민족 단위의 내적 동력이나 창의력을 과소평가해야 한다는 것은 아니다. 또한 현 단계에서 한국사나 세계사를 섣불리 분해하거나 완전 통합해야 한다고 생각하지도 않는다. 각각의 취지를 살리면서도 여러 층위에서 역사적 변화와 문화 창조의 과정을 분석하는 것의 장점을 부각시킬 필요가 있다. 이러한 문제의식을 제4장인 '한국사와 세계사 통합'에 담았다.

  제5장 '동아시아 담론과 비교법을 활용한 동아시아사 교육'은 고등학교 선택과목으로 신설된 동아시아사가 무엇을 가르칠 수 있을까? 또 동아시아사가 '동아시아'의 여러 나라를 하나의 공동체로서 혹은 이해관계를 공유하는 집단으로서 묶을 수 있는 정체성을 함양하는 데 기여할 수 있을까?라는 질문에 대해 고민하면서 쓴 글이다. 동아시아 담론은 동아시아를 여러 국가들의 연합체 이상의 통합을 통해 그 이외의 세계에 대응해 하나의 집단으로 행위할 것을 추구한다. 그런데 현재 동아시아 3국 혹은 베트남을 포함해 4국 간의 정치적·경제적 긴장 관계는 그러한 통합의 가능성을 낙관하기 어렵게 한다. 동아시아 3국의 관계는 변해왔다. '일본 대 한국과 중국' 구도의 긴장 관계는 언제 다시 '중국 대 한국과 일본'의 긴장 관계로 변할지 모른다. 일본의 우파 정권의 과거에 대한 태도가 현재 한국인이나 중국인의 공분을 사고 있지만 그것도 달라질 수 있다. 네 나라 사이의 정치적인 갈등이 아니더라도 하나의 공동체로 상상하기 위한 문화적인 공통점 혹은 정치적·경제적 공동

체로서 행위할 수 있는 이해관계를 찾는 것도 쉽지 않다. 그럼에도 동아시아를 하나의 역사적 혹은 문화적 공동체로 상상하는 것의 의미는 무엇인가?

유럽에서는 유럽연합이 정치적·경제적·문화적으로 실제적인 힘을 발휘하면서 회원국들 간의 제도적 차이를 축소하는 방향으로 개혁을 단행하고 유럽인으로서의 정체성 형성을 위해 여러 교육적인 노력을 기울이고 있다. 그리고 그에 힘입어 유로클리오EUROCLIO: European Association of History Educators 등이 유럽연합 차원의 역사교육을 지속적으로 쟁점화시키고 있다. 그럼에도 유럽의 여러 나라들은 여전히 유럽사보다는 자국사와 세계사를 가르친다. 그리고 유럽사 교육을 통해 유럽 정체성을 도모하는 것에 대해 한편에서는 매우 '위험한' 것으로 보고 있다.

그런데 동아시아는 아직까지 정치적·경제적 협력 기구가 제대로 작동하고 있지 않다. 그럼에도 한국은 왜 동아시아사를 가르쳐야 하며, 어떤 관점에서 가르쳐야 할까? 동아시아사가 중국, 일본, 베트남의 역사에 대한 학생들의 심층적인 이해에 공헌할 가능성을 부정할 수는 없다. 그러나 그러한 지식이 동아시아 공동체원으로서의 정체성을 형성하는 데 기여할 수 있을까? 또 그것을 기대해야 하는가? 오히려 동아시아사나 세계사 모두 국가 이외의 단위에서 과거와 현재를 연결시켜 과거와 현재의 문제를 분석하고 해결할 수 있는 기회를 줄 수 있다는 점에서 그 과목의 가치를 찾아야 한다. 이러한 관점에서 제5장은 동아시아사에서 비교법을 활용하는 방안에 대해 논했다.

제2부는 역사 연구의 새로운 방법과 역사교육이라는 제목 아래 한국사의 틀 내에서 종래 정치사 중심의 역사교육이 축소했던 이야기들을 어떻게 통합할 수 있을까? 또 '역사'가 아닌 '역사들'로 접근할 때 가르쳐야 할 것은 무엇인가? 등의 질문에 대답하고자 했다. 개인의 복합 정체성, 인간 생활의 다면성, 그리고 복수로서 역사에 대해 고민하면서 쓴 글들이다. 근대 역사학에

서 '보편'에 대한 신화가 깨지면서, '중요함'을 정의하는 기준도 달라지고 있다. 새로운 패러다임 차원에서, 혹은 새로운 문제의식과 방법론의 차원에서 역사학계가 논의하는 생활사, 신문화사, 여성(젠더)사 이론들과 역사교육은 어떻게 소통해 역사교육의 지평을 넓힐 것인가?

제6장의 '생활사와 생활사 교육'은 이 책에서 유일하게 초등학생에 초점을 맞추어 역사교육을 논했다. 그러나 초등 고학년과 중학교 수준의 역사교육에까지 확대 적용할 수 있을 것이라고 생각한다. 초등학교 생활사 교육의 성격과 문제를 이해하기 위해 생활사 교육의 내력을 추적했고, 그 과정에서 초등학교 '생활사'가 한국 생활사 연구와 무관하게 만들어진 개념이라는 사실을 알게 되었다. 즉, 생활 중심 교육관의 '생활'이 생활사를 정의해왔던 것이다. 학생들의 인식 수준을 고려하면서 구체적인 학생들의 일상에서 출발하고자 했던 생활 중심 교육관의 '생활사'의 취지를 살리면서도 역사적 관점에서 생활사를 다룰 수 있을까라는 질문을 하면서 이 글을 썼다.

일상생활사, 신문화사, 미시사 등이 소재와 방법의 측면에서 역사교육의 지평을 넓히고 있다. 그러나 한국 생활사 연구는 일상생활사나 미시사 등과 달리 아직 개념과 연구 방법 등의 측면에서 새로운 패러다임으로 논의되지는 않는다. 오히려 사회사의 틀에서 생활을 소재로 하는 소재주의에 불과하다는 비판을 받기도 한다. 그러나 역사교육의 측면에서 생활사 연구는 정치사와 사회경제사의 틀을 넘어 역사를 한층 풍부하면서도 입체적으로 친근하게 다가갈 수 있는 방법과 소재, 그리고 자료들을 제공하는 장점이 있다.

생활사는 영웅 중심 민족사, 구조 중심 거대 역사의 장벽에 가려졌던 개별적인 사람들의 생활과 인식 세계를 들여다볼 기회를 줌으로써 학생들이 좀 더 친근하게 역사에 다가갈 수 있게 하며, 학생들이 역사가 위대한 몇몇 사람들의 이야기가 아니라 자신의 이야기가 될 수 있다는 것을 느끼게 할 수 있다. 특히 초등학교에서 인물 중심 이야기에 생활문화적 요소를 통합해 역사를 가르치면, 역사적 인물의 행위를 개인적인 능력이 아니라 그들이 속해 있던 사회나 그들이 상호 작용했던 문화와 관련시켜 이해하게 할 수 있다. 그리고 과거의 생활문화와 사람들 사이의 상호 작용에 대한 이해를 통해 현재 우리를 둘러싼 생활문화, 그 문화 속의 나와 우리에 대해 성찰하는 데 도움이 될 것이다. 이러한 생각에 기초해 제6장 '생활사와 생활사 교육'을 썼다.

제7장 '여성사와 여성사 교육'에서는 여성을 역사교육에서 가시화시키는 방안에 대해 고민했다. 1990년대까지 가정 형편이 좋지 않은 가정에서는 공부 잘하는 여동생이 공부를 잘 못하더라도 남자인 오빠를 위해 대학 진학을 포기하는 경우가 많았다. 내가 중학교 교사로 재직하던 1990년대 중반, 반에서 1등을 놓치지 않던 여학생이 자신의 의지가 아니라 아버지의 뜻으로 인문계 대신 상업계 고등학교에 진학한 적이 있다. 오빠보다는 여동생이 학업 성적이 월등했지만 아버지는 계집애가 일을 해서 오빠의 대학 등록금을 벌어야 한다며 그 여학생의 공부와 대학에 대한 열망을 꺾게 했다.

최근까지도 '내조'와 '보조' 담론이 여성의 역할을 제한하는 경우를 자주 목격한다. '내조'와 '보조' 담론 때문일까? 왜 역사에 여성에 대한 이야기가 없을까라는 질문을 하는 학생은 없다. 학생들에게 기억하는 역사적 여성 인물은 명성황후, 천추태후, 선덕여왕 등이다. 학생들은 드라마 덕분에 이들의 이름을 기억한다. 이외에 유관순과 신사임당이 간혹 언급된다. 이는 위인전의 덕이다. 그 외에 또 누가 있나? 역사책에는 왜 이렇게 여성에 대한 이야기가 없을까라고 질문하면 여성이 역사적으로 중요한 역할이나 활동을 할 수 없었던 사회구조였기 때문이라는 대답도 나오지만, 대체로 여성이 중요한 일을 하지 않았기 때문이라고 대답한다. 그런데 '중요함'을 결정하는 판단

기준을 문제 삼는 학생은 거의 없다. 세상이 달라졌다. 여성이 사회 여러 곳에 진출하고 여성의 일과 남성의 일의 구분이 점차 사라지고 있다. 성차별은 사회문화적으로 비판의 대상이 된다. '공적 영역'과 '사적 영역'의 구분에 기초한 가치 판단도 재고되고 있다. 그럼에도 학생들은 여전히 역사에 왜 여성이 없을까, 역사에서 '중요한 것'은 무엇인가라는 질문을 하지 못한다.

여성사/젠더사는 사회적이고 문화적인 집단으로서 여성에 대한 연구와 분석 도구로서 젠더에 이르기까지 다양한 연구 방법론에 기초해 활발하게 연구된다. 또 연구 분야로서만이 아니라 방법론으로서 독자적인 위상을 구축하고 있다. 그러나 역사교육에서 여성의 부재는 크게 담론화되지 못했을 뿐 아니라 주목하는 사람도 많지 않다. 정치사, 사회경제사, 제도사 중심의 한국사나 세계사 교육 체제는 여성 인물이나 집단으로 여성의 삶이나 역할, 정체성 문제에 대한 관심을 허용하지 않는다. 남성 중심의 역사를 '보편'과 '중요한' 역사로 설정하기 때문이다. 이러한 문제의식에서 역사교육이 구체적으로 여성/젠더를 주요 주제로 다룰 수 있는 방안들에 대해 논했던 글이 제7장 여성사와 여성사 교육이다.

제8장은 신문화사의 관심과 방법을 검토하면서 역사교육의 학습을 계열화하는 방안에 대해 생각해보았다. 신문화사가 역사 교수학습 자료 개발이나 교과서 서술 개발에 영향을 미치고 있다. 신문화사는 종래 사회과학적 방법론의 한계를 지적하고 비판하는 새로운 패러다임이다. 그러나 역사교육계는 새로운 패러다임으로서보다는 종래 거대 이야기 중심 역사를 '보완'하는 측면에서 신문화사를 검토했다. 신문화사는 민족, 근대화 등의 거대 이야기가 축소해왔던, 역사의 정면에 드러나지 않던 개인의 작은 이야기들을 그들의 목소리를 통해 들려주는 방식으로 역사교육에 기여하고 있다. 그런데 역사교육은 그 작은 이야기들을 거대 이야기의 한계를 지적하는 방향이 아니

라 거대 이야기를 좀 더 촘촘하게 엮는 방향에서 제시한다. 즉 개인들의 이야기는 민족이나 근대화 담론의 틀에서 벗어나지 않는다. 이에 따라 신문화사의 문제의식이 역사교육에 와서는 '왜곡'되는 경향도 보인다. 그렇다면 신문화사는 역사교육의 지평 확장에 어떻게 기여할 수 있을까? 이러한 질문을 하면서 쓴 글이 제8장 '신문화사와 역사교육'이다.

제9장 '박물관과 역사교육'은 박물관과 역사교육이 어떻게 만날 수 있을까라는 질문을 하며 쓴 글이다. 최근에 많은 사람들이 박물관학, 박물관 교육에 주목한다. 특히 '체험을 통한 학습'이 교육 정책으로 추구되면서, 체험 학습의 장으로 박물관을 찾는 사람들이 늘고, 이름표를 단 학생들의 무리가 박물관을 채우고 있다. 그들은 박물관에서 무엇을 할까? 박물관은 경험과 인식 확대의 장이 될 수 있다. 그런데 교사들은 학생들을 데리고 박물관에 가서 전시된 물건들을 보는 것 외에 무엇을 어떻게 해야 할지에 대해 갈피를 잡지 못하는 경우가 많다. 전시물을 찾아보고, 전시물의 이름을 외우고, 관련된 이야기를 들려주는 것 이상의 무엇이 가능할까? 디지털 시대 학생들이 아날로그적 현물을 통해 과거와 현재의 다양한 문화와 지식을 들여다볼 수 있는 곳으로서 박물관은 매우 매력적이다. 그러나 박물관은 결코 과거에 존재했던 실물을 보여주는 장소가 아니라 과거에 대한 특정한 이야기를 들려주는 곳이다. 제9장은 박물관 역사 전시의 특징을 살펴보고 그러한 특징을 고려하면서 역사를 가르칠 수 있는 방안에 대해 논했다.

가르친다는 것은 세상을 보는 통찰력을 키우는 과정이며 현재 세계를 읽고 미래를 설계하는 과정이다. 변화하는 세계를 보지 못하는 순간 '신념'과 '지조'는 '편견'이나 '편협함'으로 전락하고 그것은 변화를 거부하면서 창조와 생성을 값싼 것으로 치부하게 만든다. 우리는 그러한 사례들을 역사에서 자주 목격하게 된다. 역사교육계는 변화하는 세계를 잘 파악하고 있는지, 학생들이 변화하는 세계와 잘 소통하게 하고 있는지 생각해볼 일이다. 그렇다고 최신 담론들을 무작정 따라가야 한다고 주장하는 것은 아니다. 박지원이 청의 것을 배워야 한다고 했을 때 그것이 청의 문물을 그대로 받아들여야 한다고 주장한 것이 아니었듯이, 그가 그의 눈으로 청의 문물을 보고 해석하면서 조선의 문제를 해결하기 위한 '발상의 전환'을 추구했듯이, 적어도 세계 변화를 읽는 담론들에 대한 비판적 검토를 통해 역사교육이 추구해야 할 변화의 방향에 대해 끊임없이 다시 생각해보고 준비할 필요가 있다.

역사 연구는 물론 교육도 정치와 불가분의 관계에 있다. 딜릭의 말처럼 새로운 역사 패러다임에 기초한 연구나 교육은 단순히 새로운 무엇인가를 밝히는 것이나 가르치는 것에 그치지 않고 그 새로운 패러다임 속에 정치적·이데올로기적 관계를 재배치하는 것을 의미한다. 따라서 특정한 역사의 패러다임을 선택해 교육을 구상할 때는 그것을 통해 깨고 새로 구축하는 것의 정치적 의미에 대해, 그리고 그것이 '사회적'으로, '실천적'으로 유효하고 의미 있는 담론 구성을 전제로 하는가에 대한 숙고가 필요하다. 이렇게 보면 결국 역사를 가르치는 사람의 역사의식이 중요해진다.

2015년
강선주

제1부
사회 변화와 역사교육

제**1**장

지구사와 세계사 교육

　세계사에서 무엇을 가르칠 것인가에 대한 논의를 위해서는 먼저 세계사의 개념부터 검토할 필요가 있다. 세계사의 개념 정의에 따라 내용 선정과 구성의 원칙들이 달라질 수 있기 때문이다. 한국에서 세계사는 연구 분야로서보다는 학교 교육을 위한 과목으로서 인식되어왔다. 그런데 1990년대 말~2000년대 초에 미국 학계의 '새로운 세계사', '지구사global history' 논의가 소개되면서, 한국에서도 세계사 혹은 지구사를 보는 시각과 방법에 대한 논의가 심화되었고, 학교에서 가르치는 세계사를 재정의하고 그 내용을 재구성하려는 논의도 활발하게 진행되었다. 세계사는 단순히 외국사로서 국가사國家史들의 집합이 아니라, 인류의 역사로서, 인류의 기원부터 현재에 이르는 인류 경험의 총체를 다루는 것으로 인식된다. 그런데 '인류의 경험'은 결코 단일한 것으로 정의할 수 없다. 그것을 어떻게 정의하느냐라는 문제는 현재의 세계 변화를 어떻게 읽는가라는 문제와 연결된다.

1. 세계사 교육의 위기론

　2011(2009) 개정 교육과정에서 고등학교 한국사가 선택과목으로 전환되었을 때, 이에 대한 반발은 교육계를 넘어 정치계에 이를 정도로 전 국가적이었다. 결국 2011년에 교육과학기술부는 고등학교 한국사를 '필수'로 가르칠 것을 권고했고, 이후 다시 한국사는 필수과목화되었다. 이러한 와중에 세계사가 위기에 빠졌다고 느꼈던 서양사학자들과 동양사학자들은 세계사도 필수화해야 한다는 담론을 만들고자 했다. 국회에서 '역사교육 필수화를 위한 전문가 간담회(2011.2.16)'를 열었고, "세계사는 안 가르치고 한국사만 가르치면 위험"하다는 주장을 내세웠다. 그러나 이러한 주장은 담론화되지 못했고, 고등학교 세계사는 여전히 심화 선택과목으로 남았다. 이후 고등학교 세계사는 정치권이나 대중은 물론 역사학계의 관심이 되지 못하고 있다. 사실 세계사 교육이 위기에 빠졌다는 주장은 세계사 교육을 시작한 이래 계속되었다.

　해방 후 세계사 교육은 미군정 때 만들어진 교수요목(1946)에서 '먼나라의 생활(중학교 1학년)', '이웃나라의 생활(중학교 2학년)', '인류문화사(중학교 4~6학년)'라는 과목으로 시작되었다. 그러나 세계사 교육이 본격적으로 시작된 것은 6.25 전쟁 이후 제1차 교육과정(1954~1963) 때 '사회생활과' 내에서 '세계사'가 고등학교 선택과목으로 자리매김을 하면서부터이다. 이동윤은 세계사가 대학 입시에서 선택과목으로 편재되어 있기 때문에 세계사 교육이 등한시되고 있다며, "세계사 교육은 확실히 위기에 처해 있다"고 주장했다.[1] 당시는 제1차 교육과정이 시행되고 있던 시기로, 중학교는 물론 고등학교에서

1　이동윤, 「세계사 교육의 당면과제」, 《역사교육》, 2집(1957), 13쪽.

표 1-1 교육과정에서 고등학교 세계사 위상의 변화

교육과정 시기	고등학교 세계사	주당 시수 / 단위 수	필수 / 선택
1946~1954(교수요목)	인류문화사	주당 2시간	필수
1954~1963(1차)	세계사	주당 2시간	선택
1963~1973(2차)	세계사	6단위	인문계 필수
1973~1981(3차)	세계사	4~6단위	선택
1981~1988(4차)	세계사	2단위	인문계고 인문계열만 필수, 자연 계열, 상업 및 기타 계열 선택
1988~1992(5차)	세계사	4단위	인문계고 필수
1992~1997(6차)	세계사	6단위	과정별 필수
1997~2007(7차)	세계사	8단위	심화 선택과목
2007~2011(2007 개정)	세계 역사의 이해		심화 선택과목
2011~ (2011 개정)	세계사		심화 선택과목

도 역사는 사회과의 일부였지만, 독자적인 교재를 갖고 독립적으로 가르쳐 졌다. 그런데 고등학교 사회교과목 중에서 한국사, 일반사회, 도덕 등은 필수과목으로 지정되었으나, 세계사와 지리는 선택과목으로 지정되었다.[2] 고등학교에서 세계사가 선택과목으로 편재되어 있다는 현실에서, 세계사 교육의 '위기' 의식은 시작된다.

이후 세계사는 선택에서 필수로, 또 필수에서 선택으로 그 위상이 계속 변화되었고, 배당된 단위 수에서도 적게는 2단위에서 많게는 8단위에 이르기까지 변화를 거듭해왔다. 이러한 세계사 위상의 변화 속에서 세계사 교육의

---

2 문교부, 『초·중·고등학교 교육과정(1946~1981), 사회과·국사과』(1981), 311~313, 335~337쪽.

'위기' 논의가 끊임없이 제기되었다.

1981년 제4차 교육과정(1981~1988)이 발효될 즈음, 역사교육 심포지엄에서 이인호는 이미 다음과 같이 지적했다.

고등학교 학생의 교과과정에서 세계사 교육이 완전히 빠지게 된다고 하는 엄청난 가능성은 좁게 보아서는 현행 교과과정에서보다도 세계사가 차지하는 비중이 좀 더 줄어들게 된다는 오래전부터 계속되어온 추세의 연속일 뿐이다.[3]

제6차 교육과정(1992~1997)이 발효될 즈음, 고등학교 세계사가 과정별 필수로 전락되면서, '세계사 교육의 난국과 진로'라는 주제로 또다시 역사교육 심포지엄이 열렸다. 여기서 이인호는 "우리 역사교육이 직면하고 있는 실태는 사실 난국이 아니라 '총체적 위기'"로서 세계사에 완전히 무식한 새로운 세대를 길러낼 것이라고 지적했다.[4] 그로부터 다시 10년 뒤, 제7차 교육과정(1997~2007)에서 세계사가 심화 선택과목으로 편재되어 가르쳐지게 되는 상황을 목전에 두고, 2002년 공주에서 '세계사 교육 이대로 좋은가?'라는 심포지엄이 개최되었고, 여기서 세계사 교육의 위기 문제가 다시 제기되었다. 제7차 교육과정에서 역사 영역의 선택과목으로 '근현대사'가 추가되면서, 학생들이나 학교가 세계사를 선택할 가능성은 더욱 줄어들었기 때문에, 세계사 교육의 위상은 오히려 더 악화되었다고 본 것이다.

길게는 세계사를 하나의 교과로 가르치기 시작했던 1950년대부터, 짧게는 제3차 교육과정 개정(1973~1981) 이후 거의 30년 동안, 교육과정이 개정

---

3   이인호, 「세계사 교육의 방향」, ≪역사교육≫, 29집(1981), 176쪽.
4   이인호, 「인문교육으로서 세계사 교육의 중요성」, ≪역사교육≫, 52집(1992), 162쪽.

될 때마다 세계사 교육이 약화되는 현실에 대한 비판이 거듭되었다. 그에 대한 대응 방식으로 역사교육 심포지엄은 세계사 교육의 당위성을 강조하면서, 교육과정에서 세계사 교육의 확대를 요구했다. 그러나 교육과정에서 세계사의 위상은 향상되기는커녕 약화되고 있다는 것이 역사학계와 역사교육계의 인식이다. 계속되는 '세계사 교육의 위기', 그것은 어디에서 비롯되는 것인가?

조지형은 "한국사와 세계사의 분리 담론"이 세계사 교육 약화의 결정적인 요인이라고 보았다. 그는 세계사가 언제나 "'우리' 민족 이외의 '여분의 역사'로 간주"되었고, "이 같은 역사 담론 속에서 세계사는 '우리'가 없는 세계의 역사로서 근본적으로 우리가 공유하거나 공감할 수 없는 시공간으로 전락"했기 때문에, 한국에서 세계사가 '객관적' 연구 대상이 될 수 없었다고 주장했다.[5] 즉, "한국사와 세계사의 분리 담론 속에서 절대적 우월성과 배타성을 전유했던 '한국사'와 '민족의 주체적 절대성' 앞에 '세계사'는 무릎을 꿇어야 했다"는 것이다.[6] 사실 1970년대에 절정을 이루었던 '민족주체의식'의 담론이 한국사 연구와 교육을 강조하면서, 외국사 연구와 세계사 교육을 압도하는 분위기를 강화했다는 것은 부인할 수 없다.[7]

---

5 조지형, 「새로운 세계사와 지구사: 포스트모던 시대의 성찰적 역사」, ≪역사학보≫, 173집(2002), 338~341쪽.

6 같은 글, 338~341쪽.

7 차하순은 역사교육연구회의 심포지엄에서, 서양사 교육을 저해하는 요인을 다음의 두 가지로 분석했다. 첫째는 "세계사를 외국사, 우리의 생활문화 교육과 거의 관계가 없다는, 아니면 전혀 관계가 없다는 외국의 일에 불과하다 생각하는 것"이고, 둘째는 "역사교육이 두 개의 교과단위(한국사와 세계사)로 분리"되어 있다는 점이다. 차하순, 「서양사와 세계사 교육」, ≪역사교육≫, 19집(1976), 219~220쪽. 김영한은 민족 주체성의 확립과 민족문화의 창달에 서양사학이 기여할 수 있는 것이 거의 없다는 인식이 서양

1968년에 제정된 국민교육헌장은 교육을 통해 구현해야 할 목표로 '민족 중흥', '창조 정신', '협동 정신', '국민 정신', '새 역사 창조'를 들고, "한국적 특수성을 고려한 전통과 개혁의 조화"를 강조했다.[8] 이러한 국민교육헌장의 정신은, 1969년에 부분적으로 개정된 제2차 교육과정(1963~1973)과 1974년에 개정된 제3차 교육과정(1973~1981)에서 한국사 교육과 도덕교육의 강화로서 구체화된다. 5.16 이후 1963년부터 시행된 제2차 교육과정에서는 한국사를 중심으로 세계사를 통합함으로써, 중학교에서는 한국사와 세계사가 한데 묶인 통합교과가 등장했다.[9] 그런데 1969년의 제2차 교육과정 부분 개정은 교과서 서술에서 한국사 부분을 대폭 확대하도록 요구했다. 고등학교 세계사 교과서는 종래와 마찬가지로 독립된 교과서 체제를 유지했기 때문에 큰 변화는 없었으나, 중학교의 경우 통합교과서 체제하에서 한국사 서술이 3분의 2를 차지하는 데 반해, 동·서양사 서술은 나머지 3분의 1 정도만을 차지하는 경향을 보이게 되었다.[10] 여기에 1973년에 공포된 3차 교육과정에서는

사 교육 약화에 중요한 요인이었다고 지적했다. 이렇게 민족주의적 한국사 교육이 세계사 교육 약화의 중요한 요인이 되고 있다는 인식은 1960년대 말 이후부터 1980년대까지 서양사·동양사학자들의 글에서 자주 발견된다. 김영한, 「서양사 교육의 의의와 과제」, 《대학교육》, 6집(1983), 102쪽.

8 홍웅선, 『신교육과정의 연구』(연세대학교 출판부, 1973), 17쪽.

9 이동윤은 「세계사 교육의 당면과제」라는 글에서 "국사를 중심으로 한 아세아사·구라파사를 종합적으로 일괄 취급하자"는 주장을 제기했다. 이러한 그의 주장이 반영되어 제2차 교육과정에서 중학교 국사와 세계사가 통합적으로 구성되었을 가능성이 있다. 그러나 한편으로 실제 제2차 교육과정에서 중학교 사회의 한국사·세계사의 통합이 1958년 일본의 중학교 교육과정과 유사한 방식을 채택하고 있다는 점은 당시 교육과정 개발자들이 당시 한국사와 세계사를 통합하고 있던 일본의 교육과정을 모델로 삼은 것이 아닌가하는 추측을 하게 한다(이동윤, 「세계사 교육의 당면과제」, 13쪽).

10 1969년의 개정에서는 한국사와 세계사 부문의 구성 비율을 3.5:6.5 또는 4:6 정도로

중학교에서 한국사와 세계사가 독립적인 교과서로 편찬되었지만, 고등학교 세계사는 선택과목으로 전환되어 그 위상이 크게 약화되었다. 제3차 교육과정은 유신 체제를 정당화하기 위해 '한국적 민주주의'를 내세우면서 한국의 문화와 역사의 우수성을 강조하는 방향에서 제정되었다. 한국사 교육의 목표 진술에 사용되었던 '민족문화 이해와 발전'이라는 논리가 세계사 교육의 목표 진술에도 그대로 반영되어, 세계사 교육에서 '인류문화의 향상'과 '민족문화 발전'에 이바지하는 태도를 강조했다.

세계사 교육은 '민족 주체적 역사 인식의 고양'이라는 역사교육의 목표 앞에서 그 정당성을 잃는 듯이 보였다.[11] 특히 서양사 교육이 "서양 숭배라든가, 구미 중심적인 생활관이라든지, 혹은 미국적 교육"의 기본적인 토양이 되고 있다는 인식이 확산되면서, 세계사 교육이 마치 민족주체의식 함양에 병폐적 요인이 되고 있다는 의식을 조장했다.[12]

세계사란 무엇이고 세계사를 왜 가르쳐야 하는가에 대한 논의는 최근까지 소수의 학자들의 관심이었고, 크게 논의되지 못했다. 1969년 문교부령 제251호에 의해 한국사 교육의 강화 지침이 발표되면서 세계사 교육의 위상이

조정하기로 했으나, 교과서에 따라서는 한국사 기술에 할애된 부분이 동·서양사 기술의 양을 능가하는 경우가 많았다. 임지현, 「서양사 교육의 과거와 현재」, ≪역사교육≫, 40집(1986), 25쪽.

11 이러한 경향은 대학 교육에도 그대로 반영되었다. 김영한의 설명에 따르면 1970년대 문교 정책은 민족 주체성의 확립을 위한 교육개혁의 일환으로, 대학 교육과정에서 국민윤리와 한국사가 교양 필수과목으로 신설되는 대신, 세계 문화사는 교양 선택과목으로 격하시켰다. 이후 대학에서는 문화사를 완전히 폐지하거나 축소시켜 일부 학생들만 수강하도록 했다. 즉, 문교부의 한국학 진흥책은 상대적으로 서양사학의 위치와 가치마저 저하시킨 셈이 되었다는 것이다(김영한, 「서양사 교육의 의의와 과제」, 104~105쪽).

12 차하순, 「서양사와 세계사 교육」, 222쪽.

약화되자, 역사교육연구회는 세계사 교육 문제에 대한 관심을 촉구했다. 1971년 전국역사학대회 심포지엄과, 1975년과 1981년의 역사교육연구회 심포지엄은 바로 그러한 과제와 관련이 있다. 이 심포지엄들은 1969년 제2차 교육과정 부분 개정, 1974년 제3차 교육과정 개정, 1981년 제4차 교육과정 개정과 관련해 마련되었으며, 주요 논제는 세계사 교육이었다. 이 심포지엄들에서 동·서양학자들과 역사교육인들은 세계사 교육이 위기에 처해 있다는 인식을 공유하고, 교육과정에서 한국사와 세계사의 불균형의 문제를 지적했으며, 세계사 교육의 당위성을 역설했다.

1971년 심포지엄에서는 전해종과 노명식이, 1975년 심포지엄에서는 차하순과 민두기가, 그리고 1981년 심포지엄에서는 이인호가 공통적으로 '민족 주체성'을 '제대로' 함양시키기 위한 하나의 조건으로서 동·서양사 교육의 필요를 역설했다.[13] 또한 현장 교사였던 최양호는 당시 "고교 세계사 교육과정이 서양사 중심으로 편찬"되어, "한민족의 민족 주체성 확립과는 무관

---

[13] 전해종은 동양사 교육을 우리의 전통에 대한 이해와 관련해 정당화했다. 전해종, 「동양사교육의 문제와 방향」, ≪역사교육≫, 14집(1971), 164쪽. 노명식도 "자주적 민족정신의 확립 없이 민족의 독립이란 있을 수 없다면 자주적 민족정신의 확립은 세계정신과의 조화 속에서만 가능한 것"이므로 "민족 주체성은 제 것만 알고 제 것만을 자랑하는 데서 생기는 것이 아니라 남의 것도 알고 남의 것과 내 것과의 관계에 대한 깊은 이해를 통해서만 가능하다"고 주장했다. 노명식, 「서양사 교육의 문제와 방향」, ≪역사교육≫, 14집(1971), 170~171쪽. 1975년 역사교육연구회 심포지엄에서는 차하순은 「서양사와 세계사 교육」이라는 발표에서, 민두기는 「동양사와 세계사 교육」이라는 발표에서 각각 서양사 교육이 왜 필요한가 또는 동양사 교육이 왜 필요한가라는 질문을 던지고, 서양사와 동양사 교육이 '우리 자신에 대한 이해'를 위해서 필요하다고 역설했다. 민두기, 「동양사와 세계사 교육」, ≪역사교육≫, 19집(1976); 차하순, 「서양사와 세계사 교육」. 1981년 역사교육 심포지엄에서는 이인호가 우리 역사에 관한 이해와 참다운 역사의식이나 민족적 주체의식의 계발이 남의 역사에 대한 지식과 이해가 없거나 매우 미흡한 가운데 이루어질 수 없다고 주장했다. 이인호, 「세계사 교육의 방향」.

한 지식 전달에만 골몰"해왔다고 비판했다.[14] 또한 세계사 교육이 민족 주체성 함양에 이바지할 수 있는 방안으로써, 한중 또는 한일의 교섭사를 별도로 가르치는 '동아시아 특강'을 제안했다. 지역권적 접근법에 의거해 한국사를 포함한 동아시아사 특강 수업을 실시하면, "민족 주체성을 확립하는 태도가 함양"될 것이고, "한국의 역사적 위치파악 능력"이 길러질 것이며, "전통문화 계승의 인식이 확고히" 될 것이라는 주장이다.[15] 요컨대 민족 주체성 함양을 세계사 내용 구성의 기본적인 목표로 삼아 세계사 교육의 내용을 구성해야 한다는 것이다. 이러한 세계사 교육의 구상에서는 세계사 교육 초기에 이성수가 강조했던 "인류문화 발달의 보편적인 양상을 탐구"한다는 세계사의 본질적인 성격은 망각되고, "시대의 특색과 각종 문화의 특질, 민족 내지 문화의 흥망 제상을 포함한 사실史實의 종합적 고찰과 그 비판 능력"을[16] 함양한다는 세계사 교육의 목적은 축소되어버리고 말았다.

해방 후 미국의 영향 아래 사회과 체제가 정립되면서, 세계사 교육은 '서구를 모델로 한 근대화'의 담론을 전파하는 역할을 짊어지게 된다.[17] 이러한 세계사의 역할은, 1970년대 유신 정권하에서 '민족주체의식'이 지배적 담론으로 교육계를 규율하는 가운데 세계사 교육이 잘못된 서구화 풍조를 조장한다는 비판의 근거가 되었다. 유신 정부의 독재적 성격을 은폐하고 정권을

---

14 최양호, 「고교 세계사 교육과정에 있어서 지역적 접근법에 의한 시안: 특히 동아시아사를 중심으로」, ≪역사교육≫, 19집(1976), 1~2쪽.

15 같은 글, 2~3쪽.

16 이성수, 「세계사의 성격과 그 교육론」, ≪역사교육≫, 9집(1959), 12~16쪽.

17 이는 1960~1980년대까지 한국 동·서양사학계가 '근대화, 산업화, 민주화'의 문제의식을 중심으로 서양사에서 한국 사회의 근대적 발전에 지침과 교훈을 줄 만한 주제를 찾고, 동양사의 자생적 '근대화', '산업화' 등을 규명하려고 노력했던 것과 맥락을 같이 한다.

홍보하는 데 사용되었던 정치적 이데올로기로서 '민족주체의식'은 한국사와 도덕교육의 확대·강화와 세계사를 비롯한 다른 사회과 교육의 축소·약화의 중요한 배경이 되었다. 세계사 교육은 '민족주체의식' 함양과 관련해 정당화되었고, 심지어 '민족주체의식' 함양의 수단으로서 세계사 교육을 구상하는 논의까지 진전되었다. 세계사 교육에 대한 논의 자체가 '민족주체의식' 담론에 종속되어 있었던 것이다.

1980년대에는 '다극화', 1990년대 이후에는 '세계화'라는 세계정세 변화에 직면해, 세계사 교육을 강화해야 한다는 주장이 강하게 대두되었다.[18] 즉, 세계사 교육에 대한 '민족주체의식' 담론의 영향이 축소되고, '다극화'와 '세계화'의 담론이 세계사 교육을 규율하는 주된 담론으로 등장하게 된 것이다.

1980년대에 정권의 교체가 이루어지고 민주화 분위기가 확산되면서, 한국사 교육이 그동안 정권을 정당화·홍보하는 역할을 해왔다는 비판과 함께, 유신 정권이 내걸었던 '국적 있는 교육'의 이데올로기적 편파성이 지적되었다. 이민호는 그동안 한국사 교육이 강조된 결과, "우리나라를 강한 나라로 보고 있으며 자기 민족에 대한 긍지가 너무 커져 있다"고 주장하고, "국적 있는 교육의 강조는 자칫 잘못하면 고립된 국민상을 발생시킬 수 있다"라고 지적했다.[19] 이제 세계사 교육은 '민족주체의식'보다는 '다극화'라는 세계 변화와 '국제이해교육운동' 속에서 그 당위성을 찾기 시작했다. 강양희는 국제이해교육운동 맥락에서 세계사 교육의 정당성을 찾았다.[20]

---

18 서울대학교 사회교육과 시민교육연구실, 「세계화, 시민의식, 시민교육」, 1994년도 시민교육 학술 세미나 자료집(1994); 조상제, 「세계사 교육과 교과서」, ≪교과서연구≫, 21집(1995).

19 이민호, 「세계사 교육과 교과과정의 문제점」, ≪역사교육≫, 40집(1986), 139쪽.

20 강양희, 「현장에 있어서의 세계사 교육」, ≪역사교육≫, 29집(1981), 167~168쪽.

1980년대에 한국 정부가 국내의 정치 문제보다는 국제 문제에 국민의 관심을 유도하고, 아시안게임과 88올림픽 같은 국제대회를 유치해 국제사회로 진출하려는 적극적인 외교정책을 펼치면서, 국제이해교육과 관련해 세계사 교육을 강조했다. 이러한 맥락에서 제5공화국 출범 이후 고시된 제4차 교육과정(1981~1988)에서는 세계사 교육이 인문계 필수과목으로 전환되었고, 그 내용에서는 제3세계에 대한 이해를 심화시켜야 한다는 취지하에 아시아사의 비중을 대폭 확대했다.

제5차 교육과정(1988~1992)에서는 '다극화', '국제이해교육'과 함께 '지구공동체', '지구사'가 세계사 교육을 정당화하고 세계사 교육의 방향을 제시하는 중심 개념으로 등장했다. 즉, 교통수단과 정보 매체의 급속한 발달로 이른바 지구촌 사회를 이루어가는 만큼, 국제 이해의 필요성은 더욱 증대되고 있으며, 따라서 국제 이해를 위한 중핵 교과로서 세계사 학습의 역할과 의의가 더욱 중시되어야 한다는 것이다.[21] 제6차 교육과정은 국제 이해의 증진을 위해서 유럽 중심의 시각에서 벗어나, 종래 주변의 역사로 인식되어온 아시아, 아프리카, 중남미의 역사에 대해서도 고르게 이해할 필요가 있다고 강조했다.[22]

특히 제6차 교육과정과 제7차 교육과정에서는 '세계화'라는 국정 지표가 교육과정 개정에 반영되면서, '세계화'의 추세가 세계사 교육의 당위성을 뒷받침하는 논리적 근거로 대두되었고, 내용 선정에도 영향을 미치게 되었다. 제7차 교육과정은 세계사 학습의 필요성을 최근의 세계화 추세와 관련해 다음과 같이 강조한다.

---

21 문교부, 『고등학교 사회과 교육과정해설』(1988), 266쪽.
22 교육부, 『고등학교 교육과정 해설, 사회』(1992), 284쪽.

오늘날 세계는 국가 간 상호 교류의 차원을 넘어 지구 전체가 하나의 생활권으로 변해가고 있다. …… 그러므로 세계화 시대에 살아가기 위해서는 세계에 존재하는 다양한 문화와 가치에 대해 그것을 이해하려는 태도와 능력이 필수적으로 요구되며, 이것은 전 국민에게 필요한 자질로서 부각된다.[23]

그러나 고등학교 사회과 교육과정에서는 '세계사'가 필수과목에서 선택과목으로 전환되어 그 위상이 오히려 더욱 약화되었다.

세계사 교육의 위기론은 항상 고등학교 세계사와 관련해 제기되었다. 고등학교 사회과에서 세계사는 필수에서 선택, 선택에서 계열별 선택, 과정별 선택, 최근에는 심화 선택으로 그 위상이 계속 약화되었기 때문이다.[24] 학생들이 선택과목을 결정하는 데 대학 입시가 중요한 변수로 작용하는 상황에서, 세계사는 선택과목으로서 인기를 거의 얻지 못했다. 너무 어렵고, 공부할 양이 많다는 인식 때문이었다. 학생들이 세계사에 아무리 흥미를 느끼고, 세계사가 학생 자신들의 교양을 위해, 또는 변화하는 세계를 이해하는 데 필요한 지식이라고 생각해도, 입시에 대한 부담은 항상 세계사 선택을 주저하게 만드는 요인이 되었다. 따라서 학생들의 세계사 선택 비율은 저조했다. 이존희는 그렇게 된 연유를 1981년 심포지엄의 토론 자리에서 다음과 같이 설명하고 있다.

과거의 경험에 미루어 보건대 역사 교과는 지리나 일반사회와 같은 타 교과

---

23 교육부, 『고등학교 교육과정 해설, 사회』(1997), 188~189쪽.
24 해방 후 사회과 교육과정에서 중·고등학교 한국사, 도덕, 사회 등 교과목의 교육과정별 비중의 변화에 대해서는 류승렬, 「해방 후 교육과정 변천과 역사교과의 위치」, ≪역사교육≫, 60집(1996)을 참고.

에 비해 문교정책을 움직일 만큼 거기에 종사하시는 분들이 뭉치지를 못했습니다. 그래서 이들을 의식화시켜주는 작업이 필요합니다.[25]

역사학계와 역사교육학계는 항상 교육과정이 개정된 직후, 또는 개정이 거의 완료되는 단계에서 교육과정의 문제를 지적하고 나섰다. 개정 작업에 들어가기 이전 단계에서 문교(교육부) 당국에 구체적인 개혁안이나 방향을 제시하고, 그 안이 관철될 수 있도록 적극적인 '의식화' 작업을 한 적이 없다는 것이다. 따라서 항상 세계사 교육 위기의 1차적 책임을 문교 당국에 물으면서도, 문교 당국에 하나의 집단으로서 압력을 행사하지 못했고, 또 여론 형성에 실패했다는 점에서 역사학계와 역사교육학계에도 책임이 있다는 자성도 거듭되었다. 이러한 자성의 목소리에는 세계사의 근본적인 내용이 무엇인가에 대한 해명이나 연구가 없었을 뿐 아니라, 세계사에서 무엇을 가르치고 있는가에 대한 아무런 검토도 없었으며, 세계사에서 무엇을 가르쳐야 할 것인가에 대한 깊이 있는 연구도 진행된 적이 없다는 비판까지 포함되어 있었다.[26] 요컨대 역사학자들의 세계사 교육에 대한 무관심이 세계사 교육이 위축된 큰 이유라는 것이다.

한국에서 '외국사'는 '연구' 영역으로 정착했지만, '세계사'는 '연구' 분야가 아니라 '교육' 영역으로서 도입·정착되었다. '외국사' 연구가 '동서양' 각국의 특정 시기, 특정 사건에 대한 연구를 중심으로 진행되었다면, '세계사'는 '교육'을 전제로 인류의 탄생부터 현대까지 이르는 '인류의 총체적 경험'을 종합

---

25 역사교육 심포지엄, 「세계사 교육의 제 문제」, ≪역사교육≫, 29집(1981), 180~181쪽.
26 이인호, 「세계사 교육의 방향」, 176쪽; 이민호, 「세계사 교육과 교과과정의 문제점」, 140쪽.

해 제시하는 것을 목적으로 연구가 진행되었다. '외국사' 연구가 동양사학자들과 서양사학자들의 몫이었다면, '세계사' 는 주로 소수의 역사학자들과 역사교육 연구자들의 관심이었다.

그런데 대학에서는 역사 영역을 크게 '한국사', '동양사', '서양사'로 삼분해서 연구와 교육을 진행하고 있기 때문에, '세계사'는 동양사와 서양사의 병렬 또는 통합 정도로 인식되었다. 이는 1980년대 전까지 세계사 교육과 관련된 심포지엄에서, '세계사 교육의 문제'가 '동양사 교육의 문제'와 '서양사 교육의 문제'로 분류되어 다루진 것에서도 확인된다. 1980년대 이후의 역사교육 심포지엄에서는 '동양사 교육', '서양사 교육'이라는 용어 사용을 지양하고, '세계사 교육'이라는 용어를 사용하기 시작했다. 그러나 그 구체적인 토론 현장에서는 여전히 '동양사'와 '서양사'의 이분법적 구도에서 내용과 구성의 문제가 지적되곤 했다.[27]

세계사 교육과정이나 교과서의 개발 과정에서는 문교부(교육부)의 연구사나 역사교육 연구자가 세계사 교육과정의 큰 틀을 마련했고, 중국사 전공자가 동양사를, 유럽사 전공자가 서양사의 주요 내용을 선정했다. 이러한 방식의 교육과정 개발은 2010년대 현재에도 지속되고 있다.

그러나 한국의 동·서양사학계의 세계사에 대한 연구 업적이 한국의 세계사 교육의 방향과 시각을 결정하는 데 중요한 요인이었다고 보기는 어렵다. 한국의 시각에서 여러 지역사를 종합해 인류의 역사를 구성해보려는 시도 자체가 거의 없었기 때문이다. 세계사 연구와 교육은 오히려 일본이나 미국

---

27 1981년에 역사교육연구회 주최로 열린 '세계사 교육의 제 문제'라는 심포지엄에서는 종래 동·서양사 구분의 논의를 탈피해 '세계사 교육과정의 변천과 배경', '현장에 있어서의 세계사 교육', '세계사 교육의 방향' 등이 발표 주제로 채택되었다.

의 역사학계, 역사교육학계의 영향에 종속되어왔다는 비판에서 벗어나지 못하고 있다.[28] 1980년대 말에 미국에서 나타난 '새로운 세계사', '지구사' 이론들이 1990년대 말부터 2000년대 초에 국내에 소개되었다. 그리고 그러한 이론을 적용한 세계사 교육 재구조화에 대해, 한국에서 관련된 연구 성과가 축적되지 않았다는 점을 들어 그러한 재구조화가 시기상조라고 지적하기도 한다. 그렇다면 외국사, 또는 세계사 연구나 교육이 미국이나 일본의 영향에 종속되어 있다는 것의 의미는 무엇일까? 외국의 연구와 분리된 한국적 시각의 세계사 교육은 가능하며, 또 바람직한가? 한국적 시각의 세계사 교육이란, 연구 내용의 측면이 아니라 문제의식과 관점의 측면에서 추구되어야 한다. 변화하는 세계를 읽는 가운데, 그렇듯 변화하는 세계 속에서 한국이 담당해야 할 역할 또는 추구해야 할 변화 등을 고려해 세계사 교육을 구상·실행해야 한다는 것이다.

2. 세계사 교육의 시각과 재편 방향

현재 '지구화globalization'는 우리 삶을 규정하는 강력한 변화 추세 중 하나

---

28 이존희는 미국과 일본 등의 세계사 자료가 실제 교육과정 개발에 참고되었다고 서술한다. 역사교육 심포지엄, 「세계사 교육의 제 문제」, 180~181쪽. 한국의 세계사 연구가 부진했던 상황에서 세계사 교육과정을 개발하는 데 외국 자료에 의존했던 것이다. 세계사에 대한 연구 부진과 세계사 교육의 외국 학계에의 종속은 해방 이후 한국 동·서양사학이 주체적인 연구 조건과 관점을 형성하지 못했던 것과 관련이 있다. 이 문제와 관련해서는 최갑수, 「유럽중심주의의 극복과 대안적 역사상의 모색」, ≪역사비평≫, 52호(2000); 오병수, 「'동아시아'인식과 세계사 교육의 내용구성」, 윤세철교수정년기념 역사학논총간행위원회 엮음, 『역사교육의 방향과 국사교육』(솔, 2001), 316쪽 참고.

로서 인식된다. 지구가 상품, 사상, 제도, 가치 등의 상호 교환을 통해 하나의 세계로 통합되고 있는 상황에서, 개인들이 성공적으로 활동하기 위해서는 세계의 다양한 문화적 특징과 가치에 대한 이해가 필수적으로 요구된다. 이러한 사회적 요구를 효과적으로 충족시킬 수 있는 교과 중의 하나가 세계사이다.

제7차 교육과정(1997~2007)은 '세계화'라는 용어를 사용하면서 세계화를 단순히 '지구 전체가 하나의 생활권화되는 현상'이라는 측면에서 정의하고 세계사 교육을 추구했다. 그러나 현재 지구화는 그보다 훨씬 복잡하고 다층적인 내용적 동태성을 품고 있다. 우선 지구화를 통한 국가 간, 사회 간, 문화 간, 지역 간의 상호 교류의 증대는 정치적·경제적·문화적 경계선의 구분을 무색하게 하고 있으며, 개인의 활동 영역을 획기적으로 확대시키고 있다. 그런데 다른 한편으로는 지구화를 통한 상호 교류의 진전이 국제적 분쟁과 국지적 갈등을 심화시킴으로써 국가와 민족과 종교권을 구분하는 장벽의 존재를 실감케 하는 역설적인 현상도 야기하고 있다. 요컨대 현재 진행되는 지구화의 본질은 생활 영역의 복잡성과 다층성에서 찾아져야 한다. 중층적인 네트워크가 세계를 복잡하게 연결하면서, 종전에는 무관하게만 여겨지던 세계 각 지역들의 협력과 갈등의 가능성이 증대되고 있다.

한 지역에서 일어난 사건은 단지 그 지역에 영향을 주는 데 그치지 않고, 세계 곳곳에 연쇄적인 파급 효과를 주고 있다. 그런데 그 파급 효과는 같은 분야에서 일어나는 것도, 규모나 종류 면에서 동질적인 것도 아니다. 우리 문제는 곧 세계 여러 지역의 문제와 연결되며, 세계 여러 지역의 문제는 다시 우리 문제가 되고 있다. '우리'라는 범주는 매우 복잡하며 다층적이다. 따라서 한 지역에서 일어난 사건을 이해하기 위해서는 지역 간 상호 의존성이 심화되는 현실을 염두에 두면서, 그 사건의 기원, 전개 과정, 파장 효과 등을 그 지역만이 아니라 여러 공간적·사회적 틀 속에서, 다층적 관점에서 분석할 필요가 있다. 이러한 맥락에서 볼 때 세계사 교육은 이제 단순히 "다양한 문화와 가치에 대한 이해"를 돕는 데 그칠 것이 아니라, 복잡한 관계망의 심화라는 관점에서 세계에서 일어나는 사건들을 분석할 수 있는 능력과 태도까지 함양하는 것을 목적으로 해야 한다.

세계사 교육은 학생들의 세계관 형성에 지대한 영향을 미친다. 특히 중·고등학교에서 세계사 교육은 대부분의 학생들에게 그들 세계관 형성의 거의 마지막 기회이다. 따라서 중·고등학교 세계사가 인류 발달 과정의 어떤 밑그림을 제시하고, 세계 각지에서 일어나는 사건들을 어떤 각도에서 조명해 제시할 것인가의 문제는 학생들이 세계사적 전개 과정에 어떻게 참여할 것인가, 그리고 세계 속에 앞으로 어떤 방식으로 존재하게 될 것인가에 중요한 영향을 미친다. 현재의 세계 변화는 세계사 서술과 교육을 새로운 관점에서 재구성할 것을 요청한다.

시대와 사회마다 다른 세계 인식과 시대 인식은 세계사에서 가르쳐야 할 내용과 관점을 달리 규정해왔다. 이러한 내용과 관점은 때로는 편협한 인종적·민족주의적 감정을 자극하기도 했다. 1950년대 말 미국의 레프튼 스타브리아노스 Leften Stavrianos는 지구촌global village 시대의 도래라는 시대적 변화를 맞이해 세계사 서술도 달라져야 한다고 주장했다. 그는 "달에서 지구를 보듯이" 지구를 하나의 공동체로 인식하고, 어느 한 민족이나 국가의 시각을 떠나서 인류 공동체의 성원이라는 시각에서 세계사를 서술해야 한다고 주장했다.[29] 그런데 인류사, 즉 인류의 거대한 발전을 꿰뚫는 하나의 전체사를 지역적 편견에서 벗어나 일관된 관점과 원칙을 가지고 서술할 수 있을까? 편

---

29 Leften Stavrianos, *A Global History of Man*(Boston: Allen and Bacon, 1962), p.1.

협하지 않은 관점에서 세계사를 서술해야 한다는 주장, 적어도 세계사 서술이 서구[30] 중심적인 보편사적 관점에서 탈피해야 한다는 주장은 일찍이 제1차 세계대전을 전후한 시기부터 제기되었고, 최근에는 더욱 강조되고 있다.

제1차 세계대전 이후 서유럽 중심의 세계 질서가 와해되고, 미국과 더불어 중국, 일본, 러시아가 세계 질서를 규율하는 중요한 세력으로 등장했다. 서유럽의 패권이 약화되고 있다는 사실, 그리고 그동안 '문명국'의 범위에 속하지 않는다고 믿었던 중국·일본이 부상하고 있다는 사실은, 세계가 유럽화의 과정을 통해서 통합되는 방향으로 나갈 것이고, 그것이 곧 '진보'의 방향이라고 확신했던 많은 지식인들에게는 충격으로 다가왔다. 오스발트 슈펭글러Oswald Spengler와 아널드 토인비Anold Toynbee는 이러한 세계 변화에 민감하게 반응하면서, 그동안 보편사의 시각에서 서유럽의 번영을 중심으로 서술

---

30 'The West'는 '서양'으로 'Western civilization'은 '서양 문명'으로 번역되어왔다. 그런데 서양이라는 용어는 주로 세계를 동양과 서양으로 이분하는 구도에서 사용해온 용어이다. 그 포괄성에도 불구하고 동양 문명은 중국 문명을, 서양 문명은 유럽 문명을 지칭하는 것처럼 인식되어왔다. 서양 문명이라는 용어는 이슬람 문명, 중국 문명, 인도 문명 등과 등치시키면서 사용하지는 않는다. 이러한 인식의 문제와 'Western civilization'이라는 개념이 미국에서 탄생된 과정을 고려하면서, 이 책에서는 '서구 문명'이라고 번역해 사용하려 한다. 동유럽과 다른 '서구', 즉 '서구라파', 서유럽에 뿌리를 둔 문화가 퍼져나가면서 발전한 문명을 지칭하기 위함이다. 즉, 서구 문명은 서유럽과 미국의 공통된 역사·문화·이데올로기를 통칭하는 개념이다. 이는 유럽 문명이라는 개념과도 다르다. 서구 문명이라는 개념에는 서구 문명이라고 일컬어지는 나라 또는 지역들이 특정한 문화적 일관성을 보이며, 비슷한 역사적 경험을 했다는 의미가 함축되어 있다. 엄밀하게 말하자면 미국인에게 서구 문명은 보통 유럽과 미국의 문명을 생각하는 것이 아니라, 고대 그리스와 로마 문명에 뿌리를 두고 중세와 근대 서유럽에서 성장해 마침내 19~20세기에 미국에서 그 열매를 맺은 문화적 전통과 그 역사적 발전을 일컫는다. 강선주, 「미국 대학의 교양 교육과정에서 '서구 문명' 강좌의 변천: 하버드, 콜롬비아, 시카고 대학의 사례를 중심으로」, ≪역사와 담론≫, 44집(2006).

했던 세계사를 재정의·재구성하기 시작했다. 가장 큰 변화는 서구 문명과 비서구 문명들을 동일한 분석의 단위로 다루기 시작했다는 것이다.[31] 이들의 역사 인식과 이들이 사용한 여러 개념들은 이후 많은 역사가들로부터 비판의 대상이 되었다.[32] 그러나 여러 '문명'의 형성과 몰락을 중심으로 세계사를 서술했던 그들의 시도는 이후 '문명' 또는 '문화'가 세계사 서술의 중요한 단위로 인식되는 중요한 계기를 마련했다.[33]

특히 1950~1960년대에 아시아, 아프리카 등의 지역사 성과가 축적되면서, 서구 문명Western civilization을 보편사로 인식하는 세계사의 개념이 적어도 연구자들 사이에서는 그 정당성을 상실하게 된다. 지역사가들은 세계 여러 지역에서 여러 민족들이 독특한 역사적 경험과 문화를 발전시켜왔다는 점을 보여주었다. 한 걸음 더 나아가, 때로는 비서구 지역에서 일어난 사건이 서구 지역에서 일어난 사건보다 세계사적 관점에서 더 중요하며, 비서구 지역에서 창조된 문화나 개발된 기술이 근대 세계 형성에 결정적인 공헌을 했다는 사실들을 밝혀냈다. 폭발적으로 증가하는 비서구 지역에 대한 지식은 특정 문명의 경험을 중심 원리로 삼아 인류 전체의 경험을 서술하고, 특정 문

31 슈펭글러는 '문화'라는 개념과 '문명'의 개념을 사용해 역사를 서술했다. 슈펭글러는 문화와 문명을 살아 있는 유기체로 인식하고 '문명'을 '문화'가 발전해 마지막에 이르는 단계로 정의했다. Oswald Spengler, *The Decline of the West*, Vol.2, translated by Charles Francis Alkinson(New York: Alfred A. Knopf, 1922). 토인비는 인류 역사에 존재했던, 사멸되었든 아직 살아 있든, 문명들을 모두 28개로 보면서 이 문명들의 역사를 규명하고자 했다. Anold Toynbee, *A Study of History*(New York, 1962).

32 윤세철, 「세계사와 아시아사」, ≪역사교육≫, 32집(1982), 8~9쪽.

33 Philip Pomper, "The Theory and Practice of World History," in P. Pomper, R. H. Elphick and R. T. Vann(eds.), *World History: Ideologies, Structures, and Identities*(Malden, Massachusetts: Blackwell, 1998), pp.3~4.

명의 전개 과정을 중심으로 인류 진보의 과정을 단선적으로 정의했던 종래 세계사 개념의 억압성을 비판하는 학문적 담론을 확대했다. 그리고 인류의 경험을 포괄할 수 있는 진정한 의미의 세계사 서술을 위해서는, 세계사를 보는 관점은 물론 세계사 구성 원리에 대해 재고할 필요가 있다는 주장을 정당화했다.

이러한 문제의식에서 새롭게 인류사를 서술하고자 했던 기관 중 하나가 유네스코UNESCO이다. 종전의 세계사는 대체로 서구 문명의 경험을 중심으로 인류사의 발전 경로를 상상했다. 그러나 유네스코는 세계의 평화와 국가의 이익을 넘어 인류의 공동선을 지향하는 관점에서 인류 대부분의 경험을 포괄하는 세계사 서술이 필요하다고 인식했다. 그리고 이러한 관점에서 1963년에 『인류의 역사: 문화적 · 과학적 발전History of Mankind: Cultural and Scientific Development』을 여섯 권의 책으로 편찬했다. [34]

이 책은 유럽만이 아니라 유럽과 아시아 모두, 즉 '유라시아Eurasia'의 역사를 쓰겠다는 의도를 가지고 유라시아의 주요 문명들을 중심으로 인류의 역사를 구성했다. 유네스코는 대부분의 문명들이 서구 문명과 전혀 다른 경로를 밟아서 다른 경험을 형성하며 발전했다는 인식을 토대로 세계사를 문명 단위로 서술하고자 했다. 그리고 각 문명이나 지역적 관점을 반영하기 위해 여러 나라의 저명한 역사학자들을 대거 참여시켰다.

유네스코 인류사 서술의 총책임을 맡았던 예일 대학교의 랠프 E. 터너 Ralph E. Turner는 세계 여러 나라와 여러 민족의 자존심을 상하지 않게 하면서 세계사를 서술하기 위해서는 여러 지역이나 민족들 사이에 공통적인 경험과

---

34 윤세철, 「세계사 교육과 국제이해」, 서울대학교 사범대학, ≪사대논총≫, 20집(1979), 24쪽.

업적을 강조해야 하며, 동시에 각 문명들이 이룬 성과를 비교사적 관점에서 서술해야 한다고 주장했다.[35] 그러나 문명 간의 기술 발달이나 창의성 면에서의 비교를 제한함으로써, 인류의 다양한 문화를 하나의 잣대로 고급문화와 저급문화로 또는 중심과 주변으로 구분하는 편향된 시각을 지양하려 했다. 이를 위해 모든 문명들의 역사를 독립적으로 다루면서 그 서술의 양을 동등하게 배당했다.[36] 즉, 인류 전체의 경험을 일반화해 '보편성'을 드러내려고 하기보다는 각 문명의 '특수성'을 강조하려 했던 것이다. 이후 세계사 서술에서는 여러 문명들을 비슷한 비중으로 다루는 것이 인류의 경험을 총체적으로 포괄할 수 있는 하나의 대안으로 강조되었다. 이러한 방향에서 아시아의 여러 문명들을 유럽 문명과 비슷한 비중으로 서술해야 한다는 주장이 부상하기 시작했다.[37] 한국의 세계사 교육과정도 같은 맥락에서, 제2차 교육

---

35 유네스코 인류사 서술의 방향은 미국의 역사가 루이스 고트샬크(Louis Gottschalk)와 관련된 일화에서 더욱 선명해진다. 1951년 유네스코의 『인류의 역사(History of Cultural and Scientific Development of Mankind)』 서술에 시카고 대학교의 역사가 고트샬크가 유일한 미국인으로서 참여했다. 고트샬크는 1300~1775의 시기를 저술하게 되어 있었다. 그는 유럽의 아메리카 대륙 발견 이후에야 진정한 세계사가 시작되었다는 인식을 토대로 이 시기의 세계사를 '유럽인의 시대(The European Age)'라고 명명하고 그의 저술 계획서를 유네스코 인류사 저술 위원회에 보냈다. 그러나 당시 유네스코 인류사 저술 위원회의 운영위원장이었던 브라질의 역사가 파블로 E. 드베레도 카르네이로(Pablo E. Deberredo Carneiro)는 세계사의 어떤 시기도 '유럽(European)'이라는 용어를 사용해 제목을 만들 수 없고, 모든 지역을 동등하게 다루어야지 어떤 한 지역을 특별하게 다루어서는 안 된다는 원칙을 고트샬크에게 통보했다. 고트샬크는 결국 자신이 맡은 부분을 완성하기까지 12년의 세월을 투자했고, 각 지역에 대한 저술과 관련해 거의 12명이 넘는 연구 조교를 자비로 채용했다. Gilbert Allardyce, "Toward World History: American Historians and the Coming of the World History Course," *Journal of World History*, Vol.1, No.1(1990), pp.32~35.

36 같은 글, p.35.

과정 이후 '동양사'를 확대하는 방향으로 개혁이 이루어졌다.[38]

두 차례의 세계대전과 탈식민지화의 심화, 제3세계의 성장이 서유럽 중심의 세계 질서를 해체시키는 동시에 서구 중심적인 역사 인식의 변화를 요구했다. 이에 따라 서구의 역사적 경험을 중심으로 단선적인 인류사의 발전 과정을 상정했던 세계사의 개념이 해체되고, 복수의 발전 경로와 복수의 문화 중심지가 상정된 새로운 세계사의 개념이 탄생하게 되었다. 이러한 세계사의 개념에서 세계사의 범위는 서유럽과 북아메리카 이외에 동유럽, 아시아의 여러 문명, 북아프리카 지역, 아메리카 지역으로 확대된다.

복수의 발전 경로와 복수의 문화 중심지로 형상화한 세계사는 여러 문명과 지역에 대한 흥미로운 자료들을 소개해주고 각 지역이나 문명의 독특한 역사적 경로를 보여준다는 이점이 있다. 그러나 이러한 세계사의 문제는 세계사에서 독립적으로 다루어야 할 문명을 세분하면 할수록 늘어날 수 있다는 것이다. 또한 문명별 서술은 문명 내 발전을 다시 국가별, 왕조별로 나누어 서술함으로써 세계사를 국가 또는 왕조라는 파편들의 조합으로 만들 가능성도 크다. 실제 한국의 중·고등학교 세계사 교육과정이나 교과서는 이러한 방식으로 구성되어왔고, 이에 따라 교과서의 어떤 부분은 서로 관련 없는 사실들의 나열 또는 왕조 이름들의 나열 이상이 되지 못했다. 문명을 단위로 구성된 세계사는 결국 단절적인 문명들이나 지역사의 집합이라는 성격을 벗

---

37 이러한 주장의 대표적인 역사가 가운데에는 스타브리아노스와 에드워드 L. 파머 (Edward L. Farmer)가 있다. Leften Stavrianos, *A Global History of Man*; Edward L. Farmer, "Civilization as a Unit of World History: Eurasia and Europe's Place in It," *The History Teacher*, Vol.18, No.3(May, 1985). 이러한 관점에 대한 더 자세한 서술은 윤세철, 「세계사 교육과 국제이해」 참조.

38 윤세철, 「세계사 교육과 국제이해」, 1쪽.

어나기 힘들다. 물론 이런 문명 단위의 서술에서도 문명 간 접촉이나 관계에 대해 부분적으로 다룬다. 그러나 문화 전파의 내용을 피상적으로 서술하는 데 그칠 뿐, 문명 간 접촉과 상호 작용이 가져온 변화에 대해서 학생들이 체계적으로 분석·이해할 수 있는 기회를 주지 않는다.

문명 단위 세계사 서술의 또 다른 중요한 문제는 서구 문명이 이루어놓은 소위 '근대 문명'에 대한 평가와 관련이 있다. 즉, '근대 문명'을 서구 문명의 일부로서만 다룰 것인가, 아니면 인류 전체의 근대 문명으로 다룰 것인가의 문제이다. 문명을 단위로 세계사 서술을 시도했던 스타브리아노스와 에드워드 L. 파머Edward L. Farmer 등은 16세기 전후 서구의 팽창을 기점으로 '전근대'와 '근대'를 구분하고, 전근대 시기에서는 각 문명들의 독특한 특징과 발전 양상을 다루려고 노력했지만, 근대 시기에는 서구의 팽창 과정을 인류사의 핵심 경험으로 다룸으로써 근대 문명을 서구 문명의 일부가 아니라 인류 전체의 근대 문명으로 정의했다. 이러한 관점에서 스타브리아노스나 파머는 세계사world history와 '지구사global history'의 개념을 구분하기도 했다.[39]

스타브리아노스와 파머는 16세기 이전에 유라시아에서 비슷한 정도의 발전을 보인 주요 문명 – 중국 중심의 동아시아, 인도 중심의 남아시아, 페르시아인, 아랍인, 터키인 중심의 서아시아, 그리고 유럽 – 의 역사를 '세계사'로 정의하고, 이러한 문명들을 비슷한 비중으로 다루어야 한다고 주장했다. 그러나 16세기 이후에는 서유럽이 다른 지역으로 팽창해나가면서, 지구 곳곳이 지속적인 교류망으로 연결되고 상호 의존성이 심화되는 방향에서 역사가 전개되었으므로, 진정한 의미의 '지구사'가 시작되었다고 주장했다. 따라서 16세기

---

39 Leften Stavrianos, *A Global History of Man*, p.3; Edward L. Farmer, "Civilization as a Unit of World History: Eurasia and Europe's Place in It," p.354.

이후의 '지구사'는 지역이나 문명 등의 단위가 아니라 '지구'가 하나의 단위로서 서술되어야 한다는 것이다. 그들은 '상호 의존성'의 관점에서 기본적으로 근대 이전과 이후에 질적인 차이가 있었다고 보았다. 근대 이전에는 지역 간 교류와 접촉이 지속적·규칙적이지도 못했고, 교류와 접촉이 대부분 문화권이나 문명 내에 머물렀지만, 근대 이후에는 교류와 접촉이 문화권이나 문명의 단위를 넘어 지구적 차원에서 지속적으로 일어나기 시작했으며, 교류와 접촉이 가져온 변화도 근대 이전과 획기적으로 다르다고 보았다. 이렇게 보면 세계사는, 16세기까지는 여러 문명들의 개별적인 발전이고, 16세기 이후는 서유럽인의 근대 문명 형성과 세계적인 팽창, 그리고 서구 문명의 비서구로의 확대 및 비서구 토착 문화의 서구 침략에 대한 저항, 서구 문화의 수용·변용을 통한 근대화 등으로 정의된다.

그러한 문명사적 접근은 한국에서도 제7차 교육과정 기간까지 중·고등학교 세계사에서 관철되었다. 종래 세계사는 크게 '유럽사'와 '아시아사'로 구분되었다. 전근대에서 '유럽사'는 서유럽의 역사를 중심 뼈대로 하고 중세에 '비잔티움 문명'을 사이에 첨가하는 방식으로 구성되었으며, '아시아사'는 동아시아 문명, 인도와 동남아시아 문명, 서아시아 문명을 각각 비슷한 비중으로 다루는 형식을 취했다. 16세기 이후 근대에서는 서유럽과 아시아의 근대적 발전을 다루었다. 서유럽에서 근대가 창조와 팽창의 과정이라면, 아시아에서 근대는 서구 제국들의 침략에 대한 저항 과정이면서, 다른 한편으로는 서구의 제도와 기술의 수용 과정이다. 근대 문명의 형성 과정에서 서구 문명의 역할은 무시할 수 없이 크기 때문에, 현대사회를 이해하기 위해서는 서구에 기원을 두고 있는 근대적 사상·제도·기술 등을 이해해야 한다는 것이 현실주의적 역사 인식이다. 이러한 인식이 우리의 세계사 교육과정은 물론 교과서 서술에 반영되었다.

그러나 아시아 여러 지역의 '근대'라는 모습을 '서구 문명' 확산의 결과로서만 이해할 수는 없다. 이러한 관점에서 제7차 교육과정은 '아시아 사회의 성숙'이라는 대단원을 별도로 설정하고, 중국 명·청조, 인도의 무굴제국, 서아시아의 이슬람제국의 발전을 '근세'로 다루었다. 이를 통해 오늘날 아시아에 남아 있는 '전통문화'에 대한 이해를 돕고, 유럽이 근대 문명을 발달시키던 시기에 아시아에서는 몇 개의 커다란 제국이 발전하고 있었다는 점을 강조했다. 그럼에도 여전히 제7차 세계사 교육과정이나 세계사 교과서까지는 아시아 전통 사회의 특징과, 서구 문명과의 만남·갈등·동화·변용 등의 결과로서 형성된 아시아 여러 지역의 독특한 '근대'의 모습을, 서구 문명을 중심으로 개념화된 '근대'와 차별적으로 다루는 데 성공하지는 못했다. '근대화'는 '서구화'와 같은 개념으로 정의되었고, 따라서 '서구 문물의 빠른 도입'이 '근대화'의 성공과 실패를 좌우한 것처럼 서술되었다.

'근대'라는 개념은 19세기 말 이후 서구의 여러 제국들이 '서구 문명'을 서구 이외의 지역에 전파하고 강요할 수 있는 힘을 지니면서 '보편적인' 개념으로 성립되었다. 그리고 아직까지도 미국 중심의 서구의 힘을 결코 과소평가할 수 없는 상황에서, '서구 문명'에 대한 이해를 게을리할 수 없는 것이 현실이다. 그런데 최근의 세계 변화는 서구가 강요해온 '근대'의 개념을 해체하고, 새로운 시각에서 근대는 물론 세계사의 개념을 재정의할 것을 요구한다. 이에 따라 세계사를 다른 방식으로 개념화하려는 연구자들이 최근 증가했다. 그들은 공통적으로 세계는 지역과 지역, 사회와 사회 등이 복잡하게 연결되어 상호 작용을 하고 있으며, 그러한 경향이 갈수록 심화된다고 인식한다. 그리고 이러한 인식을 기초로, 문화권과 문명 같은 인위적 개념의 장벽을 넘어 이루어지는 역사적 상호 작용에 초점을 맞춰 세계사를 구성하려 한다.

1950년대 말 이후 세계사 서술에는 인류의 공통적인 역사적 경험을 추적할 수 있는 공간적 틀로서 유라시아와 함께 '반구'라는 개념이 사용되었다.[40] 반구라는 개념은 지역적으로 세계를 크게 세 부분으로 구분한다. 아프리카, 유럽, 아시아 대륙을 포함하는 '동반구'와 남·북아메리카의 '서반구', 그리고 호주와 뉴질랜드, 태평양의 섬들을 포함한 '오세아니아'이다. 반구는 정치적·경제적·문화적으로 복잡하게 연결된 하나의 지리적 공간을 의미한다.[41] 따라서 반구를 역사 연구의 개념적 틀로 설정하면, 역사 이해의 대상은 '반구' 내에서 비슷한 발전 정도를 보인 개별적 문명이나 국가적 발전이 아니라, 반구의 차원에서 문명이나 지역을 연결시키면서 펼쳐진 역사적 사건이나 양상이 된다. 적어도 반구 사이에 지속적인 접촉이 이루어지기 전까지의 인류의 경험을 구성하는 데 '동반구', '서반구', '오세아니아'는 유용한 개념적 도구가 될 수 있다.

동반구나 서반구에 있는 사회나 민족 가운데 역사적으로 외부로부터 완전히 고립되어 존재한 사회나 민족은 거의 없다. 특히 상업적·정치적·문화적 접촉은 동반구에 존재한 사회와 지역을 항상 복잡하게 연결시켰으며, 그러한 경향을 확대·심화시키는 방향에서 역사가 진행되었다. 따라서 반구라는 개념은, 한층 넓은 공간적 개념을 통해서 인간의 활동을 이해할 수 있고 현

---

40 반구라는 개념이 제안된 이면에는 기존에 세계사 서술과 교육에서 사용되어 온 '서구', '아시아', '오리엔트'라는 용어에 들어 있는 서구 우월적 가치와 편견을 불식시키고, 새롭게 세계 또는 세계사를 보는 관점을 세우려는 의도도 있다. Ross E. Dunn, "The Challenge of Hemispheric History," *The History Teacher*, Vol.18, No.3(1985), p.331. 이러한 의도와 관련해서는 Marshall G. S. Hodgson, "Hemispheric Inter-regional History as an Approach to World History," in Ross E. Dunn(ed.), *The New World History* (Boston: Bedford St. Martin's, 2000), p.119를 참조.

41 Ross E. Dunn, "The Challenge of Hemispheric History," p.331.

재 세계 변화의 추세를 분석할 수 있다는 점에서 유용하다. 유라시아는 아시아와 유럽을 통합하는 역사적 개념이다. 동반구는 유라시아에 아프리카까지 통합된 지리적 단위이다. 아프리카 대륙은 사하라 사막을 중심으로 사하라 이북과 사하라 이남으로 구분된다. 사하라 이북의 아프리카가 역사적으로 유럽이나 아시아 대륙과의 지속적인 접촉과 상호 작용을 통해 발전했다면, 사하라 이남의 아프리카는 상대적으로 유럽이나 아시아로부터 고립된 역사적 과정을 겪었다고 할 수 있다. 그럼에도 불구하고 사하라 이남의 아프리카 지역이 유럽이나 아시아로부터 완전히 고립되었던 것은 아니다. 따라서 동반구라는 개념은 아프리카의 역사적 경험을 소외시키지 않고 의미 있게 구성할 수 있다는 점에서도 새로운 세계사 구성을 위한 적절한 개념적 틀이 될 수 있다.

인간세계는 "다면적이며 서로 연결된 과정의 총체"로 구성된다.[42] 인간의 활동은 하나의 국가·사회·문화권 안에 국한되어서 이루어지지 않는다. 따라서 인간세계를 넓은 시각에서 이해하기 위해서는 사회, 국가, 문화권 등의 경계를 넘어 이루어지는 역동적인 상호 작용을 볼 필요가 있다.[43] 윌리엄 H. 맥닐William H. McNeill, 마셜 호지슨Marshall Hodgson, 에릭 R. 울프Eric R. Wolf 등 세계사 학자들은 서구 중심적인 세계사 서술을 극복하는 대안의 하나로서 '문명', '사회', '국가', '문화권' 등의 틀을 넘어 일어났던 역동적인 상호 교류와, 그로 인해 형성된 인류의 경험에 초점을 맞출 것을 제안한다.[44] 최근에는 이

---

42 Eric R. Wolf, "Introduction," *Europe and the People without History*(Los Angeles: University of California Press, 1982)가 "Connections in History" 라는 제목으로 Ross E. Dunn(ed.), *New World History* (2001), p.131에 다시 실려 있다.

43 Eric R. Wolf, "Connections in History," in Ross E. Dunn(ed.), *New World History* (2001), p.131.

러한 그들의 세계사 구성 원리를 발전시켜 세계사의 개념을 다시 정의하고, 세계사의 연구 주제와 연구 방법을 재설정함으로써 세계사를 역사 연구의 하나의 분과로서 확립하려는 연구자들이 늘고 있다.[45] 그들은 현재의 '지구화'라는 세계 변화 속에서 세계사가 하나의 연구 분과로 독립되는 것은 당연하다고 본다. 그들은 교통과 통신 기술의 발달이 지구상 거의 모든 사람들을 같은 시간대에서 활동하게 만드는 상황에서, 인류를 멸망시킬 수 있는 무기, 질병의 위협, 환경문제를 해결하는 데 국가는 더 이상 적절한 행위 단위체가 될 수 없다고 주장한다.[46] 이러한 관점에서 세계사 연구자들은 '지구화', 즉 경제적·환경적·과학기술적·문화적 상호 의존성이 심화되고 있다는 세계

---

44 호지슨, 맥닐, 스타브리아노스 등 1950년대 말부터 1960년대까지 활동했던 초기 세계사 연구자들은 세계사 서술의 서구 중심성을 극복하기 위해 새로운 용어를 사용하기도 했고, 세계사 구성의 새로운 원리를 제시하기도 했다. 그러나 그들이 기본적으로 서구적인 편견에서 완전히 벗어나 세계사를 서술했다고 할 수 없다. 중요한 것은 그들의 초기 노력을 바탕으로 최근 서구 중심적인 세계사 서술과 교육에 대한 비판적인 담론들이 형성되고, 그들의 이론이 최근 세계사를 새로운 시각에서 조명·구성하기 위한 개념적 틀 개발에 이론적 기초를 제공했다는 것이다.

45 역사는 1차 사료에 근거해 서술되어야 한다는 의식은, 세계사가 하나의 연구 분과로 성립되는 데 가장 큰 장애가 되어왔다. 여러 지역이나 여러 문화권에 걸쳐서 전개된 사건을 1차 사료를 사용해 연구하는 데는 언어의 장벽이 상당히 컸기 때문이다. 그러나 최근 연구자들은 그러한 자료의 제한을 극복하는 방안으로서 여러 지역사 연구자들과 팀 연구를 하거나, 다른 사회과학의 연구 성과물과 데이터를 사용하는 학제 간 연구 방법을 사용하기도 하고 또 지역사의 성과를 활용하고 있다. Bruce Mazlish, "An Introduction to Global History," in B. Mazlish and R. Buultjens(eds.), *Conceptualizing Global History*(Boulder: Westview Press, 1993), pp.4~5; Wolf Schafer, "Global History: Historiographical Feasibility and Environmental Reality," in B. Mazlish and R. Buultejens(eds.), *Conceptualizing Global History* (Boulder: Westview Press, 1993), p.48.

46 Bruce Mazlish, "An Introduction to Global History," p.2.

사적 변화를 문제의식의 출발점으로 삼는다. 세계는 새로운 도전에 직면하고 있으나 역사 서술은 국가의 틀에서 벗어나지 못하고 있다. 특히 세계사 서술은 서구사와 비서구사로 구분하고 비서구사를 제외시키거나 주변적인 것으로 치부했던 제국주의적 시각에서 크게 벗어나지 못하고 있다. 21세기와 지구화라는 새로운 도전에 직면한 상황에서, 이러한 세계사는 세계의 변화를 담보해내지 못한다는 자각이 새로운 세계사 연구의 인식론적 배경이 되고 있다.[47]

　새로운 세계사 연구자들은 세상의 변화를 이해하기 위해서는 세계를 서구와 비서구의 대립 구도에서 보거나, 단절된 단위체들의 집합으로 봐서는 안 된다고 주장한다. 그들은 지구를 하나의 생활 단위로 인식할 필요가 있으며, 이러한 인식을 기초로 주변에서 일어나는 사건이나 문제들에 접근할 필요가 있다고 주장한다. 전통적인 분석의 단위와 범주들에 대한 재고를 촉구하며, 새로운 분석의 단위와 범주를 개발할 필요가 있다고 강조하는 것이다. 이러한 연구자들은 세계사를 하나 이상의 사회와 문화권 간의 접촉, 하나 이상의 사회나 문화권에 영향을 미쳤던 사건들에 대한 비교, 또는 사회와 문화권들 간의 관계를 연구하는 연구 분야로 정의한다.[48] 이러한 관

47　Michael Geyer and Charles Bright, "World History in a Global Age," *American Historical Review*, Vol.100, No.4(October, 1995), pp.1036~1037.

48　브루스 매즐리시는 이러한 최근의 세계사 연구 경향을 인류의 총체적 경험을 종합해 기술하려 했던 것으로서 세계사(world history)와 구분하기 위해 최근의 새로운 세계사 접근법을 글로벌 역사(global history)로 부르자고 제안했다. 매즐리시의 글로벌 역사는 스타브리아노스나 파머가 제안한 글로벌 역사와 다르다. 스타브리아노스와 파머가 1500년 이후의 세계사를 글로벌 역사로 정의했다면, 매즐리시는 연구 대상이 지구적 규모의 특징을 가지고 있다는 점과 관련해 글로벌 역사를 정의한다. 매즐리시가 정의하는 글로벌 역사는 세계화라는 세계 변화를 문제의식의 출발점으로 삼으면서 지구

점에서 세계사를 연구한 예 가운데, 1994년에 발표된 린다 섀퍼Linda Shaffer
의 「남부화Southernization」라는 글이 있다.[49] 이 글에서 섀퍼는 '남부화'라는 용
어를 '서구화Westernization'와 비슷한 함의를 지닌 개념으로 사용하면서, 인도
와 동남아시아에 기원을 두고 있는 과학기술, 식생, 종교 등이 중국, 동남아
시아, 지중해에 이르는 상당히 넓은 지역에 전파되어 많은 사람들의 삶에 중
요한 변화를 주었다는 사실을 보여준다.

이러한 세계사 연구 방법은 종종 '간지역적 접근interregional approach', '초
지역적 접근superregional approach', '횡문화적·횡지역적 접근cross-cultural, cross
regional approach' 등으로 개념화된다. 이러한 접근법에서는 지역적인 사건, 또
는 일부 사람들의 경험에 국한되었던 사건들은 연구 대상에서 제외된다. 반
구 차원에서 정치적·문화적 경계를 넘어 넓은 지역을 역동적으로 연결시키
면서 일어났던 사건들, '국민국가nation-state'처럼 인류가 공통적으로 만들었
던 제도나 전쟁같이 반복적으로 겪었던 사건들이 연구의 대상이 된다. 간지
역적·비교사적 접근에 기초한 세계사 연구는 서구 중심적인 시각을 탈피해
새로운 시각에서 대학의 세계사 강좌를 개발하거나, 고등학교의 세계사 과
정에서 다룰 수 있는 주제들을 개발하며, 세계사의 시대를 구분하는 데도 많
은 기여를 하고 있다.[50]

또는 여러 지역에 걸쳐 일어난 역사적 사건이나 양상을 분석하는 것이다. 이러한 글로
벌 역사의 정의에 대해서는 Bruce Mazilish, "An Introduction to Global History"를
참조하기 바란다. 그러나 대부분의 역사가들은 글로벌 역사와 세계사를 굳이 구분하지
않고 사용한다. 특히 세계사 교육에 관심을 가지고 인류의 경험을 인류의 탄생부터 현
재에 이르기까지 구성하려고 노력하는 세계사 연구자들은 세계사라는 용어를 별다른
구별 없이 사용한다.

49 Lynda Shaffer, "Southernization," *Journal of World History*, Vol.5, No.1(Spring,
1994).

종래 세계사는 서구 문명사 발달 과정에 기초해 '고대', '중세', '근대'로 그 시기가 구분되었다. 그리고 이러한 시대구분은 서구 이외 지역의 역사를 서술하는 데도 그대로 적용되어 많은 비판을 받았다.[51] 이에 대안으로 상호 의존성의 심화라는 관점에서 시대를 구분하는 방안이 제시되었다. 1960년대 이후 많은 세계사가들이 상호 의존성의 심화라는 관점에서 16세기 이전과 이후의 질적 차이를 지적해왔다. 그러나 최근 진행되는 논의에서는 인류사의 초기 단계에서부터 현재에 이르기까지의 세계사를 상호 의존성의 심화 과정으로 보며, 시대를 구분하려는 경향이 부각되고 있다.

대표적인 예가 제리 H. 벤틀리Jerry H. Bentley가 제시하는 시대구분이다.[52] 벤틀리는 여러 사회나 문화권의 경계를 넘어, 일어났던 역사 과정에 초점을 맞출 것을 제안했다.[53] 벤틀리는 세계를 크게 동반구, 서반구, 오세아니아로

---

50 대학 세계사 강좌 개설과 관련된 예 중에는 Steve Gosch, "Cross-Cultural Trade as a Framework for Teaching World History: Concepts and Applications," *The History Teacher*, Vol.27, No.4(August, 1994)를, 새로운 시대구분의 시도로서는 Jerry H. Bentley, "Cross-cultural Interaction and Periodization," *American Historical Review*, Vol.30, No.2(June, 1996)를, 고등학교 세계사에서 다룰 수 있는 주제들에 대해서는 Ross E. Dunn, "Central Themes for World History," in P. Gagnon and the Bradley Commission on History in the Schools(eds.), *Historical Literacy*(Boston: Houghton Mifflin Company, 1989)를 참조.

51 세계사 시대구분의 서구 중심성에 대해서는 국내외에서 많이 지적되어왔다. 서구 중심적인 시대구분의 문제를 지적하고, 시대구분을 새롭게 시도한 논문들 가운데에는 Peter N. Stearns, "Periodization in World History Teaching: Identifying the Big Changes," *The History Teacher*, Vol.20, No.4(August, 1987); William A. Green, "Periodizing World History," *History and Theory*, Vol.34, No.2(May, 1995); National Center for History in the Schools, *National Standards for History*(Los Angeles: University of California, 1996)이 있다.

52 Jerry H. Bentley, "Cross-cultural Interaction and Periodization."

구분했다. 그리고 그 세 지역 각각이 역사적으로 거의 접촉이 없었고, 외부의 영향이 각 지역의 역사 변화에 큰 영향을 주지 못했다는 사실을 인정했다. 그러나 각 지역 내 문화권들 사이에서는 지속적·규칙적 접촉이 있었고, 그러한 접촉이 특히 동반구의 많은 사람들의 삶에 중요한 영향을 미쳤다고 보았다. 그리고 이러한 인식하에 문화권 간의 상호 의존성이 심화라는 관점에서 시대구분을 시도했다. 벤틀리는 다음과 같이 여섯 시기로 구분했는데, 그 순서는 초기 복합사회(B.C. 3500~2000), 고대 문명(B.C. 2000~500), 고전 문명(B.C. 500~A.D. 500), 후기고전시대(500~1000), 유목제국시대(1000~B.C.1500), 근대(1500~현재)이다. 벤틀리는 원거리 교역이 동반구의 여러 지역을 서로 연결했고, 지역 간의 지속적인 상호 작용이 각 지역에 다양한 변화를 추동했다는 사실에 주목했다. 이 원거리 교역은 처음에는 불규칙적이었지만, 서기 500년에서 1000년 사이에 점차 규칙적이고 빈번해졌으며 체계적으로 진행되었고, 교역의 범위도 이 시기 전후로 유라시아 전역에 걸쳐 확대되었다고 보았다. 그리고 교역이 확대되면서 16세기 이후에는 진정한 의미의 세계사가 시작되었다고 주장했다.

벤틀리는 동반구를 중심으로 지역 간 상호 작용이 확대되고, 상호 의존성이 심화·발전되는 모습을 부각시키는 방향에서 시대를 구분했다. 이러한 시대구분은 상호 의존성의 증대라는 현재의 세계 변화를 세계사 서술에 투영하는 동시에, 동반구에 존재했던 다양한 민족과 지역의 경험을 시대구분에 반영해 인류사 전개의 큰 그림을 제시했다는 점에서 의미가 있다. 지역 간 상호 작용을 중심으로 세계사를 구성하는 것의 장점 중의 하나는, 세계의 다양한 민족과 문화가 세계사적 전개 과정에 어떻게 참여했는지를 이해할 수

---

53 같은 글.

있다는 것이다. 그런데 16세기 이전의 세계사는 동반구를 중심으로 이해하기 때문에 서반구와 오세아니아의 역사가 소외될 가능성이 크다. 따라서 이들 지역의 역사를 세계사에서 어떤 식으로 의미 있게 다룰 것인가의 문제는 앞으로 더 숙고되어야 한다.

또한 지역 간 상호 의존성의 심화라는 측면에서 시대를 구분하면 각 지역적 관점에서 보는 변화나 지속의 문제를 제대로 반영하지 못할 수도 있고, 지역 간 상호 작용만이 변화의 원동력이었던 것처럼 인식될 수도 있다. 예를 들어 벤틀리는 16세기 이후를 근대로 규정하고 하나의 시기로 구분했다. 그런데 상호 의존성의 심화를 동아시아의 관점에서 보면 19세기는 또 하나의 분기점이 될 수 있다. 서구의 시각에서 보면, 동아시아로의 세력 확대는 16세기 이후 아프리카·아메리카·인도·서아시아·동남아시아에 대한 침탈의 연장선상에서 동질적인 사건으로 인식될 수 있지만, 동아시아의 시각에서 보면 19세기는 동아시아가 제국주의적 세계 질서와 맞서면서 질적인 변화를 맞이하게 되는 시기이기 때문이다. 상호 의존성을 중심 원리로 삼아 시대를 구분할 때, 이렇듯 지역적인 관점은 소홀히 취급당하거나 외면당할 수 있다. 벤틀리도 이 점을 경계했다. 따라서 이러한 시대구분의 원리를 채택하더라도, 각 시대의 지역적 발전이나 변화는 지역적 시각에서 재조명·재구분될 필요가 있다.

간지역적 접근은 고등학교 세계사의 내용을 구성하는 데 유용한 틀을 제공할 수 있다. 특히 하나 이상의 사회와 문화권 간의 상호 관련성을 중심 원리로 삼아 세계사의 주제를 선정하고 내용을 구성하면, 현재 세계사 내용 구성의 몇 가지 문제를 해결할 수 있다. 첫째, 세계사 교육의 서구 중심적 시각을 축소하는 데 도움이 될 수 있다. 제7차 교육과정 시기까지, 세계사 교과서는 16세기 이후 근대 문화의 창조와 전파의 중심지로서 서유럽을 상세하게 다룸으로써 세계사에서 서유럽인의 역할을 매우 강조했다. 그런데 역사적으로 한 지역 또는 한 사회에서 발전된 기술과 창조된 문화가 다른 지역 사람들의 삶에 커다란 변화를 가져왔던 예는 '근대' 이전의 시기에도 많이 찾아볼 수 있다. 16세기 이전에 문화 접촉과 교류가 가져온 인류 삶의 변화는, 서유럽에서 시작되어 전 세계적으로 퍼져나간 '근대적인 기술과 문화' 못지않게 크고 중요하다. 그럼에도 불구하고 16세기 이전에 개발·전파된 기술이나 문화를 다룰 때는, 근대 서유럽에서 개발된 기술이나 문화를 다룰 때와 달리 간단하게 언급하고 지나갈 뿐 그 기술 개발이 가져온 인류 삶의 변화나 세계사적 의미에 대해서는 깊이 있게 다루지 않는다. 또한 인도·동남아시아인, 서아시아인, 동아시아인, 아프리카인, 아메리카인들의 주체적인 창조와 전파 활동이 가져왔던 인류 생활의 다양한 변화도 소홀히 다루었다. 예를 들어 중국의 화약, 나침반, 활자 등의 발명품이 이슬람 세계를 통해 유럽 및 전 세계적으로 확산되었다는 서술은 있으나, 한 지역에서 개발된 기술이나 문화가 다른 지역과 인류의 삶에 구체적으로 어떠한 변화를 가져왔는지 생각해볼 수 있는 자극을 주지 못하고, 단순히 '세계에 퍼졌다' 또는 '유럽의 근대 문화 발전에 도움을 주었다'는 의의만을 강조함으로써 하나의 기억해야 할 사실로 만들어버린다.

　이러한 세계사 교육은 현대를 이해하기 위해 근현대사가 강조되어야 할 필요가 있고, 근현대사에서는 서유럽의 변화를 파악하는 것이 중요하다는 점으로 정당화되곤 한다. 그런데 여기서 우리가 생각해봐야 할 문제는, 이러한 세계사 교육을 통해 형성되는 학생들의 정체성과 세계관은 어떤 것이냐는 점이다. 결국 문화 창조의 주체로서 서유럽인과 문화 전파의 중심지로서 서유럽이 강조되며, 그 외 지역이나 문화들의 세계사적 역할과 참여가 왜소하게 그려진 세계사를 통해 형성된 학생들의 세계관이란 서구 중심적·서구 우월적일 수밖에 없다. 이러한 서구 중심적 세계사 교육의 대안 중 하나는 간지역적 접근에 기초해 세계사의 내용을 구성하는 것이다. 간지역적 접근에서는 어느 한 민족이나 문화의 발전만을 강조하지 않고, 다양한 민족이나 문화의 참여와 상호 작용을 통해서 이루어진 인류의 경험을 강조하기 때문이다.

둘째, 상호 관련성을 주제 선정의 원리로 이용하면 모든 지역의 대부분의 사건을 세계사에서 다루어야 한다는 부담감에서 벗어날 수 있다. 문명을 단위로 큰 주제를 설정하고, 문명 내 왕조와 국가를 단위로 세계사를 이해할 때 가장 큰 문제는, 세계사적으로 존재했던 모든 문명들과 왕조들을 포괄해서 다룬다는 것은 가능하지도 않고, 그러한 노력은 학습 내용의 증가로 연결되기 쉽다는 것이다. 여기에 때로는 한 문명의 역사를 연대기적 관점에서 서술하다 보면 의미 없는 왕조의 이름, 제도의 이름 등이 교과서의 많은 부분을 차지하는 경우도 있다. 세계사의 이러한 측면 때문에 학생들에게 세계사는 공부해야 할 것이 너무 많고, 생소한 용어들로 가득하며, 따라서 너무 어려운 과목으로 인식되곤 했다. 이러한 문제들은 사건의 의미가 지역이나 국가 이상의 범위에서 규정될 수 있는 주제를 선정하면 부분적으로 해결될 수 있다. 또한 많은 사람들과 다수의 지역이 관련되었던 사건을 중심으로 시대를 구분하고 내용을 선정하면, 기존에 서구 중심적인 시각 또는 중국 중심적인 시각에서 소홀히 취급된 문제들이 새로운 의미를 갖게 되며, 그동안 세계사 전개 과정에서 주변으로 다루어졌던 사하라 이남의 아프리카, 중앙아시아 등이 의미 있게 포함될 수 있다는 장점도 있다.

셋째, 지역을 달리해 일어난 사건들 사이의 관련성 또는 인과성을 이해하고, 변화의 커다란 양상을 파악하는 데는 문화권적 접근보다는 간지역적 접근이 효과적인 틀을 제공할 수 있다. 예를 들어 화약 만드는 기술은 중국 내에 머물지 않고 세계 여러 지역에 전파되어 여러 지역에 변화를 가져왔을 뿐아니라, 결국 반구 차원의 변화, 나아가 지구 차원의 변화를 가져왔던 중요한 요인 중 하나이다. 즉, 지역적인 관점에서 보면 화약의 전파는 유럽의 중세 봉건기사 몰락과 서아시아의 군사귀족 몰락의 중요한 배경 중 하나가 된다. 또 유럽이 지중해, 유럽, 서아시아 지역에서 이슬람제국 중심의 세계 질서를 무너뜨리고 새로운 헤게모니로 등장하기 시작하는 데는 다른 지역에 비해서 월등히 발전된 유럽의 총기와 화력이 큰 몫을 했다. 이렇게 세계적으로 일어난 사건들 가운데는 여러 지역에서 일어난 사건이나 변화를 종합해서 이해할 때 그 사건의 영향이나 의미가 한층 뚜렷해지는 것이 있다. 간지역적인 접근은 이렇듯 지역과 지역 사이의 다양한 측면을 복잡하게 연결시키면서 일어나고 있는 변화를 종합적으로 분석하는 데 유용한 틀을 제공할수 있다.

넷째, 간지역적 접근에 의해 구성된 세계사의 또 하나의 장점은 인류 전체가 겪었던 공통적인 경험을 중심으로 인류사 전개의 큰 그림을 그리는 데 도움이 된다는 것이다. 그리고 이러한 공통적인 경험을 다시 비교사적인 관점에서 지역별로 비교·분석하면, 다면적이고 다양한 경로의 세계사 전개 과정을 이해하는 데 도움이 될 수 있다. 간지역적 접근을 사용할 때 선택할 수 있는 주제에는 청동기나 철기 제조 기술이 동반구 전체에 확대되는 과정, 헬레니즘 시기의 미술적 영감이 유럽과 중국을 비롯한 동아시아 지역에까지 퍼져나간 과정, 몽골 세력이 그때까지는 서로 큰 접촉이 없었던 동반구 여러 지역을 정치적·경제적으로 연결시켜 거대한 세계 제국을 건설했던 과정, 이슬람의 과학과 수학적 지식이 유럽과 동아시아 지역에까지 확대되었던 과정 등이 있다. 이는 그 영향이 한 지역에 머무르지 않고, 동반구 또는 지구 전체에 변화를 가져온 사건들이다. 이러한 사건들은 먼저 그 사건의 전개 과정과 영향을 반구적인 차원에서 조명할 수 있다. 철기 전파와 관련된 예를 살펴보자. 먼저, 철기 제조 기술이 어떤 지역에 어떻게 전파되었으며, 인류 생활에 어떤 공통된 변화를 가져왔는지 등을 반구적 차원에서 이해할 수 있다. 그리고 서아시아, 인도, 중국, 북아프리카, 중앙아시아, 유럽 등의 구체적인 지리적·역사적 상황에서 철기 제조 기술의 발달이 어떤 다양한 문화를 만들었으며, 각 지역 주민의 생활에 어떤 변화를 가져왔는지 비교하면서 탐구할 수 있다. 큰 사건들을 이렇게 반구적 차원에서 분석하면 변화의 큰 양상을 이해할 수 있다. 또한 그 사건들이 지역에 따라 어떻게 다르게 전개되었고 어떤 다른 영향과 변화를 가져왔는지 지역적인 틀에서 분석하면, 지역에 따른 다양한 변화 양상을 탐구할 수 있다.

물론 간지역적 접근에 기초해 구성된 세계사 교육과정에 문제가 없다고 할 수는 없다. 앞서 지적했듯이 간지역적 접근은 지역·문화권·국가 단위의 발전을 일관성 있게 이해하는 데 효과적인 틀이 되기 어렵다. 또 간지역적 접근에 기초해 구성된 세계사는 외부적 요인들을 중심으로 지역이나 국가들의 변화를 조명함으로써 지역이나 국가 단위의 내재적 발전에 대한 이해를 소홀히 다룰 가능성이 있고, 이는 나아가 역사에서 변화의 동력을 이해하는 데 균형적인 시각을 제공하지 못하는 단점이 있다. 따라서 간지역적 접근이 비교사적 접근이나 문화권적 접근에 의해 보완되는 방식으로 채택될 때, 지역적인 관점과 인류 전체의 관점이 균형을 이루는 시각에서 세계사의 내용이 구성될 수 있다.

'상호 관련성' 중심의 세계사 구성에 대해, 한편으로는 그것이 종래 서구의 근대 세계 형성이라는 아이디어를 강조한 서구 중심적 세계사에 대한 대안적 성격이 있다는 것을 인정하면서도, 다른 한편으로는 그것이 또 다른 억압을 초래할 수 있다는 비판이 이루어지고 있다. 그런데 이러한 비판 가운데 해체주의적 관점에서 이루어지는 것이 있다. 해체주의적 관점에서는 어떤 역사도 결코 그 '억압성'에서 자유로울 수 없다. 이러한 논의를 따라가다 보면 논의는 구체적인 역사의 구성과 건설이 아니라, 이론적·담론적 논쟁으로 귀결되고 만다. '해체'는 이미 형성되어 '억압적'으로 발휘되고 있는 지식의 권력에 저항한다는 측면에서 유용한 도구가 될 수는 있다. 그러나 그 지식이 현재 세계에서 생산할 수 있는 의미에 대한 전략적 고려가 없는, '해체'를 목적으로 한 '해체'는 '건설'과 '구성' 자체를 무의미하게 만들 뿐이다. 이러한 점을 고려한다면 '상호 관련성'은 현재 세계사 교육의 문제를 진단·비판하고, 세계의 역사를 새로운 각도에서 재정의·재구성하는 설득력 있는 원리 중 하나로 받아들일 수 있을 것이다.

'상호 관련성'의 원리는 집단들 간의 '호혜적인' 교섭사만을 강조하지는 않는다. '상호 관련성'을 중심으로 내용을 선정한다고 할 때, 그 내용에 교섭만 포함되는 것은 아니며, 여러 지역이나 문화 집단들을 연결시켰던 사건들, 여러 집단들에게 공통적으로 중요한 관심이 되었던 사건들을 중심으로 내용을 선택하도록 제안하기 때문이다. 따라서 그것이 정복과 복종, 억압과 저항의 관계사를 우호적으로 대치할 위험성이 있다는 비판은 상호 관련성이라는 개념에 대한 오독이며, 편협한 해석이다. 예를 들어 19세기 제국주의 또한 상호 관련성의 원리에서 선택될 수 있는 사건이고, 억압과 저항의 관점에서 다룰 수도 있다. 다만 침략과 저항이라는 이분법적 구도에서 볼 때 가려진 현상들을 찾아 해명함으로써, 침략자·권력자 중심의 시각에서 벗어나 제국주의라는 현상을 다층적인 역사로서 다르게 읽을 가능성을 열 필요가 있다.

이러한 새로운 연구 성과들은 2007 개정 교육과정(2007~2011)과 2011(2009) 개정 교육과정에 반영되었다. 우선, 2007 개정 교육과정 이후 유럽과 아시아라는 이분법적 세계사 구조가 깨졌다. 유럽 문명을 아시아의 여러 문명들

표 1-2 2011(2009) 고등학교 세계사 내용 체계

영역	내용 요소
역사와 인간	○ 세계사의 시간과 공간 ○ 세계사 학습의 중요성
문명의 성립과 통일 제국	○ 유라시아의 초기 문명 ○ 통일제국의 형성 ○ 보편 종교의 출현과 전파
지역 세계의 재편과 성장	○ 유라시아 각 지역 세계의 형성과 발전 ○ 아프리카, 아메리카, 오세아니아 지역의 발전 ○ 지역 세계 간의 교류
지역 세계의 통합과 세계적 교역망	○ 동아시아의 번영 ○ 무굴제국과 오스만제국 ○ 유럽 세계의 확대 ○ 세계적 교역망
서양 국민국가의 형성과 산업화	○ 과학혁명과 계몽사상 ○ 시민혁명과 국민국가 ○ 자본주의 발달과 산업화
제국주의 침략과 민족운동	○ 제국주의와 식민 지배 ○ 아시아의 민족운동과 근대국가 수립 ○ 라틴아메리카, 아프리카의 민족운동과 근대국가 수립
현대 세계의 변화	○ 제1, 2차 세계대전과 평화를 위한 노력 ○ 자본주의와 사회주의의 변화 ○ 대중사회 ○ 세계화

자료: 교육과학기술부, 『사회과 교육과정』, 교육과학기술부 고시 제2012-14호 별책 7(2012), 123~124쪽.

과 함께 세계 여러 문명의 하나로 축소시키면서 세계사를 재구성한 것이다. 2011(2009) 개정 교육과정의 고등학교 세계사에서는 '지역 세계'라는 서술 단위를 도입해 세계를 동아시아, 서아시아, 인도, 유럽, 아메리카, 아프리카 같은 지리적 단위에 입각해 탐구하도록 했다. 그리고 인류 역사가 하나의 세

계로 통합되어가는 역사라는 관점에서 지역 세계 사이의 상호 관계를 전쟁과 정복, 교류와 교역을 통해 조망하도록 했다.[54] 특히 2011(2009) 개정 교육과정은 제3단원에서 '유라시아'와 '아프리카, 아메리카, 오세아니아', '지역세계 간의 교류'를 다루도록 함으로써 새로운 분석 단위에서 세계사를 학습하도록 했다.

3. 맺음말

종래 세계사는 서구 문명사를 시대구분의 중심적 뼈대로 이용했고, 서구문명사에서 내용 구성의 중심적인 원리를 찾았으며, 문화 창조와 확산의 주체로서 서유럽인의 역할을 배타적으로 강조했다. 그런데 이러한 세계사의 서구 중심성은 아시아 여러 문명들의 역사를 서술하는 비중을 확대하거나, 서구 이외의 다른 문명을 중심으로 역사를 재서술하는 방식으로서 극복될 수 있는 것은 아니다. 이는 중심의 이전을 통한 또 하나의 편향된 관점의 세계사를 생산할 뿐이다.

세계사 교육의 재개념화·재구성화는 서구에 의해 외면·축소되었던 세계 다양한 지역과 민족의 세계사적 역할을 재조명하고, 서구에 의해 전형화된 수동적이고 방어적인 비서구의 이미지를 개선하는 것에서 시작되어야 한다. 즉, 다양한 지역과 민족들의 세계사적 공헌과 역할에 새롭게 의미를 부여하고, 그들의 주체적인 세계사적 참여 과정을 보여줌으로써 현재 세계의 모습

---

54 교육과학기술부, 『사회과 교육과정』, 교육과학기술부 고시 제2012-14호 별책 7(2012), 122쪽.

이 다양한 민족과 문화의 상호 작용에 의해서 형성되어왔다는 것을 이해시킬 수 있는 방향에서 세계사가 재구성되어야 한다는 것이다. 문화권 간의 상호 관련성에 초점을 두면, 그동안 세계사 교과서에서 간략하게 언급하고 지나갔던 중국, 인도, 이슬람제국 등 다양한 역사적 주체들이 인류의 역사에 어떤 영향을 미쳤는가를 깊이 있게 탐구할 수 있다. 동시에 문화권 간의 연결점들과 연결 내용을 탐구함으로써 세계사 전개의 큰 그림을 그릴 수 있고, 또 세계의 다양한 민족과 문화가 세계사 전개 과정에 구체적으로 어떻게 참여했는지를 이해할 수 있다. 이러한 점에서 상호 관련성을 중심으로 하는 세계사 내용 선정의 의의를 찾을 수 있다.

상호 관련성을 내용 선정의 중심 원칙으로 사용한다는 것이 인류 경험을 단선적인 과정으로 형상화하는 것은 아니다. 다양한 역사 공동체를 연결시켰던 사건들을 선정하되, 그 사건을 다층적으로 해석하는 동시에 복합적인 역사적 과정을 그릴 수 있을 것이라고 기대한다. 이는 한편으로 그 사건이 역사 공동체들 간의 관계를 어떻게 변화시켰는지에 대한 큰 그림을 그리면서, 다른 한편으로 그 사건이 각 공동체에 어떤 영향을 미쳤는지, 어떤 변화를 가져왔는지, 어떤 의미였는지에 대해 각 공동체의 관점에서 해석해볼 기회를 주는 것을 의미한다.

그런데 상호 의존성이라는 개념을 세계사 구성의 중심 원리로 채택하는 것은, 서구 중심성을 극복하고 새로운 시각에서 세계사 교육을 구성하기 위한 시작에 지나지 않는다. 이 원리를 이용해 어떤 시각에서 어떤 내용을 선정하고 선정된 내용을 어떻게 구성하는가의 문제를 고민하지 않으면, 우리의 세계사 교육은 또다시 우리와 관련 없는 타자의 역사를 타자의 시각에서 가르치는 것 이상이 될 수 없기 때문이다. 세계사를 보는 다수의 시각이 존재할 수 있고, 이미 서술된 세계사가 담고 있는 가치와 권력 구조는 해체될 수 있지만, 현재 세계에서 '가치중립적인 세계사' 서술은 가능하지 않다. 문제는 21세기 세계의 변화를 담아내면서, 동시에 한국의 현실 인식이 반영될 수 있도록 세계사의 내용 선정 기준을 정하고, 선정된 내용을 구성하는 것이다. 이는 자문화 중심적인 관점에서 세계사 내용이 구성되어야 한다는 의미가 아니다. 인류 경험과의 관련 속에서 한국의 경험을 이해하고, 한국에서 일어난 사건들과 문제들을 국가보다 큰 틀에서 분석할 기회를 제공할 수 있도록 세계사의 내용이 구성되어야 한다는 것이다.

제**2**장

문화적 접촉과 교류의 역사

이 글에서는 고등학교 심화 선택과목 또는 대학의 교양역사 강좌로서, 문화적 접촉과 교류의 역사의 내용 선정과 구성 방안에 대해 검토하려 한다. 고등학교 심화 선택과목이나 대학의 교양역사 강좌는 중학교나 고등학교 1학년 단계에서 제시되는 역사 과목과는 다른 각도에서 다른 방식으로 구성될 필요가 있다. 단순히 내용 반복이 문제가 되기 때문만은 아니다. 역사적 현상 또는 사건을 보는 시각이나 역사를 분석하는 범주가 학생들에게 '고정'된 하나가 아니라 다양한 복수라는 점을 가르치기 위해서 새로운 질문과 다른 분석의 범주를 통해 역사를 다양한 각도에서 다층적으로 분석해볼 수 있는 기회를 줄 필요가 있기 때문이다.

이 글은 이러한 관점에서 문화적 접촉·갈등·교류라는 주제를 중심으로 '문화적 접촉과 교류의 역사'라는 강좌의 내용 선정과 구성 방안을 제시해보고자 한다. '문화적 접촉과 교류의 역사'는 방대한 지식의 축적보다는 소수의 주제에 대한 심층적 탐구를 통해 역사 변화의 원동력 중 하나로서 문화적 접촉, 그리고 거대한 역사적 양상pattern으로서 문화적 접촉·갈등·교환 등의 역사 과정을 이해하는 데 초점을 둔다.

　20세기 이후에는 교통·통신수단과 운송수단의 발달로 '접촉'과 '교류'가 이전과는 다른 속도와 형태로 이루어지고, 그에 따라 '접촉'과 '교류'의 역할과 영향 또한 질적으로 다르게 나타난다. 특히 라디오, TV, 인터넷과 같은 통신수단의 비약적 발달은 집단 간의 접촉을 더욱 밀접하면서도 즉각적인 성격을 띠게 하며, 교류 방식도 다양하게 만든다. 교류에 의해 촉발되는 문화 변형 또한 이전과 다른 속도와 형태로 진행된다. 따라서 20세기 이후에는 '접촉'과 '교류'라는 개념 자체를 종래와 다른 각도에서 규정할 필요가 있으며, 교류사 연구 또한 다른 지리적 단위와 다른 문화적 접촉의 메커니즘을 상정하면서 접근할 필요가 있다. 그러므로 여기서는 20세기 이전으로 시기를 한정하며, 이질적인 문화 집단 간의 '접촉'으로 파생되는 인류의 문화적 갈등과 교환의 경험을 가르치기 위한 내용 선정과 구성 방안에 대해서 논해 보고자 한다. 나아가 문화적 접촉과 교류의 역사를 어떻게 접근해 가르칠 수 있는지, 탐구의 초점과 시각까지 제시하고자 한다.

1. '문화적 접촉과 교류'로 보는 역사의 의의

　기술 발달의 측면에서 세계 역사를 보면, 세계 여러 곳에서 비슷한 물건이 거의 동시에 발명되거나 비슷한 기술혁신이 이루어지는 것을 볼 수 있다. 때로 시기를 달리하기도 하지만, 분명한 것은 그러한 발명품이나 기술이 서로 연관성을 보인다는 것이다. 예를 들어 물레, 풍차의 경우는 여러 곳에서 비슷한 시기에 발명되었고, 관개 농법, 전차, 철기 제조술, 비단, 인쇄술, 화기 제조술 등은 한곳에서 이루어진 기술혁신이 시차를 두고 여러 지역으로 퍼져나간 대표적인 예라고 할 수 있다. 이렇게 발명품의 확산에는 '접촉'에 의한 '정보'의 교환이 중요한 역할을 했다.[1]

한 지역의 기술혁신이나 발명이 외부에서 온 정보의 영향을 받았다는 명백한 증거가 없는 경우도 있지만, 대부분의 경우는 제지술처럼 한곳에서 다른 곳으로 정보가 퍼져나갔다는 명백한 증거가 발견되기도 한다. 교역로를 통해 수입된 중국 비단이 인도와 서아시아 그리고 서양의 직물 산업을 자극했고, 마찬가지로 교역로를 통해 이란의 풍차가 중국이나 유럽에 알려지게 되었으며, 풍차의 아이디어는 중국이나 유럽에서 각 지역의 사정에 맞는 형태로 변형되었다. 이러한 실제 발명품이나 기술, 나아가 문화 전반과 관련된 아이디어 교환의 전제 조건 중 하나는 집단 간의 접촉과 교류이다. 특히 문화적 장벽을 넘기가 쉽지 않은 종교나 사상들의 세계적인 확산은, 인류가 아주 오래전부터 문화의 장벽을 넘어 지속적으로 접촉하고 문화적으로 교류했음을 보여준다.

20세기 이전에 많은 기술이 개발되고 사상과 종교가 창안되어 다른 지역으로 흘러들어갔다. 그러나 그러한 기술과 문화의 흐름이 반드시 '의도'되었던 것은 아니다. 집단 간의 문화적 접촉과 상호 작용은 때로는 의도적으로, 때로는 의도와 관계없이 이루어졌다. 문화 교환은 때로 문화 전체가 수용되는 형태로 일어나기도 했고, 때로는 선택적으로 이루어져 변형이 이루어지기도 했으며, 또 때로는 극렬한 저항이 문화적 교환을 늦추거나 문화의 흐름을 다른 방향으로 전환시키기도 했다. 문화 교환은 때로는 폭력적으로 이루어지기도 했고, 때로는 평화적으로 이루어지기도 했다.

---

1   Anorld Pacey, *Technology in World Civilization: A Thousand-Year History* (Boston: The MIT Press, 1991), p.2.

이질적인 문화 집단 사이의 접촉은 갈등을 불러일으키기도 했지만, 문화 자체의 만남과 혼합을 촉진하기도 했다. 문화적 만남은 관련된 모든 집단들의 문화 정체성을 흔들어놓기도 했으며, 때로는 이미 정립되었던 문화적 전통의 파괴를 가져오기도 했다.[2] 그 과정에서 많은 집단이 그들의 문화를 재정립·재정의하기도 했다.

20세기 이전에 여러 곳에서 거의 동시에, 때로는 시차를 두고 비슷한 발명이 이루어지고, 비슷한 기술의 혁신이 일어나며, 비슷한 종교와 예술적 표현 방식이 나타나는 것은, 서로 다른 집단들이나 개인들의 접촉을 통한 정보의 확산과 아이디어의 교환에서 비롯되었을 가능성을 보여준다. 페르낭 브로델Fernand Braudel이 "세계의 각 문명들이 각각 고유한 성격을 유지하기는 했지만, 문명들의 역사는 결국 몇 세기에 걸쳐 지속된 상호 차용-mutual borrowings의 역사"라고 주장했듯이[3] 세계 여러 문명과 문화 집단들은 문화적 교환을 통한 상호 작용을 바탕으로 문화와 문명을 발전시켰다. 그러한 문화적 교환의 역사는 변화의 동인 중 하나로서 이질적인 문화 집단 간 접촉의 역할, 또는 일상적인 생활방식으로서 문화 집단 간 접촉의 중요성을 강조한다. 따라서 학생들이 인류의 경험을 좀 더 큰 그림을 통해서 보고, 역사 해석의 다층성과 변화 동인의 다양성에 대해 생각해보도록 하기 위해서는 문화 집단들의 내적인 역동성에 의한 문화 창조와 발전뿐 아니라, 이질적인 문화 집단들 사이의 상호 접촉과 교류에 의해 이루어진 문화 충돌·저항·변형·발전에 대해서도 함께 분석할 기회를 제공할 필요가 있다.

---

2 Jerry H. Bentley, *Old World Encounter* (New York: Oxford, 1993).

3 Fernand Braude, *A History of Civilizations*, translated by Richard Mayne(Penguin Books, 1987, 1963년 초판 발행), p.8.

'교류사'의 제목으로 출판된 많은 저작들은 서술의 단위를 국가 또는 왕조와 같은 정치적 단위나 문화권으로 설정하고 있다. 예를 들면 한국과 일본, 한국과 중국, 한국과 이슬람, 신라와 서역 등의 교류사와 같은 것이다.[4] 이러한 저서들은 접촉과 교류의 단위 면에서 봤을 때, 한두 정치적 단위체나 문화 단위체 사이의 교류를 다루고 있다. 또 교류사를 다루는 방식 면에서 봤을 때는, 두 곳 사이에 특정 문물의 교류가 있었다는 것을 구체적 증거들을 통해 입증하고, 한곳의 문물이 다른 한곳의 문물에 영향을 미치게 되는 과정을 추적하는 방식이다.

그런데 교양 강좌는 기본적으로 지역 전문가로서의 특정한 지역에 대한 심층적 지식보다는, 접촉과 교류가 가져온 세계사적인 변화의 패턴과 다양한 문화의 형성 및 변화의 메커니즘을 탐구하는 것을 기본 취지로 한다. 그렇다면 한두 정치적 단위체 사이의 특정 문물 중심의 교류사는 과목 전체를 구조화하는 개념적 틀conceptual frame로서보다는 여러 주제topic 중의 하나로 다루어지는 것이 바람직하다.

최근에는 국가나 왕조보다 넓은 단위에서, 문화권 간의 교류를 밝히는 저작들도 많이 출판되었다. 이 저작들 가운데에는 비단길과 바닷길을 통한 교역을 역사적으로 추적한 경우도 있고,[5] 이들 교역로를 통해 정치적·문화적 경계선을 넘어 전파된 종이, 비단, 기술, 종교 등과 같은 문물들이 각기 새로운 지역에서 어떻게 이용 또는 변용되었으며, 또 그 문물이 사회에서 어떤 의미를 주었는지를 설명한 경우도 있다.[6] 전자의 저서들이 교역로를 중심으

---

4   최소자, 『동서문화교류사: 명·청시기 서학수용』(삼영사, 1991); 이희수, 『한·이슬람 교류사』(문덕사, 1991); 황유복, 『한·중 불교문화교류사』(까치글방, 1995); 무함마드 깐수, 『신라 서역 교류사』(단국대학교 출판사, 1992).
5   배긍찬 외, 『바다의 실크로드』(청아출판사, 2002).

로 본 교류사라면, 후자의 저서들은 문물을 중심으로 본 교류사라고 할 수 있다.

이 가운데 종래 고등학교 교과서가 중요하게 다루지 않았지만 최근에 새롭게 부각되는 주제들이 발견된다. 예를 들면 교역로로서 중앙아시아를 가로질러 서아시아와 동아시아를 연결했던 비단길뿐 아니라 8세기 이후 활발하게 이용되었던 인도양 교역로, 사하라 사막을 가로질러 서아프리카와 서아시아를 연결시켰던 사하라 횡단 대상隊商 교역로, 16세기 이후 유럽, 남·북아메리카, 아프리카를 연결했던 노예 교역로(대서양 교역로), 남아메리카의 아카풀코와 동남아시아, 중국을 연결했던 태평양 교역로 등을 통한 접촉과 교류가 있다.[7] 또한 문화 교류의 주체로서 흉노, 터키, 몽골을 비롯한 유목 민족의 공헌도 새롭게 조명되고 있다.[8] 십자군 전쟁, 몽골족의 세계 제국 건설처럼 정복 전쟁이나 제국 건설, 그리고 유대인의 이산, 아프리카인의 이주와 같은 민족의 이주가 문화 교환과 혼합의 중요한 계기가 되었다는 것을 보여주는 저서도 있다.[9] 비단, 향료, 종교 이외에 병균, 식생, 도자기, 은, 설탕, 커피 등처럼 교류를 통해 교환된 문물을 중심으로 교류가 생산했던 역사적

6 진순신, 『페이퍼 로드』, 조형균 옮김(예담, 2002); Anorld Pacey, *Technology in World Civilization*(Boston: The MIT Press, 1991).

7 K. N. Chaudhuri, *Trade and Civilization in the Indian Ocean: An Economic History from the Rise of Islam to 1975*(Cambridge: Cambridge University Press, 1985); P. D. Curtin, *Cross-Cultural Trade in World History*(Cambridge, Cambridge University Press, 1984); 안드레 군더 프랑크, 『리오리엔트』, 이희재 옮김(이산, 2003).

8 D. R. Ringrose, *Expansion and Global Interaction, 1200-1700*(New York: Longman, 2001).

9 피터 N. 스턴스, 『문화는 흐른다』, 문명식 옮김(궁리, 2001); Thomas Sowell, *Migrations and Cultures: a World View*(Basic Books, 1996).

의미를 비교사적 관점에서 다룬 저작들도 많이 나오고 있다.[10]

여기에 소위 근대 유럽은 중국 문명이나 이슬람 문명의 수혜자라는 점을 강조함으로써 유럽이 독점했던 '진보'의 성과와 공헌을 분산시키려 한 시도들도 눈에 띄게 증가했다. 이러한 저작들은 서구 이외 지역의 문화와 역사 서술을 통제했던 제국주의적 담론을 해체하고, 서구 역사 담론의 억압성을 비판하면서 그것을 대체할 수 있는 새로운 문화와 역사 담론을 모색하려고 한다. 대표적인 예로, 주겸지朱謙之의 『중국이 만든 유럽의 근대中國思想對於洲文化影響歐』,[11] 존 M. 흡슨John M. Hobson의 『서구 문명은 동양에서 시작되었다Eastern origins of western civilisation』,[12] 존 J. 클라크John J. Clarke의 『동양은 어떻게 서양을 계몽했는가Oriental enlightenment: the encounter between Asian and Western thought』,[13] 안드레 G. 프랑크Andre G. Frank의 『리오리엔트Reorient: global economy in the Asian age』 등이 있다. 이러한 저작들은 중국·인도·이슬람 문명이 어떻게 유럽의 근대 문명 형성에 기여했는지 설명하거나, 이른바 '서구의 팽창' 시기라고 하는 16~18세기에 중국이나 서아시아가 유럽에 경제적으로 앞선 발전을 유지하고 있었으며, 오히려 유럽 제국이 앞선 중국과 서아시아 경제

---

10 재레드 다이아몬드, 『총, 균, 쇠』, 김진준 옮김(문학사상, 1998); 래리 주커먼, 『감자 이야기』, 박영준 옮김(지호, 2000); 야코브 하인리히, 『커피의 역사』, 박은영 옮김(우물이 있는 집, 2002); 안드레 군더 프랑크, 『리오리엔트』(이산, 2003); 앨프리드 W. 크로스비, 『생태제국주의』, 안효상·정범진 옮김(지식의 풍경, 2000); William Atwell, "Ming China and the Emerging World Economy, c.1470-1650," in D. Twitchett and F. W. Mote(eds.), *The Cambridge History of China: The Ming Dynasty* (Cambridge: Cambridge University Press, 1985), Vol.8.

11 주겸지, 『중국이 만든 유럽의 근대』, 전홍석 옮김(청계, 2003).

12 존 M. 흡슨, 『서구 문명은 동양에서 시작되었다』, 정경옥 옮김(에코리브르, 2005).

13 존 J. 클라크, 『동양은 어떻게 서양을 계몽했는가』, 장세룡 옮김(우물이 있는 집, 1997).

의 혜택을 받고 있었다는 것을 보여주는 구체적인 증거를 제시하면서 '서구의 팽창' 담론의 허구성을 지적한다. 그 과정에서 중국 문명과 유럽 문명, 이슬람 문명과 유럽 문명, 인도 문명과 유럽 문명 사이의 접촉과 문화 교환이 사회나 문화 변화의 중요한 원동력으로 작용하고 있음을 보여준다.

이러한 저작들은 종래 비단길로 한정해 가르치던 교류사의 틀을 한층 다층적으로 구성할 수 있는 가능성을 보여준다. 첫째, 문화적 경계를 넘는 상호 작용은 상업적 교역로를 통한 인간의 활동에 의해서도 이루어졌지만, 전쟁이나 이주를 통해서도 이루어졌다는 것을 보여준다. 그러므로 '문화적 접촉과 교류의 역사'의 내용 선정과 구성에서, 교역로를 통한 문물의 교류만이 아니라 전쟁이나 이주가 가져오는 문화 갈등·동화·혼합·변형, 그리고 문화 정체성의 혼동과 재정립 과정을 다룰 수 있다. 둘째, 교환된 문물이 서로 다른 지역에서 어떤 의미들을 생산했는지를 비교사적으로 접근할 수 있는 가능성을 보여준다. 예를 들면 중국·유럽·서아시아·동아프리카·남아메리카의 도자기 문화를 비교하면서, 중국의 도자기가 다른 지역에 어떻게 전달되었고, 그들 지역에서는 중국의 도자기에 어떤 의미를 부여했는지 비교할 수 있다. 중국에서는 그릇으로 사용된 도자기가 유럽의 귀족 집안에서는 부를 표상하는 장식품의 의미로, 아프리카나 동남아시아의 특정 지역에서는 종교적 의식에 사용되면서 제기祭器로서의 의미를 갖게 되는 경우들을 다룰 수 있다. 또한 도자기 교류를 중심으로 유라시아 지역의 경제적 변화도 탐구할 수 있다. 이렇게 도자기를 통해 각 지역의 경제적·문화적 상호 관련성을 분석할 수 있을 뿐 아니라, 도자기를 둘러싼 각 지역의 서로 다른 인식 세계를 엿볼 수도 있다. 최근 한 방송국이 〈도자기〉라는 프로그램을 통해 그러한 시도를 하기도 했다. 또한 인쇄술이나 화약 제조술이 중국이나 오스만제국, 유럽 제국에서 어떻게 받아들여지고 이용되었으며, 각 지역인들이 그러한 기술에 대해 어떤 인식을 가지고 있었는지 비교사적 접근 방법을 통해 추적해볼 수도 있다.

2. 접촉과 교류의 역사 내용 선정

내용 선정을 위해서는 접촉과 교류가 이루어졌을 만한 집단들을 엮어서 분석 단위를 설정하고, 접촉과 교류의 구체적 내용을 파악할 필요가 있다. 또한 집단들 간에 그러한 접촉이나 교류를 가능하게 했던 조건들을 규명하고, 접촉의 성격과 접촉 과정에서 이루어진 문화적 충돌·갈등·혼합·변용 등의 양상을 명확히 해야 한다.

이를 위해서는 우선 내용의 범위를 결정할 필요가 있다. 내용 범위의 결정은 이러한 강좌가 가르치려 하는 기본적인 역사상歷史像이나 역사적 사고 방법, 또는 역사 지식의 경계나 울타리를 정하는 것과 관계있다. 이는 사건들을 '분류'하고 '통합'할 수 있는 '개념적 틀'을 결정하는 것에서 시작된다. '개념적 틀'은 개별 사건들 사이의 특수성을 인정하면서도 그 사건들의 연관성을 보여주는 역할을 한다. 강좌가 '문화적 접촉과 교류'를 중심으로 집단 간 경험의 상호 관련성을 탐구하도록 구성될 것이므로, 내용 범위를 결정하는 개념적 틀로서 '상호 관련성의 역사'를 제안한다.

'상호 관련성'이 내용 선정의 원리가 될 때, 세계사는 역사적으로 존재했을 만한 집단들의 독자적인 발전보다는 집단들을 상호 관련시켰던 사건들을 중심으로 상호 관련성의 지속·심화 또는 일시적 단절과 재개의 과정을 가르치게 된다. 이러한 역사가 역사적으로 고유하고 독자적인 문화를 형성했을 집단 내부의 역동성을 축소시킬 가능성을 부정할 수는 없다. 그러나 '문화 접촉과 교류의 역사'라는 강좌는 독자적인 문화를 발달시켰던 집단의 내적 변화보다는 집단 간 접촉과 교류의 국면을 중심으로 세계사를 탐구하는 것을 목적으로 한다. 따라서 집단 내부의 역동성에 대한 탐구보다는 이질적 집단 간의 접촉과 교류가 가져온 충돌과 변화의 양상을 탐구하는 방향에서 내용을 선정하고 구성하는 것이 타당할 것으로 보인다.

'상호 관련성의 역사'는 내용 범위의 커다란 울타리와 경계를 제시한다. 그런데 그 경계 안에 있는 모든 개별 사건들을 다 가르칠 수도 없고, 또 가르칠 필요도 없다. 그렇다면 어떤 사건들을 가르쳐야 할 것인가? 이 글에서는 문화의 상호 관련적 역사의 내용을 선정하고 구성하는 준거 아이디어로 '접촉과 교류가 이루어졌을 만한 방식'과 '충돌 또는 교환되었을 만한 문물'을 제시하려 한다.

1) 접촉과 교류가 이루어졌을 만한 방식

문화적 접촉과 교류가 이루어졌을 만한 방식은 크게 원거리 교역, 집단적 이주, 문화 집단 간의 전쟁이나 물리적 충돌, 선교 활동이나 외교 활동 등으로 구분될 수 있다. 여기서 '접촉'은 그 접촉의 영향이 개인적 차원에 그치지 않고 이질적인 문화 집단 간의 대규모 접촉, 이질적인 다양한 집단을 문화적으로 서로 연결시켰던 접촉, 접촉의 결과가 다수의 사람들의 삶의 방식에 영향을 미친 접촉, 문화적 양상의 대폭적인 변화를 자극했던 접촉을 의미한다.

종래 교류사는 주로 상업적 교역, 특히 원거리 교역을 중심으로 이루어진 기술과 문화의 교환에 관심을 가져왔다. 그런데 기술과 문화의 교환은 교역로를 통해서만 이루어진 것은 아니다. 전쟁이나 대규모 이주는 서로 다른 기술과 문화의 접촉 및 충돌을 촉발했고, 그 과정에서 기술과 문화의 교환이 자연스럽게 일어나기도 했다. 따라서 '교역'이라는 현상을 통해서만 교류사를 봤을 때 해명되지 않는 부분을 이주, 전쟁 등과 같은 '접촉'을 통해서 해명할 수 있다.

'교역'은 주로 경제적 목적으로 이루어진 상품 교환을 의미한다. 특히 20세기 이전 '교역'은 집단들 간의 문물 교환을 위한 '의도적인' 접촉이며, 일정 기간 어느 정도의 규칙성을 띠면서 관계가 형성되어 왕래가 이루어진 것을 의미한다. 교역은 단순히 경제적 교환에 그치지 않고, 정치적·문화적·종교적 교환을 수반하기도 했다. 그런데 교역이 전 세계적·통시대적으로 같은 방식을 통해 일어난 것은 아니다. 정치적 관계가 경제적 교역을 규정하기도 했고, 정치적 체제에 구애받지 않은 상인들의 비교적 자유로운 교역 활동이 새로운 문화적 경계를 만들기도 했다. 교역의 개념이나 주체, 목적과 성격 등도 지역이나 문화마다 달라서, 중국의 조공 체제처럼 그 저변에 중국 중심의 세계관과 정치적 의도가 깔려 있기도 하고, 특정 시기 이슬람제국처럼 종교가 교역을 지원하며 교역의 방식을 제도화한 경우도 있다.

교역은 대표적인 문화 접촉과 교류의 방법이다. 예를 들면 지중해 동부에 정착했던 페니키아인들이 서아시아와 지중해 여러 지역을 연결하는 교역 네트워크를 형성하고, 이러한 네트워크를 통해 알파벳의 기원이 되는 문자를 확산시켜 문자 면에서 하나의 공동체를 형성시켰던 예는 주지의 사실이다. 또한 인도에서 창시된 불교가 비단길을 통해 중앙아시아를 거쳐 동북아시아에 전파되었고, 바닷길을 통해 실론(현재의 스리랑카)을 거쳐 동남아시아 각지에 전파되면서 여행과 교역을 활성화시켰던 예도 있다. 비슷하게 서아시아에서 창시된 이슬람교는 전쟁과 정복을 통해, 다른 한편으로는 이슬람 상인의 교역로를 통해 동쪽으로는 중앙아시아·남아시아·동남아시아, 서쪽으로는 아프리카 전역에 전파되어 정치적 경계와 다른 문화적 경계를 만들기도 했다. 예수회도 상인을 따라 교역로를 통해 중국에 들어가서 기독교 선교 활동을 했고, 다시 중국의 문물을 유럽에 소개함으로써 정치적·문화적 변화를 자극하기도 했다. 교역로는 단순히 재화만이 아니라 문화 교환의 통로였으며, 이러한 문물의 교환은 각 사회에서 새로운 혹은 변형된 사고방식과 생활방식의 창출로 이어지기도 했다.

교역으로는 주로 원거리 교역의 네트워크가 형성되었던 고대 지중해 교역, 비단길, 초원길 교역, 인도양 교역, 사하라 횡단 교역, 16세기 이후 대서양 노예 교역, 태평양 교역 등을 다룰 수 있다. 탐구의 주된 초점은 상업적 교역 네트워크의 형성 과정과 교역이 이루어진 양상, 교역에 영향을 미쳤던 요인들과 교역에 참여했던 집단들 간의 세력 관계, 교역을 통해 이루어진 기술·식생·종교·사상 등의 교환과 그러한 교환이 인간 삶에 가져온 변화이다. 교역 내용으로서 기술, 식생, 사상 등의 교환과 그것이 가져온 인간 삶의 변화는, '충돌 또는 교환되었을 만한 문물'의 틀에서 각 범주별로 좀 더 상세하게 다룸으로써, 인류의 공통된 경험과 문화, 집단들의 다양한 경험과 문화를 분석하는 데 도움이 될 것이다.

그런데 앞서 서술했듯이 문화권의 경계를 넘는 상호 작용은 단지 교역로를 통해서만 이루어진 것은 아니다. 집단적 이주나 문화 집단 간의 전쟁 또한 정치적·경제적·문화적 교류를 의도하지 않았지만, 그 과정에서 문화 사이의 접촉과 교환을 자극해서 새로운 문화 집단 또는 공통된 경험 집단이 탄생하는 계기를 제공하거나, 기존 집단들의 문화적 변형과 정체성의 변화를 자극하기도 했다.

집단적 이주란 대규모로 이루어진 이주, 대규모 문화 교류를 자극했던 이주를 의미한다. 집단적 이주는 신앙 체계, 문화, 법이나 사회체제, 농경, 건축, 전쟁 기술 등의 지역 간 교환에 중요한 영향을 미쳤으며 정체성의 문제를 야기하기도 했다. 예를 들면 기원전 3000년에서 기원전 1000년 사이에 이루어진 인도-유럽어족의 이동 과정에서, 인도-유럽어족이 세운 히타이트에서 개발된 것으로 보이는 철기·전차술이 확산되었다. 이 사건은 단순히 무기의 혁신과 전쟁 기술의 변화만을 촉진한 것이 아니라, 전쟁 기술에서 우위를 차지한 민족들을 중심으로 세력 관계가 재편되는 결과를 가져오기도 했다. 전차술, 기마술 등은 중앙아시아의 유목민을 통해서 동아시아에까지 전달되었으며, 이러한 전쟁 기술이 동아시아 정치 세력 관계에 영향을 미치기도 했다. 또한 기원전 2000년경 이후 사하라 이남 아프리카에서 진행된 반투족의 이동은 농경의 확산을 수반했다. 그렇다고 이러한 농경문화를 모든 지역에서 받아들인 것은 아니다. 일부 지역에서는 자연환경이나 문화 충돌로 수용 거부의 양상을 보이기도 했다.

대체로 집단적 이주는 훈족의 이주, 아리안족의 이주, 터키족의 이주, 유럽인의 아메리카 대륙으로의 이주 등과 같이 폭력을 수반하는 경우도 있지만, 반투족의 아프리카 대륙으로의 이산, 중국 화교의 동남아시아로의 이산처럼 상대적으로 평화적으로 이루어진 경우도 있다. 이주는 17세기에서 19세기 사이 아프리카인의 아메리카 대륙으로의 이주나 20세기 조선족의 중앙아시아로의 이주처럼 강제로 이루어진 경우도 있고, 19세기에 아일랜드인과 같은 유럽인의 미국 이주처럼 기근으로 인해 반강제적으로 이루어진 경우도 있다. 이주는 세계사에서 다양한 변화를 가져왔다. 특정 지역의 권력관계의 변화를 자극하기도 했고, 기술혁신을 촉진하거나 문화적 교환을 수반하기도 했다.

아리안족의 이주는 이주 초기에는 폭력적이지 않았지만, 이후 인도 남부를 정복하는 과정에서는 폭력을 수반하기도 했다. 아리안족의 이주로 이 지역의 권력관계는 아리아족을 중심으로 재편되었으며, 아리안족 중심의 사회

계급 관계를 확립하는 과정에서 종래 아리안족의 계급제도가 카스트제도로 확장되기도 했다. 또한 아리안족이 인도 남부에 발달된 철기 문화를 들여옴으로써 이 지역의 농업 혁신에 중요한 영향을 미치기도 했다. 아리안족이 이주하는 과정에서 일어난 원주민과의 갈등, 투쟁 등은 『마하바라타Mahabharata』라는 거대 서사시에 기록되었다. 이 서사시는 몇백 년 동안 구전되어왔는데, 여기에는 아리아인과 인도 원주민의 문화가 함께 녹아 있다. 이 서사시는 투쟁과 전쟁의 와중에서 신과 인간이 서야 할 곳에 대한 사색이 담겨 있으며, 이러한 사색의 과정에서 불교, 자이나교, 힌두교 등의 종교들이 탄생하기도 했다.

집단적 이주는 때로는 몇천 년, 몇백 년에 걸쳐서 이루어지기도 하고, 때로는 몇십 년 안에 이루어진 경우도 있다. 이주가 이루어진 시기를 중심으로 전체적인 이주 경로, 이주 과정에서 이루어진 기술과 문화 교환 및 집단적 갈등, 이주가 각 지역에 가져온 정치적 · 경제적 · 문화적 변화를 중심으로 역사를 이해할 수 있다.

문화 집단 간 전쟁이나 물리적 충돌은 일시적 접촉으로 끝나기도 했지만, 정치 공동체들의 통합이나 방대한 영역을 통제하는 제국의 등장으로 귀결되기도 했다. 많은 전쟁이 새로운 기술이나 문화를 소개하고 전파하는 계기를 만들기도 했지만, 접촉과 만남의 관점에서 중요한 전쟁은 하나의 문화권 내의 충돌보다는 한과 흉노, 알렉산드로스Alexandros의 원정, 십자군, 몽골의 원정처럼 문화 대 문화의 접촉과 교환을 자극했던 전쟁들이었고, 이 문화들 사이의 교류를 촉진하는 물적 기반을 마련한 거대 제국이 성립된 경우이다. 예를 들면 페르시아와 그리스의 충돌, 로마제국의 정복 활동, 알렉산드로스 제국의 확대 과정, 몽골제국의 확대 과정, 이슬람제국의 확대 과정에서 이슬람과 서유럽 및 북아프리카의 충돌, 오스만제국과 비잔티움제국과의 충돌, 오스만제국과 서유럽 및 러시아와의 충돌, 중국 역대 제국들과 동북아시아·중앙아시아 유목 제국과의 충돌, 유럽 제국과 남아메리카·중앙아메리카 제국들과의 충돌, 유럽 제국들과 아프리카 제국들과의 충돌, 유럽 제국과 중국이나 일본의 충돌 등이 있다. 이러한 전쟁에서는 대제국이 확대되는 과정에서 또는 대제국들 사이에서 일어난 충돌 과정에서 문화 갈등·교환의 흔적을 찾아 볼 수 있다.

제국의 건설은 문화적 경계선을 가로지르는 교류를 원활하게 하는 조건을 만들었으며, 다양한 문화의 갈등과 융합을 자극하는 역할을 했다. 한제국과 흉노의 접촉은 문화 복합 과정을 자극했으며, 나아가 한의 비단길 교역으로의 편입을 통한 비단길 교역로의 확대로 이어져, 로마제국, 서아시아, 중앙아시아, 중국으로 이어지는 문화 교류의 안전한 통로를 마련하기도 했다. 몽골제국은 유라시아 대륙의 정치적 통합을 이루어, 유라시아의 다양한 문화들이 상호 작용을 통해 새로운 문화를 창조할 수 있는 조건을 제공했다. 중앙아시아의 터키족은 서아시아, 인도로 이주하면서 사파비, 오스만제국, 무굴제국과 같은 거대 제국들을 건설했다. 그 과정에서 민족들 간의 문화 접촉과 갈등, 상호 작용을 촉진했다.

페르시아의 경우 거대한 제국을 형성하면서 그 정치적 영역 내에서 문화적 상호 작용의 기회를 확대했다. 페르시아 제국은 다른 종교와 언어에 대해 조건부로 용인하는 태도를 취했기 때문에 다양한 문화가 발달할 수 있었고, 나아가 그 문화들 사이의 상호 작용도 활발하게 일어날 수 있는 조건을 제공했다. 기원전 400년대 알렉산드로스의 제국 건설 과정에서 비롯된 헬레니즘과 인도 문화의 상호 작용 또한 정복 전쟁이 문화적 교환을 자극한 좋은 예가 될 수 있다.

또한 11세기 이후 십자군 전쟁은 당시 선진 문물을 소유하고 있던 이슬람 세계로부터 선진 문화를 수입할 수 있는 중요한 기회를 서유럽에 제공했다. 당시 서유럽은 이슬람 세계에 대한 강렬한 두려움과 증오 속에서도 이슬람의 학문을 배워 서유럽의 학문과 과학을 발전시켰다. 서유럽인은 십자군 전쟁 과정에서 이슬람 세계의 풍차, 성곽 축조술, 무기 제조술 등과 같은 과학기술과 군사기술은 물론이고 인체에 대한 지식을 비롯해 위생의 중요성 등 의학적 지식까지 빌려오게 된다. 이 과정에서 서유럽의 이슬람 세계에 대한 인식, 이슬람 세계의 서유럽에 대한 인식의 변화도 볼 수 있다.

이질적인 문화 집단 간, 정치 집단 간의 접촉이 항상 '발전'과 '향상'만을 가져왔던 것은 아니다. '침략'과 '몰락', '갈등'과 '파괴', '단절'과 '유실', 정치·문화·경제 관계의 재편 등으로 나타나기도 했다. 1532년에 8000명 정도의 대군을 거느렸던 잉카의 황제 아타우알파Atahualpa와 기껏해야 200명 내외의 군사를 거느렸던 스페인의 침략자 프란시스코 피사로Francisco Pizarro의 만남, 그 이후로 스페인군의 계속된 침략은 잉카 문명을 무너뜨렸으며, 이어진 억압·강요·저항·혼합의 복잡한 과정은 새로운 사회관계와 문화 창출, 복합 정체성의 문제로 이어졌다. 침략과 군사적 정복, 문화적 강요는 급격하고 과격하게 진행된다. 그러나 모든 정복자가 피정복자에게 정복자의 문화를 강요했던 것은 아니고, 피정복자의 문화가 정복자의 문화에 피동적으로 동화되었던 것도 아니다. 때로는 저항했고, 때로는 피정복자의 문화가 역으로 정복자의 문화에 중요한 영향을 주기도 했다. 또한 정복자의 문화나 지식을 수용해 역으로 정복자에 저항하는 수단으로 사용한 예도 있다.

몽골족은 자신들의 발원지를 떠나 서아시아 지역으로 침략해 들어가면서도 몽골족의 전통적인 유목 민족적 가치관을 오랫동안 간직했다. 그런데 피정복지의 무슬림 문화를 접하면서 이슬람교에 빠르게 적응하기도 했다. 스페인인들이 남아메리카를 정복했을 때, 스페인인들은 남아메리카 원주민의 문화를 미신이나 악마의 유산으로 치부하면서 유물과 유산을 파괴했고, 그 대신 자신들이 가져온 천주교와 스페인어를 강제했다. 그러나 남아메리카인들은 유럽인에게 동화되기를 거부하고 그들의 고유한 문화를 유지하려고 노력하기도 했다. 오히려 정복자인 스페인인이 피정복인의 문화인 남아메리카의 회화 양식을 적극적으로 받아들여 혼합된 회화 양식을 만들기도 했다. 중국을 침략했던 다른 민족들이나 북부 프랑스를 점령했던 바이킹들 같은 경우는 정복자가 정복지의 종교를 받아들였을 뿐 아니라, 정복지의 문화에 동화되기도 한 예이다. 스페인 남부 지역에 남아 있는 여러 건축물들은 이슬람제국의 정복과 그에 대한 스페인인의 저항, 이슬람제국을 몰아낸 이후 정권의 재편 과정에서 생긴 문화 복합을 잘 보여준다.

이렇듯 집단적 이주와 문화 집단 간 전쟁은 문화 대 문화의 만남으로서, 관련 집단들에게 긍정적으로 작용하든 부정적으로 작용하든 문화 전체의 융합을 통한 새로운 문화의 창조를 자극하기도 하고, 또 하나의 문화가 다른 하나의 문화를 완전히 수용하는 형태로 동화를 촉진하기도 했다. 그러나 다른 한편으로는 수용 거부의 형식을 통해 고유한 문화를 유지하려는 노력을 보이기도 했다. 폭력적이든 비폭력적이든 이러한 문화 접촉은 파괴, 억압, 저항 등의 방식으로 문화 집단들 간의 갈등을 수반한다. 이러한 갈등의 과정을 거쳐 종래 문화 공동체가 재편되기도 하고, 새로운 문화 공동체가 탄생하기도 한다. 따라서 집단적 이주와 문화 집단 간의 전쟁은 세계사에서 문화적 교환, 정치적·경제적 세력 관계의 변화, 문화 공동체의 재편 등을 탐구할 수 있는 사건들을 선정하는 데 중요한 개념이 될 수 있다. 이주와 전쟁을 통한 문화적 접촉과 교류를 탐구하도록 하기 위해 그러한 이주와 전쟁이 일어난 지역의 자연조건, 이들 지역 사이에 분업적 생산과 교역, 이들 지역의 문화적 특징, 이들 지역 사이에 경쟁과 투쟁을 부추겼던 요인들, 이들 지역의 접촉과 교역이 가져온 상호 작용과 문화 융합, 그러한 이주나 전쟁이 가져온 서로에 대한 인식 변화나 정체성 문제 등을 함께 분석할 수 있게 한다.

요컨대 원거리 교역, 집단적 이주, 문화 집단 간의 전쟁은 20세기에 교통과 통신이 급격하게 발달하기 이전에 집단 간 상호 작용과 문화 교환을 자극했을 만한 중요한 방식이었다. 이외에 '여행', '선교 활동'과 정치적·외교적 접촉 또한 교류를 자극했을 만한 방식으로서 별도로 다룰 수 있다.

20세기 이전의 개인의 여행 ― 엄격하게 말하자면 개인적인 여행이라고는 할 수 없지만 ― 가운데 집단 간의 상호 작용을 자극했거나, 집단들의 다른 민족이나 지역에 대한 인식을 변화시키는 데, 또는 다른 지역에 대한 지식을 확대하는 데 중요한 역할을 했던 예들이 있다. 예를 들면, 한의 장건張騫, 당의 현장玄奘, 아프리카 말리의 만사 무사Mansa Musa, 모로코의 무슬림 이븐 바투타Ibn Battūtah, 이탈리아의 상인 마르코 폴로Marco Polo, 명나라의 색목인 환관 정화鄭和, 페르디난드 마젤란Ferdinand Magellan, 크리스토퍼 콜럼버스Columbus Christopher 등의 여행 등이다. 그런데 이들 여행은 당시의 교역 네트워크를 통해, 대부분 상업적 교역과 성지순례 등과 관련해 이루어졌다. 또한 여행 자체가 문화 간 상호 작용을 자극했다기보다는, 여행을 통해서 다른 세계에 대한 정보를 제공하는 역할을 했다고 할 수 있다. 즉, 이들 개별 여행 자체는 문화적 경계를 넘는 문화적 교환, 정치적·경제적·사회적 상호 작용을 자극했던 사건들로서의 의미가 충분하지 않을 수 있다. 그러므로 여행이나 선교 활동을 내용 선정에서 독립적인 개념으로 설정하기보다는 상업적 교역의 범주에서 또는 종교 활동과 관련해, 혹은 외교적 활동으로 다루는 것이 하나의 대안이 될 수 있다. 이들의 여행을 중심으로 당시 형성되어 있던, 혹은 새롭게 만들어진 교역 네트워크에 대해 탐구해볼 수 있다. 여행자들이 남긴 자료나 이들의 여행에 대해 남아 있는 자료들은 당시의 세계 여러 지역과 여러 민족들의 다양한 생활도 탐구할 수 있게 한다.

불교 승려, 이슬람교 수피, 예수회 등의 선교 활동도 집단 간의 상호 작용을 유발했던 중요한 접촉의 예라고 할 수 있다. 그러나 특별한 경우를 제외하고는 선교 활동의 대부분이 상업적 교역의 네트워크를 통해서 이루어졌다. 예수회처럼 선교 자체를 목적으로 선교사들이 상인을 따라 교역로를 통해 이민족 지역에 들어간 예도 있지만, 원거리 교역을 수행하는 과정에서 자신들의 신앙생활을 위해 종교 지도자를 동반하거나, 특정한 종교의 규율에 따라 상거래를 수행함으로써, 이민족을 종교적으로 동화시킨 경우도 있다.

역사적으로 집단적 이주, 문화 집단 간 전쟁, 상업적 교역, 선교 활동 등은 동시적으로 진행된 경우가 많다. 그럼에도 불구하고 교류가 일어나는 방식을 앞에서 제시한 것과 같이 '도식적'으로 구분하는 것은, 교류를 통해 형성되었을 만한 공동체의 범위와 문화적 상호 작용이 일어났을 만한 지리적·사회적·문화적 경계선의 밑그림을 그릴 수 있기 때문이다. 또한 같은 사건일지라도 분석의 초점을 달리하면 그 사건을 다각적·다층적으로 분석할 수 있다.

2) 충돌 또는 교환되었을 만한 문물

충돌 또는 교환되었을 만한 문물에는 크게는 사상과 종교, 작게는 기술과 식생, 질병 등 다양하다. 이 가운데 문화적 접촉과 교류의 역사는 '교환'이 기존 문화나 집단적 생활양식을 동요시키고 재정의하는 데 영향을 미친 사건들을 중심으로 다룰 것을 요구한다. 예를 들면 다음과 같은 사건이 있다.

몽골의 세계 제국 형성 과정에서 흑사병균이 몽골군의 말안장을 타고 몽골군의 정복지로 퍼져나갔다. 특히 몽골군과 이탈리아인 접촉은 흑사병균이 유럽 내의 교역로를 따라 유럽 전역에 확산되는 계기가 되었다. 그 결과 흑사병은 4년에 걸쳐 유럽 인구의 3분의 1 이상을 감소시켰고, 이것이 유럽 사회의 구조적 변화의 조건을 만들기도 했다. 즉, 몽골의 세계 제국 건설 과정에서 몽골군에 의해 유럽인에게 전달된 흑사병균의 확산은 유럽인에게는 심리적·문화적·종교적·경제적 변화를 촉진하는 사건이었던 것이다. 흑사병이 유럽만이 아니라 유라시아 여러 지역에서 왕조 교체라는 커다란 정치적 변화를 촉발시켰다는 주장도 있다.

1520년대에 스페인인의 남아메리카 침략과 이주는 천연두균이 대서양을 건너는 계기가 되었고, 이에 따라 천연두균에 대한 면역력이 없었던 남아메리카의 인구를 대폭 감소시켰다. 이는 잉카제국이 급속히 무너지게 된 요인 중 하나였으며, 아프리카 노예를 남아메리카로 강제 이주시킨 배경 요인이 되기도 했다.

불교는 중국에 들어가면서 유교와 도교적 사상 및 관행을 어느 정도 수용했으며, 이슬람교는 서아프리카로 들어가면서 서아프리카의 비교적 자유로운 남녀 관계를 용인했고 동남아시아로 들어가면서는 여성의 소상인 활동을 받아들였다. 파르티아의 신앙인 태양신 미트라를 숭배하는 미트라교는 로마 제국에 전해져서 군신으로 숭배되었으며, 당시 기독교와 대등할 정도의 세력을 형성하기도 했다. 미트라 신앙은 교역로를 따라 동쪽으로 전해져서 후에 당나라, 신라, 일본으로 들어가 미륵신앙으로 발전하기도 했다.

17세기에서 19세기 사이에 이루어진 아프리카인의 아메리카 강제 이주는 이주의 관점에서 다룰 수도 있지만, 대체로 제국주의나 식민주의를 비판하는 관점에서 제국주의적 노예 매매로서 다룬다. 즉, 교류가 이루어졌을 만한 방법의 측면과 충돌 또는 교류되었을 만한 문물의 측면에서 모두 다룰 수 있다. 이 주제를 다루기 위해서는 사실 그 이전에 이미 진행되고 있던 아프리카 내 전쟁 노예의 매매 관행과 노예시장의 형성부터 이해할 필요가 있다. 아프리카 내의 노예 매매와 노예시장 형성이 대서양 노예무역 또는 아프리카 노예의 아메리카로의 강제 이주를 가능하게 했던 하나의 조건이었기 때문이다. 8세기 이후 이슬람 상인이 아프리카에 대상 무역을 시작한 이래 노예는 상아, 금 등과 함께 서아프리카나 동아프리카의 주요 교역 품목으로 여겨지기도 했다. 즉, 유럽인들이 유독 아프리카인을 노예로 삼았던 이유와 아메리카 원주민을 고용하는 대신 그 많은 희생을 감수하고 많은 비용을 써가며 아프리카인을 굳이 아메리카로 데려간 까닭은 아프리카와 아메리카의 역사적 특수성에 기초한다. 이러한 노예무역은 아프리카는 물론이고 아메리카와 인류 전체의 관점에서도 중요한 변화를 가져왔다. 경제적인 면에서는 세계적인 노동력의 재분배, 플랜테이션plantation 체제의 발전과 지구적 무역 네트워크 발전의 기초가 되었고, 문화 면에서는 아프리카와 유럽 문화, 아메리카 원주민 문화의 혼합으로 인한 새로운 문화의 탄생으로 나타났으며, 사회적으로는 인종차별, 민족 갈등의 문제를 파생시키기도 했다.

아프리카인의 이주는 제국주의적 침략 과정에서 강제적으로 이루어졌다. 그러나 그 과정에서 아프리카인은 자신들의 고유한 문화를 유지 · 발전시키면서 자신들의 정체성을 확인하려 했고, 그들이 발전시킨 문화는 아메리카 여러 사회에서 문화 창조의 활력소가 되기도 했다. 이 주제를 인종차별과 정치적 핍박 그리고 문화적 강압 속에서도 문화 창조 활동에 주체적으로 참여했던 주체들의 노력을 부각시키는 방향에서 다룰 수 있다. 이 주제를 다룰 때는 제국주의적 침략과 폭력을 비판하는 동시에, 단순히 무력한 피해자로서 아프리카인의 이미지를 개선하려는 노력이 필요하다.

여러 지역으로 확대되어 많은 사람들의 생활에 영향을 미쳤던 기술 가운데에는 농경 기술, 제지술, 인쇄술, 역법, 전차술이나 기마술, 범선 축조술,

화약 제조술과 같은 기술들, 그리스와 이슬람의 수학과 과학, 유럽의 과학 등이 있다. 이러한 기술들의 교환을 통해서 이루어진 정치권력·경제·문화 관계의 변화를 탐구할 수 있다.

종교에는 불교, 유대교, 힌두교, 이슬람교, 기독교 등이 있으며, 질병에는 몽골족에 의해 확대된 것으로 보이는 흑사병, 유럽인에 의해 아메리카 지역으로 확대된 것으로 보이는 천연두 등이 주목받고 있다. 최근에는 문화적·사회적 변화를 촉발시켰던 식생들에 대한 연구도 많이 등장한다. 주목받는 대표적인 식생에는 향료, 감자, 면화, 그리고 사탕수수, 커피 같은 플랜테이션 작물 등이 있고, 상품으로는 비단, 도자기, 차, 면직물, 총포, 노예 등이 주목받는다.

또한 16세기 이후 중국과 유럽 사이의 문화적 교환은 유럽 사상과 정치, 문화에 미친 중국의 영향을 심층적으로 다룰 수 있는 주제이다. 좀 더 장기적인 관점에서 교역의 변화를 추적할 수 있는 주제로는 비단이나 향료 무역이 있고, 16세기 이후 세계 경제와 문화를 다층적으로, 다양한 민족의 시각에서 분석할 수 있는 주제로서 은, 도자기, 노예무역도 가능하다. 물론 은의 교역은 단순히 은에 그치지 않고 유럽 세력의 재편, 유럽과 중국의 무역을 둘러싼 갈등 관계, 세계 무역 네트워크의 형성까지 다룰 수 있는 주제이다.

충돌 또는 교환되었을 만한 문물과 관련된 주제들은 문물의 발생 또는 창조에서 확산까지 시간의 흐름에 따라 다루는 방법과, 문물이 새로 들어간 몇 지역을 중심으로 그 지역에서 새로운 문물을 받아들였던 조건 또는 그 문물이 촉진했던 변화를 비교하는 방식으로 다루는 방법이 있다. 충돌 또는 교환되었을 만한 문물의 틀에서 탐구되어야 할 중심 내용은 기술, 식생, 상품, 질병, 종교, 사상 등이 접촉되었던 조건과 양상, 그것들이 촉발한 충돌, 교환, 혼합 등의 변화, 그리고 그 변화의 역사적 의미라고 할 수 있다.

그런데 문화 접촉·충돌·교환의 양상을 이해시키는 것이 주목적이라면, 문화 집단 사이의 접촉 과정에서 일어나는 문화적 요소 사이의 강한 충돌 또는 문화적 교환이 지연되거나 교환 자체가 일어나지 않았던 사례들을 탐구하게 할 필요가 있다. 좀 더 구체적으로 말하자면 그러한 문물의 접촉이 어떤 통로와 방법을 통해 이루어졌는지, 교환을 가능하게 했던 조건과 교환을 가능하지 않게 했던 조건 그리고 충돌이 일어나게 했던 조건은 무엇인지, 교환이 의도적·평화적으로 이루어졌는지 등의 교환 또는 충돌의 양상, 교환이나 충돌이 일어나면서 초래된 쌍방향적 변화, 야기된 집단 간의 갈등, 기술 혁신, 인구구성의 변화, 생활방식의 변화, 사고방식의 변화, 정치·문화 세력의 변화 등을 분석할 기회를 주어야 한다. 각 지역의 토착 문화와 새로 유입된 외래문화 사이의 문화 충돌과 혼합 과정에 대한 분석은, 한편으로 인류의 공통된 경험 속에 포함된 다양한 문화 집단들의 서로 다른 문화와 경험을 다층적으로 이해하는 데 도움이 될 것이다.

3. 접촉과 교류의 역사 내용 구성

강좌 자체가 주제 접근 방법thematic approach에 기초하기 때문에 이러한 강좌 개설의 취지와 접근 방법을 살리는 방향에서 내용이 선정될 필요가 있다. 주제사적 접근 방법은 한두 주제theme를 중심으로 역사를 이해할 수 있도록 내용을 선정·구성하는 것이다. 이는 정치, 경제, 사회 등과 같은 분야의 구분을 넘어 한 주제에 좀 더 통합적으로 접근하는 것이다.

문화적 접촉과 교류의 역사라는 강좌는 접촉과 교류를 중심 주제로 삼아 세계사적 시각에서 볼 때 중요한 역동성으로 작용했던 접촉과 교류, 그리고 접촉과 교류의 거대한 양상을 다루는 것을 기본 취지로 한다. 이러한 취지를 좀 더 살리기 위해서는 내용 선정과 구성에서 크게 두 가지를 고려할 필요가 있다. 첫째는 역사 변화를 이끌었던 접촉이나 교류, 둘째는 접촉과 교류의 거대한 양상을 볼 수 있도록 해야 한다는 것이다.

첫째, 제프리 패팅턴Geoffrey Partington은 과거인의 시각에서 중요한 것으로 인식되었을 만한 사건, 또는 현재인의 시각에서 볼 때 그 영향력이 컸거나 오래 지속되었던 사건들, 혹은 현재 생활을 이해하거나 현재의 문제를 해결하는 데 도움이 될 만한 사건들을 역사교육에서 중요하게 가르쳐야 한다고 주장한다.[14] 이러한 패팅턴의 주장을 접촉과 교류의 역사라는 주제사적 접근에 비추어보면, 과거 다수의 사람들과 다수의 집단들이 그들에게 커다란 변화를 가져왔던 것으로 평가했던 문화적 접촉과 교류, 문화적 상호 작용이 심화되고 있는 현재 세계의 특징에 비추어 그러한 현재를 이해하는 데 중요한 변환점이 되었던 역사적 접촉과 교류, 그리고 오늘날 세계 문화를 이해하는 데 중요한 접촉과 교류를 중심으로 내용을 선정·구성할 수 있을 것이다. 전자가 과거인이 자신들의 삶에 부여했던 의미를 탐구하는 데 중심을 둔다면, 후자는 현재의 다양한 삶의 방식과 현재에 이르는 역사적 과정에 대한 이해에 그 중심이 있다.

전자의 경우에는 그 접촉 또는 교류가 당시 문화 집단 간 세력의 변화, 당시 사람들의 생활이나 사고방식의 변화를 가져오는 데 중요한 역할을 했는가, 그것이 당시 또는 이후에 여러 집단들의 문화 정체성을 재정립하는 데 중요한 역할을 했는가, 인구구성 변화에 결정적 역할을 했는가 등의 질문을

---

14 Geoffrey Partington, *The Idea of History*(Oxford: NFFR Publishing Company, 1980), pp.112~114.

내용 선정에 활용할 수 있다. 후자의 경우에는 그 접촉 또는 교류가 여러 집단들의 생활방식을 크게 변화시켜 오늘날의 문화를 이해하는 데 중요한 역할을 했는가, 그것이 어떻게 오늘날에 이르렀는지 이해하는 데 중요한가 등의 질문을 내용 선정에 활용할 수 있다.

둘째, 접촉과 교류의 거대한 양상을 보여주기 위해 이질적인 문화들 간의 접촉과 교류를 한층 극명하게 보여주는 사건들을 선택할 수 있다. 예를 들면 '차용 거부', '문화 혼합 과정', '문화 번역', '변용' 또는 '전유' 등과 같은 역사적 양상을 가르치는 방향에서 내용을 선정하고 구성하는 것이다.

기술이나 식생은 대개 큰 저항 없이 쉽게 '경계'를 넘는다. 많은 연구들은 질병, 기술, 무기, 식생들이 쉽게 그리고 빨리 문화적 경계는 물론 지리적 경계를 넘어 확산되었음을 보여준다. 그러나 사상, 이념, 신념 등의 사유 체계와 독특한 지리적 · 환경적 요인과 관련된 생활 습성과 결합된 기술의 경우는 쉽게 '경계'를 넘지 못한다. 사유 체계와 생활 습성의 변화까지 요구하기 때문이다. 속도의 차이는 있지만 기술, 식생, 종교, 사상, 질병 등 교류된 모든 것들은 관련된 집단에 크게 또는 작게 영향을 미쳤다는 점에서 공통적이다. 접촉이나 교역을 통해 퍼진 기술 · 식생 · 종교 · 사상 · 질병이 크게는 관련 집단 사이의 세력 재편을 촉진하기도 했고, 특정 집단 내 인구구성의 변화와 식생활이나 의생활의 변화를 가져오기도 했으며, 또는 집단들의 문화 정체성이 재정립되는 기회를 제공하기도 했다.

정도의 차이는 있을지라도 기술과 식생을 비롯한 새로운 문물에 대한 저항은 필연적이다. 저항은 그 문물에 대한 지역적인 인식의 차이를 만들기도 한다. 예를 들면 남아메리카 대륙에서 유럽으로 들어간 감자는 오랫동안 악마의 열매로서 경멸의 대상이 되었다. 그런데 어느 순간 그것은 민중들의 주식으로 대중화되었으며, 영국에서는 산업혁명기 노동자의 주식으로서 역할을 하기도 했다.

때로는 페르낭 브로델이 관찰한 것처럼 '차용 거부'를 통해 문화적 경향에 저항하기도 한다.[15] 브로델은 그 예로 일본이 오랫동안 식탁과 의자에 저항했던 것과 지중해 세계에서 종교개혁을 거부했던 것 등을 제시했다. 이외에도 이슬람 세계가 오랫동안 인쇄물에 저항했던 예를 들 수 있다. 그렇기 때문에 사유 체계와 생활 습성에 관련된 문물의 교환은 단순히 '전파'라는 개념만으로 해명될 수 없는 복잡한 양상을 보인다. 특히 '전파'라는 개념에 기초한 근대 세계의 문화 형성 과정에 대한 설명은 서구 문화의 전파를 통한 '서구화'를 상정함으로써 서구 이외 지역의 문화의 자율성과 역동성을 억압하고 통제한다.

그러므로 문화적 접촉과 교류를 역사적 관점에서 이해하기 위해서는 종래 '전파' 이론에 기초한 '정복자'의 시각에서 벗어날 필요가 있다. '전파'는 한쪽(선진 문화)에서 다른 쪽(후진 문화)으로의 일방적인 흐름·강요·정복·동화를 통해 역사를 형상화한다. 그러나 문화는 상호 의존적이며, 관련 집단 사이의 상호 작용을 통해 형성된다. 이러한 관점에서 브로델이 묘사한 '차용 거부', 벤틀리가 채용한 '문화 혼합 과정syncretic process' 또는 '혼합주의syncretism'[16] 에드워드 에번스-프리처드Edward Evans-Pritchard 모임에 참여한 인류학자들이

---

15 Peter Burke, "Civilizations and Frontiers: The Anthropology of the Early Modern Mediterranean," in John A. Marrno(ed.), *Early Modern History and the Social Sciences: Testing the Limits of Braudel's Mediterranean*(Kirksville, 2002), pp. 123~141.

16 혼합주의(syncretism)란 문화적 타협으로 이르는 과정을 표현한 것이다. 즉, 토착 지역의 신념, 가치, 관습 등이 외부로부터 유입된 새로운 문화적 전통의 틀에서 자리를 찾아가는 과정이다. Jerry H. Bentley, "Preface," *Old World Encounter*(New York: Oxford, 1993).

말했던 '문화적 번역'[17] 등은 '문화적 접촉과 교류의 역사'를 통해 이해해야
할 중심 개념이 되어야 한다. 다시 말해 차용 거부, 문화 혼합 과정, 문화 번
역, 문화 동화 등을 문화적 접촉과 교류의 역사 내용을 관통하는 개념으로
채용함으로써, 학생들이 역사적으로 문화적 교류는 단순히 '전파'의 역사가
아니라 복잡하면서도 다양한 양상으로 진행되었다는 것을 인식하는 데 도움
을 줄 수 있을 것이다. 이러한 개념들은 문화 접촉과 교류의 양상과 관련된
내용을 선정하는 조작적 기준이 될 수 있다.

주제는 크게 두 가지 방향에서 탐구하게 할 수 있다. 첫째, 접촉과 교류를
통해 형성된 새로운 사회·문화 집단의 범위를 소위 문명과 문화의 단위를
넘어 때로는 반구, 때로는 지구적 차원에서 거대한 그림을 그릴 수 있게 한
다. 둘째, 문화 충돌·융합 등을 만들었던 접촉 또는 교류 그 자체나 그 과정
에서 들어온 문물이 각 집단에게 어떤 의미를 주었는지 집단별 관점에서 접
촉과 교류의 의미를 탐구할 수 있게 한다.

첫 번째 방향에서는 '접촉과 교류가 이루어졌을 만한 방식'과 '충돌과 교환
되었을 만한 문물'을 통해 접촉이나 교류가 이루어진 지리적 공간 또는 문화
간 접촉이나 충돌이 일어났던 집단들의 경계를 크게 그릴 수 있도록 유도하
고, 그를 통해 새로 형성된 문화 집단이나 서로 갈등을 일으킨 문화 집단들
의 범위를 확인할 수 있는 기회를 준다.

예를 들면 특정 교역로나 특정 전쟁에 관련된 집단들이 그리는 지리적 공

---

17 문화적 번역은 하나의 문화가 다른 하나의 문화와 조화를 이루기 위해 그 지역의 문화
체계를 차용하거나 그 문화 체계에 순응하는 것이다. 예를 들면 한국에 기독교가 들어
올 때 기독교의 독특한 신앙 체계와 교리를 한글로 번역하는 과정에서 구세주나 성모
의 개념을 번역하기 위해 그와 동등한 대체물을 찾으려 노력했고, 그 과정에서 한국 문
화 방식으로 기독교 교리를 번역하게 된 것을 말할 수 있다.

간에서, 상호 교환되거나 충돌한 문화들의 역사적 전개 과정을 탐구하는 것이다. 좀 더 구체적으로 보자면 비단길이라는 교역로가 그리는 교역 공동체의 역사적 전개 과정으로서 교역의 시작과 축소나 중단과 재개 또는 확대, 그리고 그러한 역사적 전개 과정에 영향을 미친 정치적·사회적·문화적 요인들, 관련된 정치·문화 세력들, 그들의 역할과 교역이 관련 집단들에게 주었던 의미 등을 탐구하는 것이다. 또 다른 예로, 불교라는 문화가 그려내는 문화 공동체의 큰 범위를 그리고, 어떤 불교가 어떤 경로를 통해, 어떻게 누구에 의해 여러 지역으로 확산되었는지 등을 큰 그림으로 그릴 수 있는 기회를 주어야 한다.

두 번째 방향에서는 접촉이나 교류가 이루어진 지리적 공간 속의 다양한 문화 집단들 또는 문화 간 접촉이나 충돌을 겪었던 집단들이, 그러한 접촉·충돌·교환 등에 대해 어떻게 바라보고 해석했는가, 그리고 그것이 그 집단에 가져온 변화는 무엇인지를 그 집단의 시각에서 탐구할 수 있게 한다. 이를 통해 접촉과 교류의 역사는 접촉과 교류의 메커니즘, 그 과정에서 일어나는 문화 복합 과정과 새로운 문화의 생산, 관련 집단들의 정치적·문화적 재편, 그러한 접촉과 교류에 대해 각 집단이 부여하는 의미 등과 같은 한층 심층적인 역사 학습을 유도할 수 있다. 즉, 하나의 주제를 한층 다층적으로 분석할 수 있도록 구성하는 것이다.

예를 들면 불교라는 종교가 중국이나 태국에서 어떤 방식으로 정착하고, 그렇게 정착하는 데 어떤 갈등 또는 변용이 있었는지를 각각의 지역적 관점에서 탐구하는 것이다. 그 과정에서 충돌 또는 융합 등의 패턴을 혼합주의, 차용 거부, 문화 번역·변용·전유 등의 틀로 분석할 수 있다. 물론 이러한 분석 틀을 벗어나 다른 방식으로 문화 충돌이나 교환이 일어났을 가능성을 항상 염두에 두고, 특수한 상황을 탐구할 수 있도록 유도할 필요도 있다.

사건이나 문화에 대한 집단별 의미 탐구 과정에서는 비교의 시각을 도입할 수 있다. 비교는 같은 문물에 대해 서로 다른 집단들이 어떻게 수용 또는 거부했는가, 그리고 그렇게 서로 다른 양상을 만들었던 특수한 조건이 무엇인가를 이해하는 데 초점을 두어야 한다. 크게 보면 동일한 문화권으로 간주될 수 있지만, 실은 그 안에 다양한 집단들이 서로 다른 문화들을 형성하고 다른 역사적 경로를 통해 발전했다는 것을 이해하며, 또 그렇게 서로 다른 역사적 경험을 만들었던 특수한 조건들을 파악해서 다양한 역사적 과정을 분석하는 데 비교의 목적이 있다.

4. 맺음말

최근 상호 의존성의 심화는 이질적인 문화 집단 사이의 직간접적 접촉을 통해 일어나는 역동성이 역사 변동과 문화 변화에 중요한 역할을 한다는 것을 보여준다. 이러한 최근의 세계 변화를 거론하지 않더라도, 많은 역사적 사례들은 이질적인 집단 간 접촉과 교류가 관련 집단들의 고유한 문화 전통의 동요·파괴·재정립 또는 강화 등의 방식을 통해 문화 및 역사 변화의 중요한 원동력으로 작용했다는 것을 입증한다.

'접촉과 교류의 역사'는 그러한 이질적인 집단 간 접촉과 교류가 만들었던 인류의 경험을 탐구하는 데 기본 취지가 있다. 따라서 이 강좌는 때로 문명, 문화권, 국가, 민족 등과 같은 종래 '고정된' 역사 서술의 단위를 넘어 새로운 역사 탐구의 단위를 상상하도록 촉구한다. 또한 종교, 과학기술, 식생, 질병 등 인간의 다양한 생활 국면을 제국, 민족, 계급, 젠더 등 다수의 범주로 분석함으로써 인간 문화에 다원적으로 접근할 것을 요구하기도 한다. 즉, 다양한 생활 국면을 다수의 범주로 분석함으로써 역사적으로 존재했을 만한 문화 집단의 다른 경계를, 그리고 종래와 다른 인간 생활의 국면들을 탐구하도록 유도하는 것이다.

또한 '접촉과 교류의 역사'는 역사 속에서 이질적인 집단 간의 접촉이 가져오는 다양한 문화 충돌·갈등·저항·혼합·동화 등의 패턴들을 거시적으로 분석할 기회를 줄 수 있다. 즉, 문화의 관점에서 볼 때 무엇이 지속·변화되는지, 한편으로는 변화의 큰 그림을 그리면서도 그러한 변화의 패턴을 차용 거부, 혼합주의, 문화 번역·동화 등의 개념적 틀을 통해서 분석해볼 기회를 가지는 것이다. 물론 이러한 개념적 틀을 사용할 때는 역사의 특수성을 무시하고 역사를 경직된 방식으로 일반화·법칙화할 위험을 경계해야 한다.

어떤 역사가들은 역사에서 일반화 그리고 법칙의 생성 또는 적용을 거부하고, 역사에서 사건들의 특수하고 고유한 상황을 보도록 강조하기도 한다. 그러나 '접촉과 교류의 역사'가 거시적 관점에서 구조적인 지속과 변화를 분석할 수 있는 기회를 주고자 한다면, 앞서 언급한 민족, 젠더, 계급 등과 같은 개념들과 마찬가지로 차용 거부, 혼합주의, 문화 번역·차용·동화 등의 개념 또한 역사와 인간 사회·문화를 분석하는 데 효과적인 도구로 사용할 수 있다.

'접촉과 교류의 역사'는 다층적 역사 분석을 추구한다. 이를 위해 한편으로는 하나의 문화 집단보다 큰 지리적 공간에서 이질적인 문화 집단 간의 접촉과 교류를 큰 그림으로 이해할 수 있게 하면서, 다른 한편으로는 관련된 각 문화 집단들이 그러한 접촉과 교류에 대해 어떤 의미를 부여했는가를 분석해볼 기회를 줄 수 있게 해야 한다.

'접촉과 교류의 역사'는 강좌의 취지가 뚜렷하기 때문에, 부각되는 역사와 축소되는 역사의 국면이 명백하다. '접촉과 교류의 역사'는 '잘 구성되고 잘 실행되면' 과거는 물론 현재의 세계를 분석하는 준거로서 집단 간, 지역 간 상호 작용의 역사적 역할과 상호 작용의 큰 양상에 대해 이해할 수 있는 기회를 제공할 것이다.

제**3**장

탈식민주의와 세계사 교육

2000년대 이후 역사교육계는 '새로운 세계사' 혹은 '지구사'에 대한 논의를 시작하면서 유럽 중심주의를 본격적으로 검토하기 시작했다. 이때 유럽 중심주의 비판 담론 뒤에는 포스트모던 역사 인식과 포스트콜로니얼리즘post-colonialism[1]이 토대가 되었다. 포스트모던적 역사 인식론은 담론으로서 역사의 성격을 부각시키면서, 근대 유럽 중심적 역사관이 생산되고 유포된 정치적 맥락을 분석할 수 있는 연구 방법을 제공했다.

포스트콜로니얼리즘 연구는 유럽 중심 역사관이 진화를 거듭하면서 19세기 제국주의적 세계관을 '세련된' 문명 사관으로 포장해 식민주의를 은연중에 관철시키고 있다는 점을 설득력 있게 분석했다. 억압과 착취를 낳은 지배

---

1 포스트콜로니얼리즘이라는 단어의 번역어는 탈식민주의, 후기식민주주의, 신식민주의 등으로 다양하게 사용된다. 이는 제국주의가 끝난 것인지 계속되는 것인지에 대한 이견과도 관련 있다. 이 글에서 포스트콜로니얼리즘은 식민주의 유산의 지속을 비판하고 극복을 추구하는 담론으로 이해한다. 이러한 맥락에서 포스트콜로니얼리즘을 탈식민주의로 번역해 사용한다.

이데올로기의 해체를 추구하면서, 역사학에서 식민주의 유산을 영속화시키고 있는 유럽 중심주의의 가면을 벗긴 것이다. 과장된 유럽의 성과에 날카롭게 의문을 제기하면서 근대의 계보에 대해 성찰하며 다시 써야 한다고 요구하기도 했다.

이러한 포스트모더니즘·포스트콜로니얼리즘의 연구 방법과 문제의식에 기초한 유럽 중심주의의 해체와 새로운 세계사/지구사의 추구는, 2000년대 초에는 주로 세계사 교육에서 역사관의 문제를 중심으로 논의되었다. 역사 연구와 교육에 관철되고 있던, 우리가 정전正典으로 신뢰했던 것을 문제화하면서 망각하고 있던 기억들을 되살리는 작업의 필요성을 강조한 것이다. 그러나 최근 유럽 중심주의 비판 담론은 역사관을 넘어 '역사학'이라는 지식 구조 자체의 폭압성과 이데올로기성까지 부각시키고 있다. 포스트모더니즘과 포스트콜로니얼리즘의 도전은 학교 역사가 학생들에게 무엇을 제공해야 하는가라는 질문을 다시 할 것을 요구한다.

1. 역사교육에서 유럽 중심 사관과 식민지 사관

1950년대 이래로 한국에서 '세계사'는 연구 분야로서가 아니라 학교의 교과목으로 정의되어왔다.[2] 세계사 교육의 시작과 동시에 유럽 중심적 역사관의 문제가 비판되었고, 동양적·한국적 시각에서 세계사 교육을 재편해야 한

---

2 세계사 교육의 시작에서 제7차 교육과정 시기까지 세계사 교육의 유럽 중심성 문제에 대해서는 강선주, 「세계사 교육의 '위기'와 '문제': 역사적 조망」, ≪사회과교육≫, 42권 1호(2003)를 참고.

다는 주장이 제기되었다. 제6차 교육과정까지 이 문제의 해결 방안은 세계사 교과서에서 다른 지역사보다 상대적으로 비중이 높았던 유럽사를 줄이고, '우리'의 '문화적 원류'라고 보았던 중국사의 비중을 확대하는 방향에서 모색되었다. 그러나 이러한 방향의 세계사 교육은 유럽 중심주의 이외에 중국 중심주의라는 또 하나의 문제를 노정했다. 제7차 교육과정에서는 아시아 문명 가운데 중국 이외에도 서아시아와 동남아시아, 인도 문명에 대한 서술 비중을 확대하면서 '다문화 · 글로벌' 시각을 투영하려고 시도했다. 그러나 유럽 중심적 역사관의 문제는 특정 지역사의 비중을 줄이고 늘리는 방법으로 해결할 수 있는 것이 아니었다.

2000년대 한국 역사교육계와 서양사학계는 미국에서 시작된 새로운 세계사/지구사 이론을 참조하면서 세계사 교육과정과 교과서, 역사 연구에 관철되고 있던 유럽 중심주의를 비판했다. 이 시기 연구자들이 비판했던 유럽 중심주의란 어떤 것일까?

제리 벤틀리는 역사학 연구에 영향을 끼친 유럽 중심주의를 단순 유럽 중심주의simple Eurocentrism, 이데올로기적 유럽 중심주의ideological Eurocentrism, 구조적 유럽 중심주의structural Eurocentrism 의 세 종류로 구분했다.[3] 즉, 유럽 중심주의는 하나로 정의하기 어려운 여러 층위의 담론들이다.

벤틀리에 따르면 단순 유럽 중심주의에는 유럽이야말로 진정으로 역사가 발전한 곳이며 다른 지역에는 역사가 없다고 여기는 태도가 들어 있다. 이데올로기적 유럽 중심주의에는 "유럽인 특히 북 · 서유럽인이 특별한 문화적 성향을 발전시켜왔고", 유럽의 독특한 문화적 경향과 특성이 유럽 사회의 근대

---

3   제리 벤틀리, 「다양한 유럽중심의 역사와 해결책들」, 조지형 · 김용우 엮음, 『지구사의 도전: 어떻게 유럽중심주의를 넘어설 것인가』(서해문집, 2010), 118~130쪽.

적 전환을 가능하게 했다는 전제가 있다.[4] 벤틀리는 "구조적 유럽 중심주의는 근대적·자본주의적·산업적·제국주의적 유럽에서 나온 모든 생각 구조와 분석 범주를 의미하는 것으로서, 역사가와 다른 학자들이 특정한 관점에서 세상을 이해하도록 만든다"[5]고 설명했다. 그는 "구조적 유럽 중심주의는 유럽 근대성의 표현으로서 근대를 총체적으로 해체하지 않는다면 해결책을 찾기 어려울 수도 있다는 말도 된다"[6]고 주장했다.

2000년대 초까지 한국의 역사교육 연구자들은 이데올로기적 유럽 중심주의를 비판과 극복의 대상으로 보았다.[7] 이데올로기적 유럽 중심주의는 특히 세계사 교과서에 관철되어 있었다. 제7차 교육과정기까지 중·고등학교 세계사는 16세기 이전까지 아시아의 작은 세 개의 문명과 유럽 문명(엄격하게 말하자면 서유럽 문명)이 상호 교류나 영향 없이 자기 충족적으로 발전하다가

---

4 같은 글, 118쪽. 유럽 중심주의자들이 주장하는 서·북유럽인의 특별한 문화적 특질에 대해서는 같은 글, 118~120쪽을 참조.

5 같은 글, 125쪽.

6 같은 글, 126쪽.

7 역사교육계가 세계사 교육에서 문제화한 유럽 중심주의에 대해서는 강선주, 「미국 세계사 인식의 변화와 세계사 교육」, 윤세철교수정년기념역사학논총간행위원회 엮음, 『역사교육의 방향과 국사교육』(솔, 2001), 62~65쪽; 강선주, 「세계사 교육의 '위기'와 '문제': 역사적 조망」, 77~78쪽; 이영효, 「세계사 교육에서의 '타자 읽기'」, ≪역사교육≫, 86집(2003), 32~42쪽; Kang Sun Joo, "Conceptions of Modernity in the Middle School World History Curriculum in the Republic of Korea: Adopting Theories of European Inherited Modernity and Modernization," *The Journal of Northeast Asian History, The Northeast Asian History Foundation*, Vol.9, No.2 (2012)을 참조. 서양사학계가 문제화한 유럽 중심주의의 개념은 임상우, 「동아시아에서 유럽 중심적 역사관의 극복」, ≪서강인문논총≫, 24집(2008); 강성호, 「한국 서양사 연구의 현황과 전망: 유럽중심주의 서양사를 넘어 세계사로」, ≪내일을 여는 역사≫, 50호(2013) 등을 참조.

16세기 이후 서유럽인이 만든 문명에 의해 전 세계가 일체화된다는 내러티브에 충실했다. 이러한 세계사 내러티브 구조에는 서유럽에서 시작되어 북아메리카로 확대된 문명만이 문화적 통일성·완결성 또는 내적 발전의 논리를 가지고 있는 문명이고, 그러한 문명이 지닌 고유한 특색이 곧 근대 문명 창조의 원동력이었다는 가정이 깔려 있었다.[8] 즉, '서유럽의 내적 발달에 의한 근대 창안론'과 '유럽사를 보편사로 상상하는 단선적 진보 사관', '근대화론'이 세계사의 뼈대를 이루고 있었던 것이다. 이러한 이론은 비서유럽 문명의 정체성과 타율성을 전제로 하며, 문화 창조와 확산의 주체로서 서유럽인의 역할을 배타적으로 강조한다. 19세기 이후 그러한 이론에 기초한 역사 발전 모델은 서유럽인이 창안한 제도·문화·가치·사상이 가장 보편적이고 우월하며 가장 바람직한 것이라는 인종주의적 편견을 확산시켰으며, 비유럽 지역의 식민화를 정당화하는 이데올로기로 작용했다.

새로운 세계사/지구사의 연구를 비판적으로 참조해 세계사 교육을 재구조화할 것을 주장했던 연구자들은 대부분 거대 서사의 뼈대가 되고 있던, 과장된 서유럽의 성과를 축소해 서구 우월주의를 해체하려 했다. 19세기 이후 서유럽과 미국이 주도한 제국주의적인 헤게모니적 세계관이 관철된 세계사 내러티브를 '수정'하고자 한 것이다. 이를 위해 먼저 문명을 정치적·경제적·사회적·문화적 완결성과 통일성·일체감을 담보한 역사적 실체로 보는 문명사적 접근의 한계를 지적했다. 그리고 세계사 내용 선정과 구성의 개념으로 '상호 관련성', '상호 의존성' 등을 제안했다. 관용적으로 사용해왔던 문명, 문화권 등의 '구획'과 '경계'를 넘어, 과거 존재했을 만한 인식과 경험 또는 갈

---

8 강선주, 「세계화 시대의 세계사 교육: 상호관련성을 중심원리로 한 내용구성」, ≪역사교육≫, 82집(2002).

등과 논의 등의 공동체를 다시 상상하고 겹침, 교차, 중첩적 발전, 상호 작용의 역사에 초점을 맞추려 한 것이다.[9] 아프로-유라시아Afro-Eurasia, 혹은 반구 단위에서 존재했을 만한 여러 층위의 상호 접촉 네트워크들을 보여주려 했고, 그것들을 통해 일어났을 간헐적 또는 지속적 접촉과 갈등 등을 역사적 변화의 원동력 중 하나로 설정하려 했다. 또한 체제론적 시각에서, 19세기 전반까지 유라시아에 비견될 수 있는 발전을 보인 여러 중심들이 서로 경합·교류했던 세계사 내러티브를 구상할 것을 주장했다. 이러한 세계사 내러티브의 재구조화를 통해, 서유럽을 특정 시기에는 주변이었던 것으로, 특정 시기에는 여러 중심 중 하나로 축소시키고자 했으며, '근대'를 서유럽의 내적 발전의 결과로서가 아니라 여러 집단들 간의 상호 접촉을 통한 겹침과 교차의 역사적 과정으로 그리려 한 것이다.

이러한 세계사 재구조화 주장 뒤에는 서유럽인이 전형화시킨 비창조적이며 수동적인 '비유럽인'의 이미지를 해체하고, 다양한 집단의 세계사적 참여 과정, 역할, 공헌을 부각시킴으로써 현재 세계의 발전과 문제의 공과를 서유럽만이 아니라 다양한 집단들에게 분산시키려는 의도가 있었다. 또한 세계사 교육에 잠복해 있던 '식민주의'에 대한 비판이자 탈식민화를 시도한 것이기도 하다. "식민주의는 단순화시켜 말하자면 '서구'가 '비서구'의 문화적 가치와 차이를 체계적으로 폐기하거나 부정하려고 시도하는 역사적 과정의 시발을 의미한다."[10] '탈식민화'란 식민주의가 계속됨을 비판하고 그것

---

9 이러한 시도는 조지형, 「새로운 세계사와 지구사: 포스트모던 시대의 성찰적 역사」, ≪역사학보≫, 173집(2002); 배한극, 「글로벌 히스토리와 글로벌 교육」, ≪서양사학연구≫, 8집(2003)을 비롯해 조지형 외, 『지구화 시대의 새로운 세계사』(혜안, 2008)에 실린 여러 글에서 볼 수 있다.

10 릴라 간디, 『포스트식민주의란 무엇인가』, 이영욱 옮김(현실문화연구, 2000), 30쪽.

의 극복을 추구하는 것이라고 할 수 있다. 탈식민주의의 문제의식은 물리적 식민주의의 종식 이후에도 지속되는 문화 식민주의에 대한 비판으로까지 확장된다.

종래 우리 역사교육계는 '식민주의', '식민지성'을 주로 일본의 식민지 사학 청산과 관련해 논의했다. 1960년대 이후 식민 사학의 불식은 국사 연구뿐 아니라 역사교육의 주요 과제였다. 최근까지도 국사 연구와 교육에서 잔존하는 식민 사관의 문제는 계속 지적된다.[11] 1970년대 여러 연구자들은 역사교육의 주된 과제로 '민족의식'의 정립을 설정하면서, 식민 사학의 청산을 강조했다. 윤병석은 역사의식 속에 "식민 사학의 해독이 뿌리 깊게 남아 있다"고 비판하면서 식민 사학을 불식시킬 수 있는 민족 사관의 정립을 역사교육의 가장 중요한 과제로 제시했다.[12] 그런데 같은 시기 강우철은 사회의 역사적 문제로 식민 사관과 함께 "서양사 주도의 역사의식 교육"의 청산도 강조했다.[13] 그는 "우리가 조심해야 할 것은 그들의 백인 우월주의 사관뿐 아니라 서양 중심의 자아 개념 내지는 민족의식이다"라고 주장했다.[14] 1970년대 이후 역사교육에서 일본의 식민 사학과 서양 중심의 백인 우월주의는 서로 다른 과제로 인식되었지만 민족 사관 정립을 위해서 동시에 극복해야 할 문제로 보았다.

그런데 일본 식민 사학은 유럽의 유럽 중심 역사관과 상동 관계에 있다. 즉, 서구가 노예제, 봉건제, 자본제 등 유럽사를 역사 발전의 보편적·표준적 모델로 설정하면서 비서구의 역사적 과정을 '지체' 또는 '정체', '비문명' 등으

---

11 박평식, 「조선시대 연구 성과와 국사교육」, ≪역사교육≫, 125집(2013).

12 윤병석, 「韓國史와 歷史意識」, ≪역사교육≫, 24집(1978).

13 강우철, 「歷史意識과 歷史的 思考」, 『사회과교육』, 11호(1978), 22쪽.

14 같은 글, 22쪽.

로 구분·차별했던 방식을 일본이 그대로 원용해 일본의 예외적인 근대적 변형과 조선의 정체성·타율성 담론을 생산하고 유포했던 것이다. 또한 그것을 조선의 식민 지배를 정당화하는 이데올로기로 사용했다는 점에서 일제의 식민 사관은 유럽 중심적 역사관의 아류라고 할 수 있다. 따라서 현재 역사학계와 역사교육에서 '탈식민화' 과제는 일본 식민 사관의 불식만이 아니다. 서구의 제국주의적 비서구 전형화 담론을 해체하고, 서구와 비서구의 이분법을 넘어 새로운 역사상과 정체성을 제시하는 것까지 포함한다.

2. 유럽 중심주의 축소와 '탈식민적' 내러티브 재편의 난항

새로운 세계사/지구사의 문제의식을 받아 2007 개정 중·고등학교 세계사 교육과정이 개발되었다.[15] 그러나 새롭게 강조된 상호 관련성의 원칙을 철저히 적용해 중학교와 고등학교 세계사를 일순간에 획기적으로 변화시킨다는 것은 현실적으로 가능하지도 않았고, 그러한 변화에 대한 저항도 매우 컸다.[16]

2000년대 초에 새로운 세계사/지구사를 주창했던 한국 연구자들은 지구사의 시각과 이론들을 소개하고 비판적으로 검토하면서 대안적 세계사의 필요성을 강조했다. 그러나 세계사 교육에 적용할 수 있는 대안적 내러티브의

---

15 교육인적자원부, 「사회과교육과정 5차 공동연구진 회의록(2005.8.26)」, 『사회과교육과정(시안) 연구 개발』(2007), 252~254쪽.

16 송요후의 글을 보면 2007 개정 세계사 교육과정과 관련해 어떤 저항들이 있었는지 알수 있다. 송요후, 「2007 개정 세계사 교육과정에서 '서구중심주의' 극복론에 관하여」, ≪역사교육논집≫, 29집(2007).

구조를 제시하는 것은 결코 쉬운 작업이 아니었다.[17] 특히 한국에서 관련 연구 성과가 축적되지 않은 상태에서 교육과정의 변화를 시도하는 것 자체가 문제라는 비판이 컸다.[18] 최근까지도 관련된 '한국적' 연구 성과가 크게 쌓였다고 보기는 어렵다. 특히 대학에서 세계사/지구사적 접근에 기초해 연구를 진행할 수 있는 기반이 매우 열악하기 때문에 한국의 연구 성과의 축적을 기다려서 세계사를 재서술하는 것이 가까운 미래에 결코 가능할 것으로 보이지는 않는다. 그렇다고 종래 세계사를 한국적 연구 성과에 기초해 쓴 것도 아니다. 그럼에도 지금에 와서 한국적 연구 성과를 강조하는 까닭은 무엇일까?

또한 중학생이나 고등학생, 즉 학생들의 발달에 맞는 세계사 교육을 추구해야 한다는 점, 또 학생들의 학습량을 줄여야 한다는 압박 등이 현실적인 제약 조건으로 다가왔다. 이러한 조건 속에서 2007 개정 세계사 교육과정은

---

17 역사교육과정은 모두 거대 서사로 구조화되는 방향에서 개발되기 때문에 역사교육계는 새로운 세계사의 내러티브 주제 선정과 조직에 관심을 가질 수밖에 없다. 그러나 역사교육계와 달리 역사학계는 그 성격상 하나의 내러티브를 구성하기보다는 가능한 접근 방법들을 거시적, 때로는 미시적 시각에서 검토·비판하고 지구사적 접근 방법에 기초한 개별적인 주제들의 연구 및 서술 가능성에 주목한다. 지구사의 정의와 연구 방법에 대해 논하지만, 구체적인 내러티브를 제시해야 할 필요성이 역사교육계만큼 절실하지는 않았고 또 그러기에는 아직 많은 어려움이 있다고 보았기 때문이다. 따라서 대안적 내러티브의 구조를 제시하는 문제는 역사교육계의 고유한 과제가 되고 있다. 현재 서양사학계를 중심으로 한 역사학계에서 세계사/지구사에 대한 논의는 주로 접근 방법에 초점을 맞춘다. 초기에는 상호 관련성과 상호 의존성으로서의 세계사/지구사와 체제론적 접근을 중심으로 외국의 연구를 소개했으나, 최근에는 포스트콜로니얼 관점에서의 지구사까지도 논의의 범주로 포함시키고 있다. 포스트콜로니얼 지구사 논의에 대해서는 박혜정, 「하나의 지구, 복수의 지구사: 상호역사로서의 세계사/지구사, 세계체제론, 아래로부터의 지구사」, ≪역사학보≫, 214집(2013)을 참고.
18 송요후, 「2007 개정 세계사 교육과정에서 '서구중심주의' 극복론에 관하여」.

'상호 관련성'의 원칙을 부분적으로 채택했다. 그럼에도 2007 개정 중학교 세계사 교육과정의 경우, 시기별로 이슬람 세계, 송, 명, 청, 오스만제국 등 여러 중심을 설정하고 아프로-유라시아의 지속적인 상호 교류와 몽골의 세계 제국을 부각시켜, '문명' 또는 '지역'을 닫힌 공간이 아닌 '간헐적'이더라도 상호 접촉하고 상호 작용했던 공간으로 그림으로써 근대 창안의 공헌을 여러 민족들에게 분산시키려 했던 시도는 주목할 필요가 있다.[19] 또한 근대 변혁 과정을 종래 유럽의 '봉건제', '르네상스', '신대륙 발견', '종교개혁', '절대 왕정', '시민혁명', '산업혁명' 등을 통해 유럽의 내적 변화를 강조하고 16세기 이후 유럽의 부상을 주된 주제로 구성하던 것과 다르게, 19세기 시민혁명과 산업화로 한정해 구성한 것도 의미 있는 시도라고 할 수 있다.[20] 그러나 중·고등학교 세계사가 '근대'를 유럽에서 시작된 국민국가와 자본주의 등이 일방적으로 확산되는 과정, 즉 여전히 근대를 서구화로 그리고 있다는 점에서 유럽 중심적 근대화론을 답습했다는 비판을 피할 수는 없었다.[21] 2007 개정 중·고등학교 세계사 교육과정이 유럽 중심적 역사관의 문제를 근본적으로 해결하지는 못했으나 축소할 수 있는 길을 마련했다고 할 수 있다.

그러나 2007 개정 세계사 교육과정과 교과서는 개발 과정과 개발 후에 많은 보수적 저항에 부딪혔다. 한편에서는 여전히 유럽 중심주의 극복의 문제를 동아시아 중심 세계사 서술을 통해 해결해야 한다는 주장도 있었고, 중국사의 서술을 일정 비율로 유지해야 한다는 목소리도 결코 작지 않았다.[22] 다

---

19 강선주, 「동아시아사 교과서에서 세계사 연계 방안」, ≪동북아역사논총≫, 40호(2013), 227쪽.
20 같은 글, 227쪽.
21 송요후, 「2007 개정 세계사 교육과정에서 '서구중심주의' 극복론에 관하여」, 114쪽; 강선주, 「동아시아사 교과서에서 세계사 연계 방안」, 227쪽.

른 한편에서는 유럽이 16세기부터 세계경제의 중심으로 부상할 수 있었던 데에는 유럽의 내재적 발전이 중요했다는 점을 외면하지 말아야 한다며, '유럽 내재적 발전에 기초한 근대 창안' 관점의 '유효성'을 고수하기도 했다.[23] 또 "1500년대 이후 유럽이 세계사의 주도권을 잡았다는 것은 엄연한 역사적 사실"이므로 16세기 이후 유럽의 부상을 중심으로 세계사를 서술하는 것은 당연한 것이라고 주장하기도 했다.[24] 또한 종래 사용해오던, 유럽사적인 시대 삼분법에 기초한 개념들, 즉 "유럽, 고대, 중세, 근대, 현대 등의 개념을 삭제하는 것은 역사 이해에 필요한 기본 개념을 배제하는 것"이라는 저항도 있었다.[25] 그렇다고 이러한 비판자들이 모두 유럽 중심적 역사관을 강력하게 옹호한 것은 아니다. 오히려 유럽사에서 지구사 연구로의 전환의 필요성을 역설한 연구자도 있다. 그러면서도 유럽사의 비중을 줄이는 것과 16세기 이후 유럽 패권이라는 내러티브를 수정하는 것에 대해서는 저항적이었다.

임상우는 "현재로서는 유럽 주도적 보편사의 발전 패턴을 뼈대로 하는 세계사 서술을 대체할 대안적 세계사 서술을 쉽게 기대하기에는 아직도 해결되어야 할 과제들이 많고, 어떻게 보면 궁극적으로 그러한 세계사 서술이 가능할지에 대해 회의도 들 수 있지만", 포기는 하지 말아야 한다고 주장했다.[26] 한편에서는 유럽사가 보편사라는 인식이 아직 강하게 남아 있었으며,

---

22 강선주, 「동아시아사 교과서에서 세계사 연계 방안」, 199쪽.

23 김응종, 「서구중심주의 역사학에 대한 비판과 반비판: 페르낭 브로델을 중심으로」, ≪프랑스사 연구≫, 16호(2007).

24 김기봉, 「환경사란 무엇인가: 환경과 인간의 상호작용의 역사」, 한국서양사학회 엮음, 『제12회 한국서양사학회 학술대회; 서양의 환경과 생태의 역사』(2008), 45쪽.

25 김덕수, 「2007 개정 교육과정의 중학교 『역사』 교과서 서양사 내용과 문제」, ≪사회과 학교육≫, 12집(2009).

26 임상우, 「동아시아에서 유럽 중심적 역사관의 극복」, 52쪽.

다른 한편에서는 현실적 대안이 없는 상태에서 유럽 중심적 보편사 모델을 쉽게 포기하기는 어렵다고 보는 인식이 지배적이었다.

또한 이 시기 역사교육계에서는 '상호 관련성'이나 '상호 의존성'이라는 개념 도입의 문제의식을 제대로 이해하지 못하는 경향도 보였다. 이러한 경향은 새로운 세계사 또는 지구사 교육의 동향을 정리한 글에서 매우 극명하게 드러난다.[27] 이 글에서는 '상호 관련성', '상호 작용'의 원칙을 강조했던 세계사 내용 재구성을 단순히 '교류사'라고 좁혀서 설명함으로써, 2000년대에 세계사 교육의 재구조화를 시도했던 문제의식을 축소시켜버렸다.[28]

사실 이 시기 새로운 세계사 또는 지구사의 문제의식이 현장 교사들에게 설득력 있게 다가가기는커녕 거의 전달되지도 못했다. 특히 종래 현장 교사들은 세계사 교육이 유럽 중심적이었는지, 어떤 개념이나 내러티브 구조가 유럽 중심주의를 강화하는지, 세계사 교육과정에서 왜 상호 관련성이 내용 선정의 원칙으로 고려될 필요가 있는지 등에 대한 설명을 제대로 들을 기회가 없었기 때문이다. 이에 따라 역사 교사들은 2007 개정 세계사 교육과정에서 가르쳐야 할 주요 사건 가운데 르네상스나 종교개혁이 빠진 것을 보고

---

27 이선숙·정진경, 「새로운 역사이론과 역사교육」, 『한국 역사교육의 연구동향』(책과 함께, 2011), 307~323쪽.

28 같은 글, 323쪽. 송요후도 "2007 개정 고등학교 세계 역사 이해 교육과정이 중시한 내용조직 원칙 중 하나가 교류와 교역의 관점으로 종래 교육과정들과 차별되는 것이다"라고 하면서 상호 관련성, 상호 의존성의 원칙을 교류와 교역으로 축소했다. 그러나 정작 그러한 내용 선정의 정당성을 다음과 같이 설명했다. "최근 급증하는 대외 교류가 개인의 생활에까지 끼친 영향이라든가, 급변하는 교역 환경 등을 감안한다면 타당한 시각으로 보인다." 송요후, 「2007 개정 세계사 교육과정에서 '서구중심주의' 극복론에 관하여」, 120쪽. 결국 지구사 연구 부상의 배경이 된 세계 정치적·경제적·문화적 현실과 종래 세계사 교육에 관철되어온 유럽 중심적 역사관의 해체라는 과제를 직접적으로 관련짓지는 못한 것이다.

의문을 제기[29]하기도 했고, 이슬람 세계와 교류 네트워크 등에 대한 서술이 확대되거나 첨가된 부분에 대해 '어렵다'고 하면서 다시 문화권/문명 단위의 서술로 돌아갈 것을 요구하기도 했다.

2007 개정 이전의 세계사로 '복구'하려는 열망은 2011(2009) 개정 중학교 교육과정에서 '상호 관련성'이라는 내용 선정의 개념을 축소 적용하는 방향으로 나타났다. 2011(2009) 개정 중학교 세계사 교육과정에서는, 전근대 시기에 '지역 세계'가 각각 독자적으로 형성되고 발달하다가, '전통사회'의 '변모'를 거쳐 유럽의 시민혁명과 산업혁명을 통해 근대로 접어들고, 유럽 이외 지역이 유럽식의 '근대국가' 수립 운동을 펼치는 것으로 내러티브 구조를 제시했다.[30] 근대사의 핵심적인 질문은 '유럽이 어떻게 '근대'를 창안할 수 있었는가'라는 것이었고, 그 질문에 대한 답을 유럽 내부에 주목해서 찾도

---

29 송요후, 「2007 개정 세계사 교육과정에서 '서구중심주의' 극복론에 관하여」, 117쪽.

30 2011(2009) 개정 교육과정의 사회에서 중학교 역사 '전통사회의 변모'라는 대단원의 성취 기준을 보면 다음과 같다. (가) 송으로부터 청에 이르는 중국의 정치적 변화 과정을 설명하고 몽골제국이 동서 교류의 확대에 미친 영향을 파악한다. (나) 일본에서 무사 정권이 출현하는 과정을 이해하며 임진왜란을 동아시아 국제 질서의 변모라는 맥락에서 파악한다. (다) 서아시아와 남아시아 이슬람 국가들의 성립과 발전 과정을 파악하고, 이 지역에서 여러 민족과 종교의 공존을 지향하는 정책이 펼쳐졌음을 살펴본다. (라) 르네상스로 인한 유럽 사회의 변모를 이해하고, 신항로 개척과 대서양 무역의 확대가 유럽과 라틴아메리카 세계 양쪽에 미친 변화를 파악한다. (마) 서유럽과 동유럽의 절대왕정을 비교해 그 차이를 이해한다. 교육과학기술부, 『사회과 교육과정』, 교육과학기술부 고시 제2012-14호 별책 7(2012), 47쪽. 이러한 '전통사회의 변모'라는 대단원의 성취 기준만을 보더라도 몽골제국의 동서 교류는 강조했으나 이외에 송, 명, 청, 서아시아와 남아시아, 유럽은 닫힌 공간에서 '변모'했던 것으로 그리고 있다. 유럽의 경우 특히 '르네상스'로 인한 변모를 이해하는 것을 시작으로 신항로, 대서양 무역, 절대왕정 등으로의 역사적 전개 과정을 강조함으로써 유럽 내적 발전에 주목하는 내러티브 구조를 제시했다고 해석할 수 있다.

록 내용을 구성했다. 즉, 2011(2009) 개정 중학교 세계사 교육과정에서 다시 '유럽의 내적 진화에 의한 근대로의 전환'이라는 논리가 강화되었다고 할 수 있다.

3. 새로운 세계사/지구사의 탈유럽 중심주의의 가능성

새로운 세계사/지구사 관점의 세계사 재구조화는, 종래 정전화·고착화되어 있던 유럽의 내재적 발전에 기초한 근대 창안이라는 유럽 중심적 역사관에 저항하는 대항 내러티브를 구축하려는 시도이다. 그러나 그것이 하나의 대항 내러티브로서 좀 더 세련되고 체계적으로 발전하기 전에, 그 뒤에 은폐되어 있을 만한 이데올로기와 권력관계가 부각되었다. 전 지구적 관점과 상호 관련적·탈중심적 내용의 재구조화 필요성의 측면에서 새로운 세계사 혹은 지구사 연구와 교육의 필요성이 주장되었으나, '유럽 중심주의적이다', '신자유주의 자본주의의 정당화다'라는 비판 속에서 진전을 이루지 못하고 있었다. 김용우도 "최근 역사학 분야에서 부상하고 있는 새로운 세계사를 둘러싼 논쟁은 서구 근대 역사학의 한계를 예리하게 드러내고 그 극복 방안을 모색할 수 있는 좋은 계기였음에도 불구하고 첨예하고도 끈질긴 쟁점이 되지는 못했다"고 지적했다.[31]

사실 새로운 세계사 또는 지구사는 그 이론이 소개되는 순간부터 그 이론들의 '정치적 목적'이 분석되었고, 해체의 위기에 몰렸다. 배한극은 스타브리

---

31 김용우, 「식민지주의의 그림자들: 새로운 세계사와 서구 포스트-식민박물관의 경우」, ≪코기토≫, 71호(2012), 50~55쪽.

아노스식의 글로벌 히스토리를 중심으로 '새로운 세계사' 접근 방법을 검토한 후, 글로벌 히스토리 이면에는 "미국 중심의 자본주의와 신자유주의적 경향이 감추어져 있다는 사실을 간과해서는 안 될 것이다"라고 주장했다.[32] 새로운 세계사와 지구사 담론이 유포할 수 있는 정치적 편향성을 경계하려 한 것이다. 그러면서도 그는 "글로벌 히스토리는 새로운 시대, 우주 시대, 지구촌 시대를 살아갈 글로벌 시티즌, 즉 지구 시민을 교육하고자 하는 글로벌 교육의 대단히 중요한 커리큘럼으로 계속 연구되고 개발되어야 할 것이다"라고 하면서 그 필요성을 역설하기도 했다.

조지형도 같은 시각에서 "새로운 세계사 이면에는 미국 중심의 자본주의와 신자유주의적 경향이 감추어져 있다는 사실을 간과해서는 안 된다. 세계사의 연구 가운데 상당 부분이 미국의 지구적 이해와 세계 인식을 반영하고 있다는 것이 사실이다"[33]라고 주장했다. 새로운 세계사/지구사가 미국에서 이루어진 연구이기 때문에 미국적 세계 인식을 반영하고 있으니 우리는 그것을 비판적으로 봐야 한다는 것이다.

강성호는 한 걸음 더 나아가 "미국 연구자가 유럽 중심주의 극복을 외치는 것은 유럽을 축소시켜 미국의 패권을 정당화하려는 것이고, 유럽은 쇠락하는 유럽을 세련되게 하려는 것이며, 중국 연구자는 중화주의를 강화하려는 것"이라고 주장한다.[34] 독일 연구자 위르겐 코카Jürgen Kocka도 지구사 연구의 대부분은 미국, 일부는 유럽(많은 부분이 영국), 그리고 최근에는 동아시아에서 진행된다는 점을 서술하면서, 지구사 연구에는 연구자가 속한 지역, 문

---

32 배한극, 「글로벌 히스토리와 글로벌 교육」, 129쪽.
33 조지형, 「새로운 세계사와 지구사: 포스트모던 시대의 성찰적 역사」, 166쪽.
34 강성호, 「한국 서양사 연구의 현황과 전망: 유럽중심주의 서양사를 넘어 세계사로」, 188쪽.

화, 지적 맥락이 관점과 개념들에 영향을 미친다는 점을 잊지 말아야 한다고 강조했다.[35] 실제 지구사에 대한 구체적 논의는 연구가 진행된 지정학적 공간에 따라 다른 관점과 쟁점을 보이기도 한다.[36] 그러나 연구자가 속한 지정학적 위치만이 아니라 상호 작용한 문화까지 비판적으로 검토할 필요가 있다. 연구자가 속한 지정학적 위치가 다른 연구자와 같다고 하더라도 그가 속한 문화적 풍토나 지적 조건이 그의 관점을 다르게 할 수도 있기 때문이다.

그렇다면 우리는 새로운 세계사/지구사 연구가 기반을 두고 있는 지정학적 위치의 문제, 연구의 배경이 되는 지적 풍토를 어떤 식으로 고려해 세계사 교육을 구상해야 하는가? 새로운 세계사/지구사로 분류되는 다양한 연구들이 미국 중심의 신자유주의적 자본주의 세계화를 정당화하는 이데올로기를 은폐하고 있다면, 그리고 그러한 세계화에 반대한다면 오히려 새로운 세계사/지구사 연구와 교육을 철저하게 배격해야 하는 것은 아닌가?

2000년대 초 한국의 서양사학자와 역사교육 연구자들은 새로운 세계사/지구사의 연구와 교육의 의미 및 적용과 관련해 공통적인 문제의식을 보였다. 유럽 중심적 역사관 서술의 한계를 극복하는 방향에서 새로운 세계사/지구사적 이론과 개념의 유용성을 받아들이면서도, '우리' 관점에서 그것을 비판적으로 분석하고 교육하도록 요구한 것이다. 필자도 "상호 의존성이라는 개념을 적용해도 '우리의 관점'에서 세계사 교육을 고민하지 않으면 또다시 우리와 관련 없는 타자의 역사를 타자의 시각에서 가르치는 것 이상이 될 수

---

35 Jürgen Kocka, "Global History: Opportunities, Dangers, Recent Trends," *Culture & History Digital Journal*, Vol.9, NO.1(2012), p.2.

36 박혜정은 그러한 추세에 대해 Dominic Sachsenmaier, *Global Perspectives on Global History: Theories and Application I a Connected World*(Cambridge: Cambridge University Press, 2011)에서 확인할 수 있다고 했다.

없다"[37]고 주장한 적이 있으며, 조지형도 "지금까지 그리고 앞으로 나올 새로운 세계사 연구와 같이 호흡하면서도 우리의 관점에서 지구성에 대한 철저한 성찰을 통해 새로운 세계사의 장을 열어야 한다"고 역설했다.[38] 최재호도 '우리(한국인)의 관점'에서 세계사를 가르쳐야 한다고 주장하면서 '우리의 관점'의 상세화를 꾀하기도 했다.[39]

그러나 '우리의 시각'을 정의하는 문제는 결코 쉽지 않다. 잘못하면 한 극단으로 흘러 폐쇄적인 자민족 중심주의 시각이 될 수도 있고, 또 다른 극단으로 흘러 다원주의를 추구하면 특수주의와 상대주의의 늪에서 허우적거리는 운명을 맞이할 수도 있다. '민족'과 '다원'을 선후 관계나 상하 관계의 위계 없이 함께 추구할 수 있는가? 다층적 역사가 해결 방안이 될 수 있을까? '우리'를 어떤 지정학적 범위에서 정의해야 하는가? '우리'를 지리적·이념적, 또는 체제적 구별에 기초해 정의해야 하는가? 국가 단위 또는 민족인가? 아니면 동아시아인가? 뒤에서 살펴보겠지만, 여기에 포스트모던적 인식론의 도전이나 포스트콜로니얼 문제의식을 더해 '우리', '정체성' 문제에 접근하면 이 문제는 더 난해해진다.

임상우는 지구사 연구에서 혼종hybridity을 묘사하는 다수의 역사들, 근대화의 다양한 경로를 밝히는 비교사적 접근, 문화 수용·변용에 대한 한층 폭넓은 관심 등을 주문한다.[40] 비교사적 접근을 통해 보편적 근대가 아니라 다

---

37 강선주, 「세계화 시대의 세계사 교육: 상호관련성을 중심으로 한 세계사 내용 구성」, 65쪽.

38 조지형, 「새로운 세계사와 지구사: 포스트모던 시대의 성찰적 역사」, 188쪽.

39 최재호, 「한국사와 연계한 세계사, 세계사와 연계한 한국사」, ≪역사교육논집≫, 40집 (2008), 141쪽.

40 임상우, 「동아시아에서 유럽 중심적 역사관의 극복」, 53쪽. 독일 연구자 코카도 서로

수의 근대를 탐구하는 데 초점을 맞추어야 한다는 것이다. 그런데 이러한 방법론은 국내뿐 아니라 코카나 벤틀리 등 국외 연구자들도 함께 강조하는 것이다.[41] 즉, '우리'만의 문제의식은 아니다. 세계 여러 연구자들은 지구사 내의 다원성 추구가 지구사 성공의 필수 조건이라고 본다. 세계사/지구사 논의에서 '비교' 방법의 유용성을 강조하는 데는 연구자들이 처한 지정학적 위치를 염두에 두면서 그들의 연구를 분석하려는 의도가 있다. 그러한 비교가 탈유럽 중심적 새로운 보편을 모색하거나, '우리 시각'에서 지구사를 연구하는 데 도움이 될 것이라고 기대하는 것이다.

최근 동양사학계는 중앙아시아나 몽골제국사에 주목하면서, 중원을 지역화하거나 중화주의를 축소하는 연구와 네크워크에 대한 연구들을 내놓았다.[42] 이렇게 '우리 학계'의 연구자가 다른 나라 연구물을 비교·검토해 중앙아시아사, 몽골제국사, 네트워크에 대해 서술한 것을 바탕으로 세계사의 내러티브를 구축하면 그것은 '우리의 시각'인가? 그러한 연구는 미국 중심 신자유주의 세계화를 추구한다는 비판 혹은 여전히 유럽 중심주의라는 비판에서 자유로운가? 김택현은 그러한 방향에서의 세계사/지구사가 유럽 중심주의의 대안이 될 수 없다고 강조했다. 오히려 그는 지구사 연구가 곧 자본의 논리를 대변하는 것이라고 날카롭게 비판했다. 자본은 생산자와 소비자 사

경합하는 다른 지역적·문화적 맥락으로부터 온 지구사적 해석들의 비교가 필요하다고 요구한다. Jürgen Kocka, "Global History: Opportunities, Dangers, Recent Trends," p.2.

41 같은 글, p.2.

42 유은숙, 「새로운 세계사의 재편을 위한 방향 모색: 중앙아시아 연구의 경향」, ≪역사학보≫, 215집(2012); 육정임, 「몽골사와 관계사의 약진: 2010~2011년 송·원·금·원사 연구 개관」, ≪역사학보≫, 215집(2012); 김호동, 「몽골제국의 세계정복과 지배: 거시적 시론」, ≪역사학보≫, 217집(2013).

이의 교류를 장려하고, 또 상호의존을 강조하는 전략을 펴는 데 이러한 자본의 논리가 지구사에 배어 있다고 주장하는 것이다. 그러나 그렇게 본다면 지구사에서만 교류와 상호의존성을 강조하는 것은 아니라는 점은 어떻게 고려할 것인가? 국가를 단위로 하거나 도시 또는 지역을 단위로 한 역사 서술에서도 교류가 강조될 수 있다. 그렇다면 이러한 역사 서술도 모두 자본의 논리를 반복하고 있다고 해야 하는가?[43]

그는 유럽 중심주의에 대한 비판이 곧 자본 권력에 대한 비판이어야 하기 때문에, 유럽 중심주의 비판을 위해 동원하는 개념들이나 담론들이 과연 근대성과 자본 권력에 대한 비판으로서 적절하게 구사될 수 있는 것인지에 대한 성찰이 필요하다고 주장한다.[44] 그리고 지구사는 그러한 개념이나 담론으로서의 역할을 하지 못한다고 강조한다. 그는 반근대주의와 반자본주의의 시각에서 역사를 추구한다. 그런데 역사라는 틀에서 그것이 가능할까? 뒤에 살펴보겠지만, 근대성의 해체는 역사의 해체 없이 불가능하다. 또 김택현은 임상우가 제시한 비교사적 방법이 결코 유럽 중심주의를 넘어서게 할 수 없다고 본다. 그는 "비교되는 역사들이란 과거 그 자체로서의 역사들인가 아니면 언어로 '재현된' 과거로서의 역사들인가?"라는 질문을 통해 '비교'를 실행하려 할 때 생길 수 있는 복잡한 인식론적 문제까지 제기한다.[45] 지구사 연구의 방법론으로서 '비교'의 난점들을 포스트모던적 인식론 차원에서까지 지적함으로써, 지구사의 유럽 중심성 극복 가능성을 부정했다. 그가 '자본'에 무

---

43 김택현, 「유럽중심주의 비판을 다시 생각함」, ≪서양사론≫, 114호(2012), 337~338쪽. 그가 강조한 지구사 옹호자들의 '무의식적인 자본의 논리 반복'이라는 주장의 타당성에 대해서는 분석과 논의의 여지가 있다.
44 같은 글, 349쪽.
45 같은 글, 345쪽.

게중심을 두어 유럽 중심주의와 식민주의 서사를 분석·비판하는 것은 근대성의 해체와 자본 권력의 파괴만이 유럽 중심주의의 극복이자 탈식민화를 이루는 것이라고 보기 때문이다.

'우리 시각'의 새로운 세계사/지구사를 모색하려는 노력은, 해체주의적 포스트콜로니얼리즘이 근대 역사학과 근대성의 밀착성을 분석하고 그 난폭함을 폭로하면서 지구사가 기반으로 하는 지적 구조 자체를 해체할 경우 무의미해진다. 디페시 차크라바르티Depesh Chakrabarty와 아리프 딜릭Arif Dirlik 등 여러 학자들은 유럽 중심주의 문제를 거론할 때, 모든 전문 역사가는 근본적으로 유럽 역사를 다루고 있으며 유럽 역사를 피할 수 없다고 주장한다.[46] 전문 역사 연구가 국민국가, 시민권, 부르주아 공공 영역과 사적 영역 등과의 밀착 관계를 유지하면서 억압적 전략과 관행을 지속해왔다는 것이다. 인도 출신 사상가 아시스 난디Ashis Nandy는 근대 역사학의 폭력성을 비판하고 그것의 지역화를 추구하면서 '과거를 인식하는 다른 형식'을 부각시켰다.

난디는 근대 역사학이 과거를 구성하는 가장 지배적인 방법이 된 것은 근대 국민국가, 세속적 세계관, 과학적 합리성이라는 프랜시스 베이컨Francis Bacon의 개념, 19세기 진보 이론과 최근의 발달 이론들과 관련 있다고 설명한다. 또한 역사라는 학문 자체 내에서 역사에 대한 철저한 비판의 부재에 의해 역사의 위치가 강고해졌다고 주장한다. 그리고 그는 다음과 같이 말한다.

이상하게 들리겠지만 …… 많은 사람들은 "역사" 밖에서 산다. 그들은 역사가들이 역사의식에 의해 형성하는 것과는 다른 형태의 과거와 함께 산다. 그들

---

46 제리 벤틀리, 「다양한 유럽중심의 역사와 해결책들」, 125쪽.

에게는 과거에 도달하는 다른 방법이 있다.[47]

근대 역사학은 과거에 접근하는 다른 관행들과 형식들을 배제했을 뿐 아니라, 근대화 프로젝트와 공모 관계에 있다는 것이다. 근대 역사 연구의 핵심적 개념들과 분석 도구들을 사용해 과거에 접근하는 순간, 모든 역사는 유럽의 근대성의 굴레에서 벗어날 수 없으며 식민지성과 유럽 중심성에서 탈피할 수 없다. 이러한 논리에 따르면 김택현처럼 자본 권력을 비판하더라도 자본을 논하는 순간 그는 유럽 중심주의를 비판하는 것이 아니라 유럽 중심주의를 확산시키는 것이 된다.

『오리엔탈리즘Orientalism』으로 식민주의가 아직 종식되지 않았음을 예리하게 부각시켰던 에드워드 사이드Edward W. Said, 검은 피부 위에 쓰고 있던 하얀 가면의 정체를 폭로하면서 식민주의의 폐해를 비판했던 프란츠 파농Franz Fanon 등 탈식민지주의를 대표하는 연구자들은 서구 문화 권력의 폭압성을 드러내면서 유럽이 전형화시킨 비유럽인의 정체성을 해체하고자 했다. 그러나 차크라바르티, 딜릭, 난디 등의 논리에 따르면, 사이드와 파농 등이 사용한 개념과 연구 방법은 근대 유럽이나 미국의 지적 풍토와 개념의 범위에서 벗어나지 않으며 따라서 그들도 본질적으로 유럽 중심주의나 식민주의 밖에 있다고 할 수는 없다. 역사학 자체를 폐기하지 않는 한 유럽 중심주의 비판 담론의 유효성은 의심될 수밖에 없다. 즉, "유럽 중심주의의 종말은 전문 역사 연구의 해체를 가져올 것이다"[48]라고 했던 벤틀리의 주장이 설득력

---

47 Ashis Nandy, "History's forgotten Doubles," *History and Theory*, Vol.34, No.2 (1995), p.44.
48 벤틀리, 「다양한 유럽중심의 역사와 해결책들」, 126쪽.

있게 들린다. '역사학' 자체에 대한 해체, 과거에 대해 역사학 이외의 다른 형식의 인식 방법들을 부각시키려는 시도는 포스트콜로니얼리즘의 문제의식을 극대화한 것이다.

역사교육을 역사의 공적 지식 활용이라고 한다면 역사교육은 근대성과 역사학이 영속화시키는 식민주의 문제에 어떻게 접근할 것인가? 역사 지식의 본질에 대한 포스트모던 역사 인식의 도전은 다수의 역사 지식들과 역사 지식에 접근하는 방법들에 기초해 역사교육을 기획할 것을 요구한다. 그러나 이때의 역사도 여전히 유럽의 근대 프로젝트의 일환이다. 이러한 유럽 중심주의는 역사교육에서 국사나 세계사 내러티브의 구성과 비판만이 아니라, 역사교육의 개념화 자체에도 관철되고 있다. 지식의 전수로 접근하든 지식에 접근하는 방법이나 담론 분석으로 추구하든, 모든 역사교육 이론도 결국은 근대 유럽이 발명한 역사학의 테두리 안에 있고, 유럽 중심주의 사고 체계를 유포하는 방법에 불과한 것이다. 결국 유럽 중심주의와 근대주의는 동전의 양면이다. 근대성을 배척하는 것만이 궁극적으로 유럽 중심주의로부터 해방되는 길이다.

역사교육은 역사학과 마찬가지로, 종래의 '실증'과 '객관'을 추구하는 근대적 역사 인식론과 그것의 해체를 통해 상대화를 추구하는 포스트모던적 역사 인식론 사이에서 혼란과 좌절, 회의를 경험하고 있다. 또한 국사에서 식민 사관, 세계사에서 유럽 중심 역사관을 문제화하고 그동안 망각·왜곡·억압되었던 기억들의 가치 회복에 나선다고 해서 식민주의자의 권력이 드러나고 해체되는 것은 아니라는 무력함도 맛보고 있다. 현재와 같은 역사학의 개념과 연구 방법 등을 통해서는 궁극적으로 탈유럽 중심·탈식민화의 과제를 해결할 수 없을 것으로 보인다.

'유럽 중심주의'는 '비판'과 '반비판' 담론까지 규율하면서 마치 도깨비방망

이처럼 우리를 옥죄는 전지전능한 힘을 발휘하고 있다. 때로는 유럽 중심주의 담론이 구체적이지 않고 의미 없는 방식으로 남용되면서 통제가 불가능한 용법으로 새로운 구축을 무의미하게 만들기도 한다. 포스트모던적 담론 분석 기법을 활용해 유럽이 만든 근대의 허구성을 파헤치는 작업에만 집중하는 것의 실효성에 대해 다시 생각해볼 필요가 있다. 딜릭의 말처럼 유럽적 근대성이 갖는 전 지구적 영향의 물리적·이념적 결과를 지워버리는 것은 비역사적이기 때문이다.[49] 유럽이 자본주의, 국민국가, 과학 등을 이용해 세계를 재구축한 결과 ─ 긍정적이든 부정적이든, 진보로 간주되든 후퇴로 간주되든 ─ 에 대한 역사적 의미를 축소하기는 어렵다.[50]

그러므로 현 단계에서 어떤 층위의 유럽 중심주의를 문제화해야 하고 무엇을 무력화시켜야 하는가라는 질문을 다시 던질 필요가 있다. 즉, 역사교육에서 유럽 중심주의 비판은 현재 역사교육이 당면한 문제의 해결을 견인하는 차원에서 전략적으로 접근할 필요가 있다.

4. 맺음말을 대신해: 정전화에 대한 경계

역사교육계가 구조적 유럽 중심주의의 문제를 해결하기까지는 결코 적지 않은 시간이 걸릴 것으로 보인다. 어쩌면 가능하지 않을 수도 있다. 그렇다면 유럽 중심주의와 관련해 역사교육은 무엇을 할 수 있는가? 이데올로기적

---

49 아리프 딜릭, 「탈중심화하기: 세계들과 역사들」, 조지형·김용우 엮음, 『지구사의 도전: 어떻게 유럽중심주의를 넘어설 것인가』(서해문집, 2010).
50 같은 글, 160쪽.

유럽 중심주의를 비판하고, 그러한 시각의 세계사가 정전으로 기능하면서 배제·억압하는 정체성의 문제와 그것이 은폐하고 있는 근대와 현대의 문제를 파헤치고, 대안적 내러티브를 모색하려는 노력은 여전히 중요하다고 할 수 있지 않을까?

그런데 이러한 시각의 새로운 세계사 내러티브 구축 시도는 상대주의 시각이나 포스트모던적 역사교육론의 도전에 의해 제동이 걸리기도 한다. 이병인은 상대주의적 시각에서 역사에는 '선택과 배제'의 원칙이 작용하기 때문에 종래 서구 중심의 역사이든 다문화적 접근의 역사이든 특정 관점에 따른 역사 서술이라는 점, 따라서 역사에서 배제된 자들이 있을 수밖에 없다는 점에서 본질적으로 동일하다고 지적한다.[51] 그는 지배 헤게모니적 역사를 가르치든 그것에 저항하면서 배재된 자들이 새롭게 구성한 역사를 가르치든, 교사나 학생은 역사 사실의 선택과 해석에서 배제된 채 세계사 지식이나 역사 인식을 강요받게 된다고 주장한다.[52] 따라서 오히려 교사와 학생에게 관련 자료를 풍성하게 제공해, 역사가처럼 스스로 구성과 해석을 자유롭게 할 수 있도록 해야 하고, 또 교과서를 해체적으로 읽게 해야 한다고 주장한다.[53]

역사교육이 종래 내러티브의 문제를 비판하고 대항 내러티브를 제시하려고 하기보다는, 이병인의 주장대로 학생들에게 역사를 스스로 구성하고 해석하는 것을 넘어 교과서를 해체적으로 읽게 해야 할까? 모든 역사 서술을 담론 분석의 대상으로 보면서 그것이 생산되고 유포되는 정치적 맥락과 권력관계를 분석하게 해야 할까? 그렇게 역사교육을 구조화할 경우, 학생들이

---

51 이병인, 「개인, 국가, 문화권의 다양한 역사상과 세계사 교과서」, ≪역사교육연구≫, 5호(2007).

52 같은 글, 60쪽.

53 같은 글, 60~62쪽.

상대주의 시각에서 담론 분석을 추구하면서 식민주의적 역사관이나 그것에 의해 축소된 기억을 되살리려는 반식민주의적 역사관을 모두 같은 것으로 치부하고, 모두 특정한 정치적 문화와 권력을 대변하는 것 이상의 의미를 부여하지 못하게 되는 것은 아닐까? 또 새로운 세계사/지구사 대항 내러티브가 근대의 계보에 대해 성찰하고 다시 쓰도록 요구했던 것도 단순히 여러 세계 사상 중 '하나'에 불과한 것으로 간주할 가능성은 없을까? 이런 식의 담론 분석은, 종래 세계사 교육에서 19세기 제국주의적 세계관이 진화를 거듭하며 '세련된' 문명 사관으로 포장되어 식민주의를 은연중에 관철시키고 있다는 비판을 무의미하게 한다. 상대주의 시각의 담론 분석을 국사교육에 적용할 경우 식민 사관이든 그것의 극복을 추구하는 '민족 사관'이든, 또 최근 민족 사관의 폭력성을 분석하고 비판한 탈민족주의 역사관이든 모두 해체의 대상으로서 특정 정치적 맥락에서 생산되고 유포된 담론이며, 특정 정치권력을 대변하는 것일 뿐이라는 해체적 읽기도 가능하다.

'담론 분석'을 통한 '해체'는 만연한 권력의 폭압성을 폭로하는 수단으로서 사회적 실효성을 지닐 수 있으며, 새로운 담론 구축을 통한 인식이나 의식의 전환을 꾀할 때 의미를 지닐 수 있다. 여러 연구자들이 특정 이론이나 시각이 은폐하는 지점을 명료하게 드러내고 문제화하기 위해 종종 담론 분석의 방법을 사용한다. 그러나 학교 역사교육은 전문가 양성이 아닌 교양과 소양 차원에서 학생들의 발달을 고려해 체계적으로 기획하고 구체적으로 설계되어야 한다. 따라서 몇 가지 근본적인 질문을 할 필요가 있다. 학교 역사교육을 담론 분석 중심으로 개념화하는 것의 의미는 무엇인가? 학생들이 때로 연구자들이나 교사도 이해하지 못하는 담론 분석의 방법을 사용해 해체적 읽기를 하도록 만들려면 역사교육을 어떻게 체계화해야 하는가? 이외에도 여러 문제에 대해서는 좀 더 심층적으로 논의할 필요가 있다. 학생들이 무분

별하고 무차별적으로 담론 분석을 남용하면서 '회의주의'의 덫에서 옴짝달싹 못 하게 될 가능성이 있기 때문이다.

사실 특정 이론·지식·담론의 문제화는 그것의 정전화로 인한 폐해를 드러내는 과정이다. 역사에서 정전화란, 과거를 보는 특정한 이론이나 서사에 절대적인 권위를 부여해 다른 이론들이나 서사들을 체계적·제도적으로 축소시키거나 부정하는 것이다.

이데올로기적 유럽 중심주의 세계사 내러티브가 문제가 되는 것은 그것이 정전으로 고착화되면서 과거에 대한 독단화를 추구하고, 특정한 인종과 문화에 대한 숭배와 모방을 강요해 편견들을 강고하게 만들며, 억압을 심화시키고 생성을 방해하기 때문이다. 21세기에 들어서 세계 여러 나라의 역사교육 연구자들은 역사교육에서 '정전화'를 경계하는 목소리를 높이고 있다.[54] 이들은 전 지구화와 이주로 인한 다문화 사회화, 탈식민지성 담론을 중심으로 사회문화적 변화를 인식하면서, 종래 역사교육의 인종주의, 민족 우월주의, 애국주의를 문제화한다.[55] 정전화를 경계하기 위해 '역사 문해력historical literacy'이나 '역사 역량historical competence'을 역사교육의 근간으로 정의해야 한다고 주장하는 연구자들도 있다. 즉, 경합하는 갈등적인 내러티브들의 설명의 기초가 된 증거를 검토하고, 하나의 설명에 비추어 다른 설명을 평가하는 데 필요한 개념적 도구와 전략을 제공하며, 새로운 역사를 구성하고

---

54 Maria Grever and Siep Stuurmann(eds.), *Beyond the Canon*(Palgrave Macmillan, 2007); Linda Symcox and Arie Whschut(eds.), *National History Standards: The Problems of the Canon and The Future of Teaching History.* Information Age Publishing, Inc., 2009).

55 Siep stuurmann and Maria grever, "Introduction: Old Canons and New Histories," in Maria Grever and Siep Stuurmann(eds.), *Beyond the Canon*, pp.1~12.

그것을 통해 다른 사람들과 소통할 수 있게 역사교육을 구상하는 것이다. 그러나 역사 문해력이든 역량이든 그것이 가치중립적인 시각에서 추구되기는 어렵다.

독일의 보도 폰 보리스Bodo von Borries는 학생들이 역사적 준거 틀historical framework을 갖게 하기 위해 역사적 역량competence을 키워야 한다고 주장한다.[56] 그러면서도 그는 정체성과 무관한 역사는 소용없다고 주장하고, 주제 선정을 위한 개념, 해석의 관점, 내러티브를 위한 마스터플랜master plan이 필요하다는 점을 인정한다.[57] 그리고 '선택'의 문제는 결코 가치중립적이지 않으며 '규범적nomative'일 수밖에 없다고 강조한다. 그리고 내용 선정을 위한 전략 설정을 위해 현재 사회의 특징을 '이주 사회immigration societies'로 제시하기도 했다.[58] 그가 제시한 주제들은 종래와 비슷하게 독일사와 유럽사가 중심을 이룬다. 그런데 고학년에서는 "중국, 인도, 이슬람 이전과 이슬람 이후, 일본/한국, 인도차이나/인도네시아, 시베리아, 중앙아시아, 블랙 아프리카 Black Africa, 콜롬버스 이전 아메리카" 등 유럽 이외의 지역에 대해서도 가르칠 것을 요구한다.[59] 그리고 '이국적', '오리엔탈' 문화 등에 대한 전형과 편견을

---

56 그는 한 독일 연구를 인용해 역량을 네 분야로 구분했다. 질문하는 역사적 역량(historical competence in asking qeusitons), 역사적 방법에서의 역량(historical competence in methods), 오리엔테이션에서의 역사적 역량(historical competence in orientation), 개념과 구조에 대한 역사적 역량(historical competence in notions and structures) 등을 제시했다. Bodo von Borries, "Competence of Historical Thinking," in Linda Symcox and Arie Whschuteds(eds.), *National History Standards: The Problems of the Canon and The Future of Teaching History*, p.293.

57 같은 책, p.292, 295.

58 같은 책, p.298.

59 같은 책, p.300.

깨는 것, '타자'나 '외국'의 재현에 담겨 있는 '판단'과 '메시지'를 탐구하는 것 등에 초점을 맞추라고 제안한다.[60] 그러면서 비유럽사를 가시화할 필요가 있다고 강조한다. 보리스에게서도 확인할 수 있듯이, 역사 연구의 개념적 도구와 전략을 가르치든 역사물의 정치적 맥락이나 목적을 분석하는 해체적 읽기를 추구하든, 주제의 선택과 배제는 필연적이다.

역사교육을 집합 기억 접근법, 학문 중심 접근법, 포스트모던적 접근법 등 어떤 방향에서 정의·기획하든 전수해야 할 '기억', 분석·구성할 '주제', 비판할 '담론' 등을 '선택'하고 '배제'해야 한다. 학생들이 국가 교육과정을 부정하고 학교라는 틀을 벗어나 연구자와 동일하게 주체적으로 학습할 주제를 스스로 선정할 수 있는 구조를 만들지 않는 한, 결국 국가 차원이나 교사의 교수 틀 안에서 구성할 역사 주제나 분석할 담론을 결정하게 될 것이고, 그 과정에서 선택과 배제라는 문제에 부딪힐 수밖에 없다. 역사교육에서 선택과 배제 원칙의 설정은 그 주체가 추구하는 역사의식이나 정체성과 분리되어 논할 수 없다. '비판'과 '성찰'은 역사교육을 기획하고 실행하는 데 핵심적 요소이고, 그것은 역사의식의 발현이다. 특정한 지식의 전수보다 '비판'과 '성찰'을 강조한다고 하더라도 역사교육이 현실 사회의 문제의식이나 정체성 문제에 무뎌지지는 않는다.

역사교육에서 '선택'의 문제는 학생들이 역사적 과정을 이해할 수 있게 하면서도, 하나의 내러티브가 '정전화'되고 '고착화'되면서 나타날 수 있는 폐해를 비판·성찰할 수 있게 하는 방향에서 고민되어야 한다. 정전화를 경계하기 위해서는 학생들에게 망각되거나 배제 또는 왜곡되었을 만한 기억들을 되살려볼 기회를 제공할 필요가 있다. 종래 식민주의적 '역사관'에 의해 구축

---

60 같은 책, p.300.

된 내러티브의 정전적 역할을 무력화시켜 탈식민화를 추구하고자 한다면, 그를 위한 대항 내러티브를 구성하는 차원에서 선택의 원칙을 세울 필요가 있다.

역사에서 내용을 선정하는 작업은 과거를 이해하는 작업인 동시에, 과거에 대한 성찰을 통해 현실 사회의 문제의식과 추구해야 할 미래를 형상화하는 것이다. 그 내용이 '주제'나 '담론'의 형태이든 '내러티브'의 형태이든, 집합 기억과 관계 속에서 선택·배제된다. 역사에서 집합 기억은 한 개인이 역사의식을 갖고 의미 있는 행위를 하는 맥락을 제공하는 데 필수적이다. 그러나 그것이 정전화되어 억압의 기제로 작용하는 것에 대한 경계는 항상 필요하다. 정전화에 대한 경계는 비판과 성찰을 통해 새로워지려고 했던 과거 우리 역사에서도 관찰된다.

제**4**장

한국사와 세계사 통합

　2007 개정 교육과정에서 한국사와 세계사를 함께 가르치는 중학교 '역사' 과목이 탄생했다. 교육과정에서 한국사와 세계사를 연계하려는 시도를 한 적이 없지는 않다. 그러나 상당히 오랫동안 별개의 학습 영역으로 존재해왔다. 그러한 존재 양식에서 한국사와 세계사 각 영역이 대답하고자 했던 질문과 그 질문에 답하는 내러티브를 구성했던 방식은 서로 달랐다. 한국사가 민족의 통합과 주체적 발달을 내러티브 구성의 핵심에 놓았다면, 세계사는 인류의 발달과 세계 다양한 전통 및 문화에 대한 이해라는 측면에서 내러티브 구성의 문제에 접근했다. 한국사와 세계사를 별개의 과목으로 추구할 때는 한국사와 세계사 각각의 측면에서 목표를 설정할 수 있었다. 그러나 '역사'라는 과목이 '우리나라'와 '세계'를 서로 고립된 별개의 주제로 파악하는 시각을 넘어서고자 한다면 종래와 다른 새로운 질문과 새로운 내러티브 구성 방안에 대해 검토해볼 필요가 있다. 중학교 역사 과목을 어떻게 구성해야 하는가에 대한 직접적이고 확실한 대답을 제시하려는 것은 아니다. 다만 앞으로 역사교육과정과 교과서 개발 방향에 대한 논의를 진행하는 과정에서 생각해볼

수 있는 과목 방안과 쟁점들을 검토해보려 한다.

1. 중학교 '역사' 과목 구성 틀

우리는 한국사와 세계사를 별도의 과목으로 구분해 별도의 교과서를 통해 가르쳐왔다. 유럽 몇몇 나라에서는 아직도 '역사'라는 과목을 통해 자국사만 가르치고 세계사는 가르치지 않지만, 최근 세계사를 가르치는 나라들이 증가하고 있다. 그러한 와중에 우리는 한국사와 세계사를 통합하는 '역사'라는 과목을 만들었다. '역사'를 처음 만들었던 2007 개정 교육과정은 종래와 같이 '민족적 정체성'과 '세계 시민' 담론을 중심으로 각 영역을 정의했다. 그러나 2011년 발표된 2009 교육과정에 기초한 '사회'에서는 중학교 역사 과목의 목표를 다음과 같이 제시했다.

이 과목은 초등학교에서 학습한 한국사에 대한 기초적 이해를 바탕으로 과거와 현재, 우리나라와 세계를 연관시켜 체계적으로 이해하는 데 주안점을 둔다. …… 이러한 과정을 통해 학습자로 하여금 인간의 삶과 관련된 문제들을 다양한 시각에서 해석하고, 나아가 과거와 현재, 나와 타인의 삶을 깊이 성찰하고 존중하는 능력과 자세를 기르도록 한다.

'역사' 과목은 우리나라와 세계의 역사를 상호 관련시켜 종합적, 체계적으로 파악하는 것을 목표로 한다. …… 역사에 대한 통찰력을 바탕으로 국가와 세계의 구성원으로서 민주적이고 평화적인 가치를 존중하는 자세를 기른다.[1]

---

1 교육과학기술부, 『사회과교육과정』, 교육과학기술부 고시 제2011-361호 별책 7

이러한 서술을 보면 역사 과목은 한국사와 세계사를 '연관시켜' 그리고 '상호 관련시켜 종합적·체계적으로 파악'하는 것을 목표로 한다는 점을 알 수 있다. 2011년 개정 교육과정에 발표된 역사 과목의 목표 진술에서는 '민족적 정체성', '세계 시민' 담론이 사라졌다. 다만 '국가와 세계의 구성원'이라는 용어를 통해 역사라는 과목이 추구해야 할 집합 기억이 두 가지라는 점을 은연중에 제시했다. 이러한 성격은 구체적인 목표 진술에서도 나타난다. '역사'라는 표현이 아니라 '우리나라와 세계의 역사'라는 이분법적 표현을 통해 학습해야 할 지식, 기능, 태도를 제시했다.

① 우리나라와 세계 역사의 주요 사실과 개념에 대한 지식을 이해한다.
② 우리나라와 세계 역사에 대한 이해를 심화함으로써 그 상호 연관성을 파악하고 역사적 통찰력을 기른다.
③ 우리나라와 세계의 역사와 문화 현장을 견학하고 체험함으로써 문화 창조의 능력을 함양한다.
④ 다양한 역사적 자료를 탐구하고 해석하는 과정을 통해서 스스로 문제의식을 가지고 비판적으로 사고하는 능력을 기른다.
⑤ 오늘날의 사회가 직면한 문제들의 역사적 배경과 상호 관련성을 파악해 현대 세계와 우리나라에 대한 이해를 확대한다.
⑥ 시간과 공간 속에서 달라지는 인간의 삶에 대한 이해를 기초로 다른 문화와 전통을 존중하는 태도를 기른다.

사실 '한국사'와 '세계사' 각각은 서로 다른 역사 서술의 단위를 취한다. 그

(2011), 32쪽.

런데 교육과정은 우리나라와 세계 역사를 '상호 관련시킬 것'을 요구한다. 이러한 역사 과목에서 고민해야 할 것은 크게 두 가지 문제이다. 첫째, 어떤 집합 기억으로 각각의 내러티브를 구성할 것인가? 둘째, 각각 서로 다른 질문에 대답하는 내러티브들을 그럼에도 어떻게 상호 연결시켜서 역사라는 과목이 던지는 질문에 대답하게 할 것인가?

먼저, 첫 번째 질문은 역사 서술의 주된 단위와 주체를 어떻게 설정할 것인가이다. 민족과 인류를 어떻게 정의하고 내용을 선정하느냐에 따라 종래 거대 서사들이 소외시켰던 집단들의 이야기와 정체성이 살아날 수도 있고, 또 여전히 억압될 수도 있다. 즉, 민족을 남성 지배층 중심으로 정의하는가 아니면 젠더, 계급, 민족 집단ethnic groups, 이주민 등의 관점을 '포괄'해 민족 발달사를 재정의하는가? 인류사의 전개 과정을 '문화권', '제국' 중심의 권력 위계적이고 변환적인 과정으로서 가르칠 것인가? 또는 다수의 문화 전통에 동등한 관심을 배분함으로써 문화 권력의 평등을 지향할 것인가? 아니면 다수 집단들 간의 연대와 갈등, 상호 작용의 과정으로서 인류사를 정의할 것인가?

두 번째 질문은 한국사와 세계사의 관계 설정과 관련된다. 한국사를 역사 과목의 중심에 놓을 것인가? 세계사를 중심으로 한국사를 다룰 것인가? 아니면 두 가지를 종전과 같이 병렬시킬 것인가? 아니면 한국사와 세계사를 '통합'할 수 있는 다른 대안을 찾을 것인가?

이러한 질문들은 기본적으로 역사 과목을 하나의 내러티브로 ─ 또는 한국사와 세계사별로 각각 하나씩 ─ 구성한다는 전제에서 출발한다. 국내외 여러 연구자들이 역사를 하나의 내러티브로 제시하는 것의 문제점들을 지적하고 그 대안을 모색하려 노력하기도 한다. 그렇다면 역사교육과정을 구성하는 데 어떤 방안들이 가능할까?

여러 연구자들이 역사교육을 개념화하고 실행하는 방안을 범주화했다. 이 가운데 역사 과목 구성의 개념적 틀을 검토한다는 측면에서는 제리 브로피Jere Brophy와 브루스 반슬리드라이트Bruce VanSledright의 분류와 피터 세이셔스Peter Seixas의 분류를 검토해볼 만하다.

브로피와 반슬리드라이트는 문화유산의 전승cultural transmission으로서 역사, 심층적 이해를 위한 역사history for understanding, 역사의 학문적 구조 및 개념과 연구 방법을 추구하는 것으로서 역사disciplinary perspective, 간학문적인 통합적 접근을 통한 문제 해결로서의 역사interdisciplinary perspective, 이야기로서의 역사history as storytelling 등의 다섯 가지 역사교육 접근법을 제시한다.[2] 반슬리드라이트는 최근에는 포스트모던 관점postmodern perspective이 새롭게 도전하고 나섰다는 점을 지적한다.[3]

세이셔스는 과거에 대한 다수의 내러티브가 존재한다는 점을 설명한다.[4] 예를 들면 '신세계'의 발견이라는 내러티브는 '신세계의 정복'이라는 내러티브와 매우 달라서 서로 다른 정치적·사회적 함의를 제시한다. 현실의 문제의식이나 정치적 목적 또는 인식론적 전제에 따라 역사 해석은 물론 역사 서술 방법까지 다르게 추구된다. 세이셔스는 다수의 역사 내러티브들이 가능하기 때문에 나타날 수 있는 문제들을 다루는 방안을 집합 기억 접근법collective memory approach, 학문적 접근법disciplinary approach, 포스트모던 접근법

---

2   Jere Brophy and Bruce VanSledright, *Teaching and Leraning History in Elementary Schools*(New York: Teachers College, Columbia University, 1997), pp.25~34.

3   Bruce VanSledright, *In Search of America's Past*(New York: Teachers College, Columbia University, 2002), p.9.

4   Peter Seixas, "Who Needs a Canon?" in Maria Grever and Siep Stuurmann(eds.), *Beyond the Canon*(Palgrave Macmillan, 2007), p.20.

등의 세 가지 관점에서 제시한다. 이는 역사 개념과 방법론적 차이에 기초한 구분이라고 할 수 있다.

간학문적 '융합' 담론에 기초한 연구를 촉구하는 분위기가 성장하고 있으나 아직까지 한국 역사교육에서는 그러한 변형을 논의하는 단계는 아니다. '역사'라는 이름을 통해 지식에 대한 역사적 접근으로서의 성격을 명확하게 밝히고 있는 만큼, '역사'라는 과목을 개념화하는 틀을 세이셔스의 구분법에 기초해 크게 세 가지로 구분해서 검토해볼 수 있다. 첫째, 집합 기억 접근법이다. 브로피와 반슬리드라이트가 제시한 '문화유산의 전승으로서 역사'나 '이야기로서 역사'도 궁극적으로는 집합 기억 접근법과 연결된다. 둘째, 학문적 접근법이다. 브로피와 반슬리드라이트가 제시한 '역사의 학문적 구조 및 개념과 연구 방법을 추구하는 역사', '심층적 이해를 위한 역사' 모두 기본적으로 역사적으로 사고해 역사를 이해하거나 구성하는 것에 초점을 두고 있다. 셋째, 포스트모던 접근법이다.

집합 기억 접근법에서는 학교 역사가 문화유산을 전승하고 집합 기억을 전수해야 한다고 주장한다. 이 경우 교육과정은 공식적으로 하나의 내러티브를 제시하며, 다른 내러티브가 경합하는 것을 허용하지 않는다. 교육과정 개발자의 주요 임무는 공통된 정체성 형성을 위해 한 집단의 과거에 대해 일관적이고 통합적이면서 의미 있는 내러티브를 개발하는 것이다.[5] 집단 정체성은 그 집단의 공통된 경험과 신념에 기초해 정의된다. 이 과정에서 그 집단에 누구를 포함 또는 배제할 것인지 결정한다. 세이셔스는 집합 기억 접근법이 과거에 대한 유일무이한 권위와 특정한 해석을 전수한다는 점에서 정

---

5 같은 글, p.20. 이후 세이셔스의 집합 기억 접근법, 학문적, 포스트모던 접근법은 같은 글을 참고했다.

전적canonical 이라고 주장한다.

학문적 접근법에서는 교육과정과 교과서, 수업에서 다수의 내러티브들을 제시할 것을 요구한다. 이 접근법은 특정한 설명account 의 기초가 된 증거를 검토하며, 다른 설명에 비추어 그 설명을 평가하는 데 필요한 개념적 도구와 전략을 가르치는 것에 중점을 두어 역사교육을 정의한다. 학생들이 이미 대중문화 속에서 모순되는 다양한 역사적 해석에 노출된다는 가정이 있다. 그러므로 이 학생들에게 필요한 것은 하나의 믿음이나 권위를 무조건적으로 받아들이는 태도가 아니라, 그러한 해석들의 강점과 약점을 평가할 수 있는 도구라는 것이다.

세이셔스는 학문적 접근법이 전통적인 영웅의 역할이나 국가 수준의 내러티브에 의문을 제기할 수 있는 기회를 주기 때문에 정전적이지 않다고 주장한다. 명확한 판단의 기준에 기초해 종래 영웅으로 평가했던 인물을 영웅이 아닌 것으로 해석할 수 있고, 새로운 영웅을 내세울 수도 있기 때문이라는 것이다. 학생들이 현재의 문제는 물론 역사적 문제에 대해서도 스스로 합리적인 의견을 제시할 수 있는 능력과 태도를 갖추도록 교육하는 것이기 때문에, 이 방법이야말로 "민주 사회liberal democracy 가 필요로 하는 비판적 시민을 양성하는 방법"[6]이라고 주장한다.

학문적 접근법은 단순히 역사 탐구 기능을 가르치는 것과는 다른 차원에서 역사 학습을 정의한다. 학생들은 역사 지식을 스스로 구성하는 과정에서 역사가처럼 자료를 분석할 뿐 아니라, 다른 역사가의 해석들도 평가할 수 있는 방법을 배우게 된다. 세이셔스도 지적했듯이, 영국의 역사교육 연구자들은 구성주의 학습관에 기초해 학문적 접근법을 추구해왔다. 최근 '위대한 영

---

6   같은 글, p.21.

국'의 정체성 회복을 추구하는 신보수의 비판과 저항을 받고 있지만, 현장에서는 아직까지 이 접근법이 주된 흐름으로 자리 잡고 있다. 그러나 학문적 접근법이라고 하더라도 내용상 시간적·지리적·주제적 제한의 굴레를 근본적으로 벗어나기는 어렵다.

포스트모던 접근법은 경합하는 복수의 내러티브들을 제시할 뿐 아니라, 그러한 내러티브들 뒤에 있는 서로 다른 정치적·이데올로기적 목적을 분석하라고 요구한다. 포스트모던 접근법에서는 구성주의 학문 중심 접근법이 역사 지식 구성의 사회적 맥락을 무시하고 학생이 역사가의 작업을 따라 하면서 사료를 사용해 과거를 이해할 수 있다고 믿는 것에 대해 비판한다.[7] 그리고 역사 지식은 사회적 맥락과 분리되어 분석할 수 없기 때문에 학생들이 "역사적 설명이 어떤 사회적 맥락과 상호 작용하면서 어떤 취지로, 어떻게 구조화되는가라는 질문을 하고 의미, 해석, 동기와 숨은 의도에 대해 의문을 제기하게" 해야 한다고 주장한다.

집합 기억 접근법, 학문적 접근법, 포스트모던 접근법을 중심으로 중학교 역사 과목의 구성 가능성에 대해 생각해보자. 무엇을 고려해야 할까?

---

7   강선주, 「역사교육의 내용 선정과 조직 연구의 현황 및 문제」, ≪역사교육≫, 113집 (2010), 7쪽.

2. 집합 기억 접근법에 기초한 한국사-세계사 연계 방안의 가능 성과 문제

1) 자국 중심으로 확장해가는 세계로서 '역사'

지구화globalization 담론은 국민국가의 역할이 축소되고 권위가 약해지고 있다는 점을 지적한다. 이에 따라 자민족의 고유한 문화 전통을 잃어간다는 위기감이 확산되면서 역사교육이 국가(민족) 정체성 강화를 위해 복무해야 한다는 목소리도 커지고 있다.

1990년대 중반 이후 일본, 영국, 미국 등지에서는 자국 중심으로 확장해가는 세계, 자국의 정치적 가치와 공헌을 보편으로 내세우는 역사교육의 시각이 문화 전쟁cultural war 의 한 전선을 이루고 있다. 일본에서는 세계사와 일본사의 통일적 파악을 내세우며 일본 중심적 관점에서 근대 일본의 '세계성'을 강화하는 역사교육을 해야 한다는 주장이 있다. 영국에서도 신보수는 영국인으로서의 정체성 교육을 전통적인 휘그사적 시각에서 강화해야 한다고 외치며, "세계사보다는 영국사를 가르쳐야 한다"고 주장한다. 그리고 "영국사가 유럽사 형성에 기여했다는 점"을 부각시켜 가르칠 필요가 있다고 강조한다.[8] 그런데 2014년에 개정된 역사교육과정에서는 '절충'과 '타협'으로서 영국사에 다른 지역이나 민족이 미친 영향과 세계사에 영국이 미친 영향을 함께 다루도록 했으며, 오히려 영국 이외의 지역에 대한 역사와 지구사를 첨

---

8   K. Crawford, "A History of the Right: The Battle for Control of National Curriculum History, 1989-1994," *British Journal of Educational Studies*, Vol.43, No.4(1995), p.442.

가했다. 미국에서도 미국의 정치적·문화적 원류이자 발달 과정인 서구 문명 중심의 역사교육이 약화되는 것을 우려하는 목소리가 높다. 그러나 서구 문명사보다는 세계사로 가르치는 것이 최근의 추세로 자리 잡고 있다. 한국에서도 비슷한 논의들이 있다. 동아시아사를 '한국의 시각'에서 다른 지역을 아우르는 방식으로 구성하자는 주장도 있다.[9] 세계 여러 나라에 자국을 중심으로 확장되어 나가는 세계로서 역사를 가르쳐야 한다는 주장이 있지만, 오히려 세계사 혹은 지구사라는 이름으로 자국사 이외의 역사를 가르치는 경향을 보인다.

자국을 중심으로 확장되어 나가는 세계라는 틀을 역사 과목에 적용하면 한국사는 확대되지만 세계사는 축소된다. 즉, 시대구분이나 중요한 사건을 선정하는 기준이 한국사에서 나온다. 또 한국사와 세계사의 '상호 관련'적 이

---

9   2015년 8월에 공청회에서 논의된 2015년 개정 중학교 역사교육과정 시안에서는 한국사를 중심으로 세계사를 통합하는 방안을 시도했다〔「2015 개정 역사과 교육과정 시안 검토 공청회」(2015.8.7 서울대학교 사범대학)〕. 시안 개발자들은 한국사의 왕조 변천을 기준으로 전근대 동아시아사를 통합하고자 했다고 한다. 그런데 대단원의 구성을 보면 전근대 시기에는 동아시아, 특히 중국의 변화를 먼저 이해하고 그다음 그러한 중국의 변화와 관련해 한국사를 이해하게 한다. 근대사에서는 유럽의 발전을 고대부터 근대 제국주의로의 발전까지 유럽의 내적 역동성의 결과로 이해하게 한 후, 한국의 근대적 발전을 이해하도록 대단원을 구조화했다. 한국사 중심의 세계사를 내세웠지만, 결과는 처참하다. 전근대 시기에는 중국의 주변으로서 중국의 영향을 받으며 발전을 꾀했던 과정으로, 그리고 근대에는 유럽의 내적 발전의 결과로 만들어진 유럽의 근대에 동화되어가는 과정으로서 한국 근대라는 내러티브가 되고 만다. 결국 '타율적' 한국 사상으로 귀결되는 것이다. 종래 세계사에서만 중국 중심주의와 유럽 중심주의가 문제로 비판되었으나 이제 한국사에서도 그것이 문제가 된다. 중학교 역사가 한국사 중심이 아니라 또 다른 형식의 중국 중심주의와 유럽 중심주의 시각에서 '역사'를 가르치게 된다는 비판에서 벗어나기는 어려울 것이다. 그리고 이러한 교육과정에서 세계사는 사라지게 된다.

해는 한국사를 중심으로 추구된다. 이는 종래 미국인이나 유럽인이 세계사에서 서유럽 문명을 중심에 두고 시대구분을 하며 중요한 내용을 선정했던 것, 그리고 서유럽 문명과의 관련 속에서 다른 역사적·문화적 집단들의 경험을 해석하려 했던 유럽 중심주의와 같은 방식의 중심주의를 만든다.

유럽 중심주의와 민족주의의 극복을 함께 내걸면서 '한국인의 관점'에서 역사를 볼 것을 주장하는 목소리도 있다. 자국의 시각에서 세계사를 통합하자는 주장과는 다른 것 같으면서도 같은 주장이 아닐까 생각하게 된다. '한국인의 관점', '우리 시각'에서 구성하는 역사란 어떤 것인가? 유럽 중심적 관점의 역사와 중국 중심적 시각의 역사를 검토할 때, '유럽 중심'이나 '중국 중심'이 무엇을 의미하는지 정의할 필요가 있듯이, 논의를 위해서는 '우리', '한국인의 시각'이 무엇인가를 명확히 할 필요가 있다. 또한 그러한 시각이 역사라는 학문의 관점에서는 물론이고 현재 세계의 이해와 문제 해결이라는 측면에 어떤 시사점을 주는지에 대해서도 숙의해볼 필요가 있다. 사실 필자는 물론 여러 세계사, 지구사 연구자들도 '우리의 관점'이라는 용어를 사용해 세계사 교육의 문제를 비판한 적이 있다. 그러나 '우리의 관점'에 입각한 역사 구성의 방향을 구체적으로 시도한 사례는 최재호의 글에서 찾을 수 있다.

최재호는 "유럽 중심주의 및 지나친 자국사 중심"의 극복을 내걸면서 한국사와 연계한 세계사 내용 구성의 기본 원리로서 가장 중요한 것은 "한국사와 전혀 관련이 없더라도, 한국사를 포함하지 않는 지역사, 외국사를 다루더라도 한국인의 관점에서 보는 것이다"라고 주장했다.[10] 그가 말하는 '세계사를 한국인의 관점에서 본다는 것'은 네 가지로 요약할 수 있다.

---

10 최재호, 「한국사와 연계한 세계사, 세계사와 연계한 한국사」, ≪역사교육논집≫, 40집 (2008), 141쪽.

첫째, 한국과 역사적으로 관계가 깊은 국가, 지역, 민족들의 역사를 중시하면서 자국사를 세계사 안에 자리매김해야 한다는 것이다. 보편성을 획득할 수 있는 한국사 내용을 과감히 전면에 내세워 그것을 실마리로 시야를 세계로 확대하는 것도 고려할 수 있다고 제안한다. 둘째, 다원주의적 또는 다문화주의적 접근을 해야 한다고 주장한다. 셋째, 자본주의 근대 외에 다른 근대의 길을 모색해볼 것을 요청한다. 넷째, 근현대사에서 인간 생활의 모습을 보여주자고 제안한다. 국가와 민족사에 가려졌던 역사, 사회생활, 과학기술, 비주류와 약자의 관점, 인권과 민주주의, 반전과 평화 등의 관점이 발굴되어야 한다는 것이다. 셋째가 유럽 중심적 근대 담론에 대한 대안을 찾고자 하는 것이라면, 넷째는 민족 중심 거대 담론의 해체를 요구하는 것으로 이해할 수 있다. 이는 한국적 시각에서의 고민이라고 볼 수 없을 정도로 세계 여러 나라의 연구자와 교육인이 함께 나누는 고민이기도 하다.[11]

최재호는 한국사와 세계사의 접점이나 상호 관련되는 부분을 어떻게 다룰

---

11 유럽 중심적 근대 담론에 대한 대안을 찾기 위해 이미 미국과 유럽뿐 아니라 아시아 여러 연구자들이 함께 노력하고 있다. 대표적인 학자에 딜릭, 차크라바르티, 벤틀리 등이 있다. 최근 중국에서도 서구 중심적(western centric) 역사교육의 문제를 제기하면서 중국사와 근대사를 재구성하는 방안의 가능성과 문제에 대해 논하고 있다. Yu Kai, "Discussion on the Education of Chinese History from a Global Perspective," *Proceedings of the Conference on Representation of the World history from 1945 up to Now: Comparing the Characteristics of Asia and European Textbook* (the conference held in East China Normal University, 2011.10.31~2011.11.2); Zhu Ming, "Issues on Periodization for the History of the Modern World in Chinese Textbooks(after 1945)," *Proceedings of the Conference on Representation of the World history from 1945 up to Now: Comparing the Characteristics of Asia and European Textbook*(the conference held in East China Normal University, 2011.10.31~2011.11.2).

까 고민하는 과정에서 "보편성을 획득할 수 있는 한국사 내용을 전면으로 내세운다"든가, "한국사와 관련 없더라도 한국인의 관점에서 봐야 한다"고 주장한다. 그런데 이러한 원칙을 적용하면 유럽 중심주의와 같은 또 하나의 중심주의를 만들 수 있다는 문제가 생긴다. 또 그는 다원주의적 혹은 다문화주의적 접근을 해야 한다고 주장한다. 그런데 다원주의/다문화주의 원칙이 '한국인'의 관점과 어떻게 조화를 이룰 수 있을까? 원칙만 본다면 의도했든 의도하지 않았든 '보편'의 축에 한국사 사례를 제시하면서도 다양한 타 문화를 첨가하는 방향에서 내러티브가 구성될 가능성이 있다. 이는 엄격하게 말해 다원주의라고 보기 어렵다.

외른 뤼젠Jörn Rüsen은 자민족 역사에서 특수한 역사적 사건이 보편적으로 중요하다고 서술하는 방식에 대해 비판한다.[12] 민주주의의 기원을 프랑스혁명과 미국혁명에서 찾고 여기에서 파생된 개념들이 인류 역사에 보편타당성을 갖는 것처럼 서술하는 방식이나, 요하네스버그의 박물관 현판에 "동아프리카에서 인류가 탄생했다. 따라서 모든 인간은 궁극적으로 아프리카인이다"라는 메시지가 전달하는 것과 같은 방식을 문제 삼는 것이다.[13] 이는 자신의 문화가 적용된 또 다른 집단 중심주의로 유럽 중심주의를 대체하는 것이기 때문에 또 하나의 중심주의를 만든다는 것이다.

그렇다면 또 하나의 중심주의를 통해 유럽 중심주의를 해체하는 방식이 현 세계의 쟁점을 이해하고 당면한 문제를 해결하는 데 지혜를 제공하는 적절한 내러티브 구성 전략이라고 할 수 있을까? 한편 집단 중심주의적 의식

---

12 외른 뤼젠, 「집단중심주의를 넘어 보편사로: 문제와 도전」, 조지형, 김용우 엮음, 『지구사의 도전: 어떻게 유럽중심주의를 넘어설 것인가』(서해문집, 2010), 170쪽.
13 같은 글, 171~172쪽.

은 역사적으로 거의 모든 민족에게서 관찰할 수 있는 자연스러운 문화 요소처럼 보인다. 그런데 왜 문제 삼을까? 이에 대해 뤼젠은 그것이 야기할 수 있는 긴장과 충돌 때문이라고 대답한다.[14] 그렇다면 중심주의를 극복할 수 있는 대안은 있는가?

2) 다문화적 · 다원적 관점의 역사

여러 연구자들이 유럽 중심주의와 편협한 민족주의와 같은 중심주의의 대안으로 다문화적 관점과 다원적 관점을 추구한다.[15] 그런데 다문화주의의 개념과 지향은 여러 갈래로 구분될 수 있다. 다문화주의 관점에서 교육과정을 구성하는 방법도 여러 차원에서 논의된다. 한국의 다문화교육 논의에서 많이 인용되는 제임스 A. 뱅크스James A. Banks는 다문화 교육과정 개혁의 단계를 네 가지 수준으로 제시한다.[16] 제1 수준은 '기여적 접근', 제2 수준은 '부가적 접근', 제3 수준은 '변혁적 접근', 제4 수준은 '실행적 접근'이다. 제1 수준과 제2 수준은 현존하는 교육과정에 큰 변화를 주지 않는 범위 내에서 다문화 관련 주제를 취급하는 접근 방식을 의미한다. 이러한 수준으로 역사 과목을 구성하면 종래와 같이 남성 지배층을 중심으로 개념화된 민족 발달사

---

14 같은 글, 172쪽.

15 최재호, 「한국사와 연계한 세계사, 세계사와 연계한 한국사」; 김한종, 「다원적 관점의 역사이해와 역사교육」, ≪역사교육연구≫, 8호(2008); 방지원, 「새교육과정 역사의 다원적 관점의 역사 이해와 중학교 검정 교과서 서술」, ≪역사교육연구≫, 12호(2010).

16 J. A. Banks, "Multicultural Education: Historical Development, Dimensions, and Practice," in J. A. Banks(ed.), *Diversity and Citizenship Education: Global Perspective*(San Francisco: Jossey-Bass, 2004), pp. 3~15.

(국가 발달사)의 기조를 유지하면서 그동안 소외되었던 여성, 하층계급, 이주민과 같은 집단들의 공헌을 '삽입'하게 된다.

제3 수준과 제4 수준은 학생들이 개념·쟁점·사건 주제를 다양한 민족 집단적·문화적 관점에서 바라볼 수 있도록 교육과정의 구조를 변화시킬 것을 요구하며(제3 수준), 학생들이 중요한 사회적 쟁점에 대해 판단하고 실제 문제 해결을 위해 행동에 옮길 수 있는 단계(제4 수준)에 도달할 수 있도록 한층 근본적인 교육과정과 교육 체제적 개혁을 요구한다. 제3 수준과 제4 수준의 경우는 기본적으로 간학문적인 쟁점 중심 교육과정을 전제로 한다. 그럼에도 제 3·4 수준을 역사 과목에 적용하는 방법을 생각해본다면, 하나의 사건에 대해 서로 다른 집단의 관점에서 이야기하는 자료들을 검토·분석하며, 문제를 해결하는 방법을 가르치는 방향에서 과목을 구성하는 것이다. 이는 학문 중심적 역사교육이나 포스트모던적 역사교육에서 시도해볼 수 있는 방법이다.

실제 다문화주의를 표방한 많은 미국 교과서는 '부가적', '기여적' 수준에서 다문화주의를 적용해왔다. 한국에서도 부가적·기여적 수준에서 다문화적 관점을 추구해왔다. 유럽과 중국 중심 세계사에서 소외되었던 문화 집단과 남성 중심 민족 담론에서 소외되었던 여성과 청소년 등을 '특집성', '일회성'으로 '삽입'하는 수준의 교육과정이나 교재를 다문화적 관점이 투영된 것으로 평가해온 것이다.

그런데 특집성·일회성으로 내용을 '삽입'하는 방법은 학습자의 일시적인 흥미를 불러일으키는 데는 효과적일지 몰라도 '관광객tourists'이 타 문화를 피상적으로 감상하는 수준 이상으로 나가기 어려우며, 오히려 진정한 다문화적 이해로 확장하는 데는 장애가 될 수 있다는 비판[17]에도 주의를 기울여야 한다. 관광객의 시선에 그치는 교육과정은 다양한 집단의 인식 세계 또는 경험 세계를 탈맥락화시키며, 피상적·단절적 접근을 통해 특정 집단에 대한 편견과 정형성을 강화시킬 수 있기 때문이다. 이제는 단순히 다문화적 관점의 수용을 주장하는 단계를 넘어, 역사라는 과목에서 추구하려는 다문화적 관점의 수준을 고민할 때이다.

역사에서 다원적 관점은 기본적으로 거대 담론의 억압성을 비판하면서 그 권위의 해체를 요구한다. '다양성'이 여러 개의 다른 역사 주제를 뜻한다면, '다원성'이란 주제를 선정하고 해석하는 여러 규준規準의 평등성을 주장한다. 즉, 민족을 젠더, 계급, 지역 공동체보다 더 큰, 포괄적인 역사 분석과 서술의 단위로 보는 것이 아니라 그것들과 비견될 수 있는 같은 수준의 단위로 보는 것이다. 요컨대 다중심성을 지향한다. 다원적 관점에서 역사를 구성하면 서로 다른 역사 경로와 다수의 역사 해석들 사이의 경합을 보게 할 수 있다. 역사적 다원주의는 기본적으로 민족사를 해체하고, 탈민족사post-national history나 트랜스내셔널 역사transnational history를 추구한다. 민족사라는 틀 내에서 다수의 목소리를 담아야 한다는 주장은 제한적 다원주의라고 할 수 있다.

그러나 다중심성은 때로 상대주의와 같은 문제를 낳을 수도 있다. 김한종도 이미 지적했듯이, 상대적 가치관과 다원적 관점에서 인간 사회나 역사를 보면 인간의 어떤 행위도 정당할 수 있으며 어떤 역사 해석도 합리화할 수 있다.[18] 상대주의가 만드는 문제는 역사에서 윤리적인 문제에 직면했을 때 극대화된다. 그러한 윤리적 딜레마는 독일의 나치 정권에 대한 해석이나 유럽의 여러 식민 제국의 폭압성 문제를 다룰 때 잘 드러난다.

---

17 E. Jones and L. Derman-Sparks, "Meeting the Challenge of Diversity," *Young Children*, Vol.47, No.2(1992), pp.12~17.

18 김한종, 「다원적 관점의 역사이해와 역사교육」.

뤼젠도 집단 중심주의의 대안으로서 '추측기axial time'라는 개념을 가지고 역사에 다원적으로 접근하는 방법을 제안한다.[19] 뤼젠은 "다원주의 틀에서는 인류의 서로 다른 개념이 상호 연관될 수 있고 인간성이 가진 여러 양상은 문화 간 담론의 수단으로 쓰일 수 있다"고 주장한다.[20] 그러면서도 다원적 역사가 상대주의의 문제를 낳을 수 있다는 점을 인정한다. 상대주의의 문제를 해결하는 그의 방법은 새로운 '보편성'을 찾는 것이다. 즉, "전통적인 배타적 보편주의를 개방적이고 보편적인 인간성이라는 미래지향적 관념으로 변화시켜야 한다"[21]고 주장한다. 그는 종래의 유럽 중심적 관점이 정의했던 보편사의 정치적 권력을 다원주의로 해체하면서도, 다원주의로 인해 나타나는 문제는 또 다른 보편사의 구성을 통해 해결하고자 한다.

최근 역사 연구자나 교육자들은 지배 서사에 대한 대항 서사를 제시한다. 그런데 연구자들은 대항 서사가 집합 기억 접근법의 틀 안에 있는 것을 인정하면서도 그것을 정전적이라고 보지는 않는다.[22] 예를 들어 지배층의 특정한 인물의 공헌을 강조해 민족의 진보를 설명하는 내러티브나, 세계사에서 유럽 문명의 역할을 강조하는 내러티브를 해체하면서 종래 역사에서 소외되었던 서발턴subaltern, 젠더, 계급이나 소수 민족 집단을 진보의 주역으로 내세우는 내러티브를 대안으로 제시한다. 전자는 정전적이지만 후자는 정전적이지

19 외른 뤼젠, 「집단중심주의를 넘어 보편사로: 문제와 도전」, 167쪽. "부정적 역사 경험을 자기 이미지 속으로 통합하려는 방법"도 강조한다. 부정적 역사 경험을 자기 이미지 속으로 통합하려는 대표적인 노력으로 독일이 제2차 세계대전과 홀로코스트의 희생자를 위해 기념비를 세운 사례를 제시한다. 자기반성적 역사 서술을 강조하는 것이다.
20 같은 글, 168쪽.
21 같은 글, 168쪽.
22 Peter Seixas, "Who Needs a Canon?" p.20.

않다는 것이다.

많은 역사가들이 최근 거대 서사를 역사화하면서 '해체'하는 동시에 대안적 서사를 '구성'하고자 노력한다. 역사 내러티브의 정전화를 비판하는 마리아 그리버Maria Grever도 인정하듯이, 전통의 전수 없이는 합리적 판단을 이끌어낼 수 있는 경험과 지식의 전수도 어렵다. 전통에 대한 이해가 없다면 내가 어떻게 이 자리에 있는지, 무엇을 할 수 있는지, 앞으로 무엇을 해야 하는지에 대해 판단하기 어렵다는 것이다.[23]

요컨대 집합 기억의 전수는 한 개인이 역사의식을 갖고 의미 있는 행위를 하는 데 필수적이다. 그리버는 특히 국가state 차원에서 정치적 목적으로 '과거에 대한 이야기를 정전화canonized versions of the past'해 과거를 보는 관점이 다수라는 사실을 축소시킬 때, 집합 기억의 전수는 문제가 된다고 주장한다.[24] 사실 국가 교육과정이 제시하는 성취 기준이 교과서 서술로 전환되면서 하나가 아닌 복수의 집합 기억들로 나타난다. 이는 최근 일어났던 교과서 논쟁들에서도 확인할 수 있다. 따라서 어떤 방향에서 집합 기억의 전수를 기획할 것인가라는 질문은 상당히 중요하며, 과거에 대한 이야기가 정전화될 가능성을 경계하면서 집합 기억 접근법을 적용할 수 있는 방안을 궁리해야 한다.

---

23 Maria Grever, "Plurality, Narrative and the Historical Canon," in Maria Grever and Siep Stuurmann(eds.), *Beyond the Canon*(Palgrave Macmillan, 2007), p.41.
24 같은 글, p.42.

3) 세계사적 맥락에서 축소되는 한국사

세계사적 맥락에서 한국사를 다루는 방안에 대해서는 피터 스턴스Peter Stearns가 제시한 미국사의 '국제화internationalization' 방안에서 시사점을 얻을 수 있다.[25] 스턴스는 미국 우월적 민족주의 시각을 축소하고자 한다. 스턴스는 미국사를 '국제화'시키는 방안으로서, 미국사의 거대 서사를 이루었던 '미국의 예외주의American exceptionalism'가 세계 다른 지역과의 접촉이라는 경험을 서술하고 가르치는 데 정확하지 않은 틀이라는 점을 지적한다.

또 스턴스는 미국사를 국제화시키기 위해서는 분석 단위로서 국가가 받아야 할 관심을 축소해야 한다고 주장한다. 국가 단위의 거대 서사에서 보지 말고 세계 다른 지역을 바라보며, 세계와의 접촉과 상호 작용이라는 측면에서 미국사를 재서술해야 한다는 것이다. 그러한 방향에서 재서술하기 위해 비교comparison와 접촉contact에 주목할 것을 요구한다. 예를 들면 미국사를 세계사와 직접적으로 연결시킬 수 있는 방법으로서 미국의 국가 건설 과정을 세계 여러 국민국가 건설 과정의 한 사례로서 비교 · 검토하는 방안이다. 즉, 국가사에서 다루어야 할 국면들을 축소해 타협해야 한다는 것이다. 또한 미국 자체의 독자적인 발달보다는 세계와의 관계와 상호 작용에 한층 더 많은 관심을 기울여야 한다고 제안한다. 스턴스에 따르면, 미국사를 국제화하기 위해 무엇보다 중요한 것은 종래 미국사의 시대구분을 재고하고 노예, 이

---

25 사실 스턴스가 미국사와 세계사의 연계 혹은 통합이라는 차원에서 논한 것은 아니지만, 자국의 내적 발전에만 주목하는 미국사를 지양하면서 세계사적 맥락에서 미국사를 재구성하는 방안에 대해 논했기 때문에 시사점을 얻을 수 있을 것으로 보인다. Peter Stearns, "Internationalizing the United States History Survey," in Maria Grever and Siep Stuurmann(eds.), *Beyond the Canon*(Palgrave Macmillan, 2007).

민 등과 같이 세계사와의 접점이 될 수 있는 주제들을 다루는 것이다.

이러한 방안으로 역사 과목을 구성하면 세계사는 확대되고 민족사로서 받아야 할 한국사에 대한 관심은 축소된다. 한국사의 사건들을 세계와 동아시아 다른 지역의 사회들과 연결·비교하는 방식으로 내용을 구성하게 된다. 이 경우 '한국사 중심으로 확장하는 세계사'와는 반대로 한민족 단위에서 중요한 사건을 선정하는 방식은 지양된다. 결국 민족사의 해체나 축소를 요구하는 것이다.

비슷한 관점에서 한국에도 '국사' 해체를 주장하는 연구자가 있으며, '트랜스내셔널 역사'의 가능성과 한계에 대해 검토하기도 한다. 21세기에 심화되는 지구화는 개인이 세계를 이해·분석하는 방식의 근본적인 변화를 요구한다. 스턴스는 이러한 사회 변화의 요구를 고려해 자국사의 국제화를 추구한다. 그리하여 국가 단위를 넘어 문제를 분석·해결할 수 있는 능력과 태도를 발달시키고, 새로운 방식과 구조로 내용을 조직할 것을 요구한다. 그런데 다른 한편으로, 세계의 많은 사람들은 여전히 국가의 제도적 틀 내에서 생활하고 교육받는다. 국가의 제도적·법적 보호를 받기도 하고, 여러 제도적·법적·문화적 규제를 받기도 한다. 국가 이상으로 개인을 보호해줄 수 있는 제도적·법적 장치는 아직 마련되지 않았다는 인식이 강하다. 게다가 현실주의 시각에서 국제정치 질서를 보면 세계의 권력 구조는 여전히 위계적이다. 이러한 인식은 스턴스와 같은 방식의 중심 해체에 대해 경계할 수밖에 없게 한다. 특히 미국과 한국은 다른 국제적인 위상 속에 있으며, 각 나라를 둘러싼 권력관계가 다르다는 점을 고려해야 한다. 우리가 미국사의 국제화를 주장하는 것과 한국사의 동아시아사화나 세계사화를 주장하는 것은 질적으로 다르기 때문이다.

4) 한국사와 세계사의 독립과 연계

민족사는 시작부터 근현대 세계에 이르기까지 한 민족이나 국가의 발달에 관심을 갖는다. 이에 대해 세계사는 역사 분석의 단위로서 국가의 경계를 넘어 역사적으로 존재했을 만한 분석 단위들을 상상한다. 모든 내러티브에는 그 기저에 주제를 구조화할 수 있는 기본적 틀이 있다. 이때 틀은 시간적·지리적 범위와 한계를 의미한다. 민족사 또는 국가사는 현 국가의 틀에서 명확하게 확인할 수 있는 본질적으로 중요한 자산, 지리적 영역, 시대구분을 중심으로 그러한 틀을 만든다. 그런데 세계사는 국가사와 다르게 여러 역사 층위의 분석 단위들 그리고 사회지리적 공간과 시간을 상상한다. 그러므로 이러한 각각의 틀에 충실하면서 중학교 역사를 개발하고자 한다면 두 개의 내러티브를 병렬하는 방식을 유지할 수밖에 없다. 즉, 한국사와 세계사를 독립적인 영역으로 구분해서 민족 발달사와 다양한 역사적 집단들의 발달사를 다수의 내러티브들로 구성해야 하는 것이다.

그럼에도 한국사와 세계사를 역사라는 하나의 과목으로 묶는 이상 그것이 어떤 방식으로든 같은 질문에 대해서도 함께 대답할 수 있게 구성하려는 시도가 필요하다면, 한국사와 세계사가 동시에 연결될 수 있는 역사적 국면들을 찾는 방법이 있다. 이는 접촉과 상호 작용이라는 틀에서 크게 벗어나지 않는다.

국내외 많은 연구자들은 '접촉', '상호 작용', '상호 관련성' 등을 역사 내용 구성의 중심 주제로 적용할 수 있는가의 문제부터, 적용했을 때의 한계와, 나아가 그것이 그리는 정치적 지형에 이르기까지 비교적 치밀하게 검토했다. 그들은 한계를 지적하면서도 새로운 내러티브 구성의 대안으로서 이러한 시도들에 주목한다. 유럽 중심주의 극복에 앞장섰던 딜릭은 "국가와 문명권이 지닌 유산을 해체하여 지역 간 상호 작용-translocal interactions을 살펴보는 것은 여러 다른 공간에 대한 연구를 가능하게 하는 동시에 유럽 중심주의도 피하고 다른 중심주의에 빠지는 것 역시 막을 수 있게 해준다"고 주장한다. 또한 각 사회의 특수성을 감안하면서도 그 특수성의 근원을 복합적으로 결정된 '세계ecumene'에서 찾게 함으로써, 모든 사회가 전 지구적이며 지역 간 상호 작용의 산물을 지니는 것으로 이해하게 한다는 장점을 지적한다. 이렇게 상호 작용을 강조하면 각 단위의 존재가 부정되지 않을 뿐 아니라, 사회 간의 우열을 평가하는 경험적인 전제를 두지 않게 될 수 있다는 것이다.[26]

접촉과 상호 작용이라는 틀은 어떤 사회도 역사적으로 고립되어 발달하지 않았다는 전제에서 출발한다. 중국사 연구자인 피터 C. 퍼듀Peter C. Perdue는 세계사에서 유라시아, 특히 동아시아의 여러 사회들을 어떻게 다룰 것인가를 고민하고 그 방안으로 상호 교류사, 교류의 네트워크에 주목할 것을 제안했다. 동아시아 사회들이 특정한 가치 체계나 체제적 구조를 공유한다고 보기 어렵지만, 서로 교환·저항·논쟁에 참여했던 점에 착목着眼해야 한다고 본 것이다.[27] 이와 같은 방식을 통해 교환·투쟁·논쟁 등이 일어났던 시간과 공간을 중심으로 여러 집단들의 인식 세계를 연결할 수 있다.

이러한 틀에서 역사 과목을 구성하면, 가르쳐야 할 것은 정체성이 어떻게 중첩되어 작동하거나 충돌하며, 또 어떻게 문제를 복잡하게 만들고, 어떻게 문제를 해결하는가라는 복합적인 역사적 과정이다. 이러한 구성 방안에서는 개인이 젠더, 지방, 민족/국가, 민족 집단, 언어, 경험, 정치적 성향 등 여러

---

26 아리프 딜릭, 「탈중심화하기: 세계들과 역사들」, 조지형·김용우 엮음, 『지구사의 도전: 어떻게 유럽중심주의를 넘어설 것인가』(서해문집, 2010), 150~151쪽.

27 Peter Perdue, "Eurasia in World History: Reflections on Time and Space," *World History Connected*, Vol.5, No.2(2008).

조건들에 기초해 자신의 소속감을 확인한다는 점을 고려한다. 즉, 개인은 어떤 상황에는 민족의 구성원으로서 행위를 하고, 어떤 상황에서는 민족을 넘어 특정 집단의 구성원으로서 사고하고 문제를 해결하기도 한다. 정체성들이 항상 서로 별개의 것으로 작동해 상황을 다르게 보도록 만들거나 다른 진리를 만드는 방식으로 작동하지는 않는다. 하나의 사건을 보거나 구체적인 선택과 결정을 하는 개인의 정체성은 중첩적이면서도 복합적이라는 점에 착목하는 것이다.

이러한 구성 방안에서는 역사 속 하나의 사건을 거대한 지구적 시야에서 이해하면서도, 국가(민족) 단위, 그보다 작은 집단들의 단위로 연결시켜서 학생들이 역사적 과정을 추적해볼 수 있는 기회를 준다. 역사를 다수의 주체들이 상호 의존적 관계를 맺으며 교환하고, 때로는 논쟁을 벌이며 충돌하기도 하는 과정으로, 그리고 때로는 무력적으로, 때로는 평화적으로 갈등을 해결하면서 살아온 과정으로 그린다. 역사를 단선이나 평행하는 복선도 아닌 복잡한 곡선의 과정으로 그리는 것이다. 그러나 이 그림은 한국사와 세계사가 별도의 내러티브로 구성되는 한 여전히 부분적이고 작은 그림이 된다.

이러한 구성 방안에서도 여전히 몇 가지 고민은 있다. 한국사와 세계사의 접점을 어떤 기준으로 선택할 것인가라는 문제와, 임진왜란이나 병자호란과 같이 종래 '우리'와 '그들' 사이의 갈등 관계로 그렸던 사건들을 어떻게 다룰 것인가 하는 문제 같은 것이다. 첫 번째 고민의 경우, 기준을 세울 '중심'을 만들 것인가 아니면 '중심'을 만들지 않고 다수가 관계되는 접점을 찾을 것인가와 같은 질문을 할 수 있다. 두 번째 고민의 경우에는 한국사의 국가적 관점을 축소해야 하는가 아니면 강화해야 하는가, 또는 '다원적'으로 접근해야 하는가와 같은 질문을 던질 수 있다. 중첩적 역사 과정을 그리고자 한다면 아마도 다수가 관계되는 접점을 찾으려고 할 것이다. 그리고 문제를 다룰 때는 '우리' 민족 대 '다른' 민족이라는 이분법적인 구도를 넘어 갈등과 논쟁을 벌였던 다수 집단들의 복잡한 관계를 보여줄 수 있는 방향에서 역사적 관계를 다시 상상해야 할 것이다.

포스트모던 접근법에 따르면 모든 기억 접근법에 기초한 내러티브는 사회적 산물이며 정치적 권력 분석으로부터 자유로울 수 없다. 그럼에도 집합 기억 접근법에 기초해 기존의 내러티브를 비판하고 새로운 내러티브를 구성하려 시도하는 까닭은 특정 내러티브의 '정전화'를 경계하기 위한 것이기도 하며, 사회 변화와 관련된 새로운 담론이 제기하는 문제들을 해결하려는 노력이기도 하다. 그러므로 집합 기억 접근법에 기초해 역사 과목을 구성한다면 대안으로 제시하는 내러티브가 어떤 사회문화적 담론 속에서 형성되었는지, 그것이 과거를 어떻게 해석하고 현재 그리고 미래 인간과 사회에 어떤 대안을 제시하는지, 그리고 그 대안을 받아들일 정당한 이유가 있는지 등의 문제에 대해 고민해야 한다.

3. 학문적 접근법과 포스트모던 접근법

기억 접근법으로 역사 내용 구성의 원칙을 제시하면 '선택과 배제'의 원칙이 작용할 수밖에 없다. 따라서 특정한 역사 해석을 제시하게 된다는 측면에서 기억 접근법은 어떤 역사를 가르쳐도 '동일'해진다. 몇몇 연구자들은 교육과정이 제시하는 내러티브는 물론 그에 대한 대안으로 제시하는 역사 내러티브도 '선택과 배제'의 원칙이 작용하기 때문에 '같은 것'이라고 비판한다.[28]

---

28 예를 들면 이병인, 「개인, 국가, 문화권의 다양한 역사상과 세계사 교과서」, ≪역사교

따라서 학생들에게 자료를 해석·평가할 수 있는 방법을 가르치라고 요구한다. 학문적 접근법이나 포스트모던 접근법으로 역사를 가르칠 것을 요구하는 것이다. 사실 다수의 내러티브들의 문제를 해결하는 데는 학문적 접근법이나 포스트모던 접근법이 매력적이다.

한국에서도 여러 연구자들이 학문적 접근법에 기초해 교육과정이나 교과서를 개발해야 한다는 주장을 해왔다. 최용규가 제시한 제7차 교육과정의 역사 교과서 편찬 방향도 학문적 접근법에 기초한다고 볼 수 있다. 최용규는 제7차 교육과정에 기초한 사회(국사) 교과서의 개발을 담당하면서, 구성주의의 '열린 교과서관'을 전면적으로 내세우며 교과서 편찬의 기본 원칙을 제시했다.

최용규는 우선 사료들을 통해 학생 스스로 역사를 이해할 수 있게 해야 한다고 주장한다. 그다음에는 역사 지식이 사회문화의 산물이므로 교과서 본문에 경합하는 다른 관점의 사료나 역사가의 해석을 제시해 학생들이 스스로 토론하고 평가하게 해야 한다고 강조한다. 즉, 교사와 학생, 학생과 학생 간의 사회적 상호 작용에 기초해서 관점의 수정·보완·확장의 경험이 추구될 수 있도록 교과서를 개발해야 한다는 것이다. 최용규는 그러한 원칙을 적용해 역사를 가르칠 수 있는 방법으로서 "학습자 스스로 문제를 탐구한 결과로서 의미를 발견하도록 하는 개념 학습과 탐구 학습" 그리고 사회적 구성주의 측면에서 "역사적 쟁점에 대한 의사결정과 토론 학습"을 강조했다.[29]

단순한 탐구 학습은 상당히 오래전부터 추구되었지만 '구성주의'를 표방

육연구≫, 5호(2007) 같은 글이다.

29 최용규, 「구성주의 학습을 위한 역사 교과서 내용 구성 방안」, ≪역사교육≫, 73집(2000), 184~185쪽.

한 학습관, 학문적 접근법에 기초한 역사교육은 제7차 교육과정 때부터 본격적으로 영향력을 발휘하기 시작했다. 2011년에 발표된 교육과정의 사회과 역사 과목의 성격에서도 "학생 스스로 다양한 역사적 자료를 활용해 능동적으로 학습하게 함으로써 과거에 대한 다양한 해석과 시각이 존재할 수 있음을 인식하게 한다"고 제시했으며, "교수학습 방법"에 대한 서술에서도 학생이 역사 지식을 구성하는 과정에 참여할 수 있게 수업을 계획하도록 요구했다.[30]

학생을 역사 지식의 구성자로 보면서 개인의 서로 다른 역사 지식 구성의 가능성을 인정하는 것이다. 구성주의 학습관은 1990년대 이후 교재(교과서) 제작에도 기본적인 원칙으로 추구되었다. 사실 1980년대 말부터는 교과서가 특정한 관점의 해석이나 설명을 제공할 것이 아니라, 학습활동을 안내하고 지원하는 역할을 해야 한다는 구성주의 시각의 '열린 교과서관'에 대한 논의가 활발했다.[31] 최용규도 그러한 교과서관에 기초해 제7차 교육과정기의 역사 교과서의 개발 원칙을 제시했다.

그런데 제7차 교육과정은 물론이고 그 이후 개정된 역사교육과정에서도 '역사 내용'은 집합 기억 접근법에 기초하지만, '교수학습 방법'은 학문적 접근법에 기초해 설계하도록 유도하는 경향을 보였다. 그 결과 거의 모든 역사 교과서가 기억 접근법에 기초해 본문에 하나의 일관된 내러티브를 제시하고, 탐구 활동은 대체로 본문의 내러티브를 보완하는 방향에서 삽입되었다. 서로 다른 해석들을 비교해 토론하거나 본문과 다른 해석을 구성할 기회를

---

30 교육과학기술부, 『사회과 교육과정』, 교육과학기술부 고시 제2011-361호 별책 7(2011), 43쪽.

31 김만곤, 「교과서관에 따른 사회과 교과서의 변화: 사회과 교과서의 변화상 연구를 위한 제안」, ≪사회과교육≫, 33호(2000), 321쪽.

주는 활동은 거의 없다.

학문적 접근법에 기초하면 '역사적으로 사고하는 방법'에 중점을 두어 교육과정을 구성하게 된다. 한국사와 세계사의 여러 주제에서 서로 다른 사료나 해석들을 비판적으로 분석하고 학생 스스로 역사 지식을 구성할 수 있는 방법적 도구와 개념을 학습하는 것이다. 역사 지식 구성에 본질적으로 중요한 역사적 '증거'와 '해석'의 개념은 물론이고 증거의 해석 과정에서 '반성'과 '판단' 등이 작용하는 사고 방법을 학습하는 것이다. 요컨대 세상을 이해하고 분석하는 방법으로서 역사적 사고 방법을 교육과정 구성의 개념적 틀로 취하는 것이다.

물론 학문적 접근법을 사용할 때도 학습 주제나 학습 자료의 선정에서 '선택과 배제의 원칙'이 작용할 수밖에 없다. 특히 국가/주 단위의 교육과정을 추구할 때는 선택과 배제의 원칙에서 벗어나기가 어려우므로 역사교육과정이 '문화 전쟁'과 '기억 투쟁'에서 벗어나기 힘들다. 그런데 포스트모던적 접근법은 기억의 이데올로기성의 분석을 추구하므로, 선택과 배제의 원칙 뒤의 정치적 권력관계에 대해 반성적으로 생각해볼 기회를 줄 수 있다. 이러한 과정을 통해 교사와 학생의 역사 주권을 기억 접근법에서보다는 강화시킬 수 있을 것이다.

한국에서 포스트모던적 역사 인식론에 기초해 역사교육을 구상하는 글들 가운데 역사의 담론적 성격을 강조하면서 담론들의 이데올로기적 목적이나 담론이 생산된 사회적 맥락을 분석하라고 요구하기보다는 교사와 학생의 역사 지식 생산자로서의 역할을 강조하는 경우가 있다.[32] 이는 지식 이면의 이

---

32 신진균, 「포스트모던 역사학의 구성적 특성과 역사교육에의 적용」, ≪역사교육연구≫, 4호(2006).

데올로기에 대한 비판적·분석적 읽기와는 다른, 구성주의에 기초한 학문적 접근법에 가깝다고 할 수 있다.

포스트모던 접근법은 앞서 제시한 기억 접근법의 여러 내러티브들을 포함해 다양한 내러티브의 정치적 목적을 분석하는 것을 목표로 삼는다. 요컨대 '해체'를 목적으로 한다. 이영효도 주장하듯이 "'해체'란 텍스트가 무엇을 의미하는가를 묻는 해석이 아니라 그것이 어떻게 작용하는가를 묻는 분석이다"[33]라고 할 수 있다. 이영효는 역사 이해를 위해서는 이러한 '해체'가 필요하다고 역설하면서 역사 학습에서 '해체적 읽기' 또는 '비판적 읽기'를 요구한다. 이영효에 따르면, 비판적 읽기는 "텍스트의 구조와 문체에 숨겨져 있는 기존 해석의 권위를 탈피하는 읽기"로서 "텍스트 생산의 특정한 역사 조건을 함께 읽는 것"이다.[34] 역사적 해석(지식)을 역사화할 것을 요구하는 것이다.[35]

같은 해체적 읽기의 맥락에서 양호환도 역사 교과서를 "검토와 비판과 대화가 가능하고도 필요한 작품으로 이용"해야 한다고 주장한다.[36] 이렇게 보면 교과서는 집합 기억을 전수하는 수단이 아니라 분석과 비판의 대상으로서 기능하게 된다.

포스트모던 접근법에 기초한 교육과정(국가 수준이든 수업 수준이든)은 포

---

33 이영효, 「포스트모던 역사 인식과 역사학습」, 『포스트모더니즘과 역사학』(푸른역사, 2002), 364쪽.

34 같은 글, 365쪽.

35 Arthur Chapman, "Historical Interpretation," in Ian Davies(ed.), *Debates in History Teaching*(Routeldge, 2011), p.99.

36 양호환, 「역사서술의 주체와 관점 그리고 역사 교과서」, 『포스트모더니즘과 역사학』(푸른역사, 2002), 374쪽.

스트모던적 역사 인식에 담긴 철학과 원칙을 학습하고 그 원칙에 기초해 역사 텍스트를 분석할 것을 요구한다. 구체적인 학습 내용은 담론으로서 역사의 본질과 구조, 그것이 표현되는 방식, 그것을 분석하고 비판하는 방법이 된다.[37]

포스트모던 접근법에 기초해 역사 과목을 구성하려고 하면 사실 한국사와 세계사의 내러티브들의 관계에 대해 크게 고민할 필요가 없다. 다만 중학교 수준에서 그러한 역사 학습을 하게 만드는 것이 적절한지, 또 어떻게 하게 할 수 있는지에 대한 연구가 필요하다.

학문적 접근법과 포스트모던 접근법에서 고민해야 할 또 다른 문제는 '역사적 사고'의 개념과 관련된 것이다. 한국 역사교육계는 지금까지 유럽 중심주의의 문제를 대체로 역사의 내용과 시각의 문제로 논의해왔다. 그런데 최근의 유럽 중심주의에 대한 논의는 우리가 '보편적'인 역사 연구의 방법이라고 인식하는 것도 실은 유럽 근대의 산물이라는 점을 지적한다.[38] 이러한 지적까지 받아들인다면 우리가 정의하는 '역사적 사고'도 사실은 유럽 중심적인 사고의 산물이라고 해석할 수 있다.

그런데 아직까지는 대부분의 역사가들이 역사 연구에서 유럽 중심주의적 가정을 재고해낼 수 있는 단순한 방법이나 방식이 없다는 점에 동의한다. 그럼에도 벤틀리는 "유럽 중심주의가 영원히 역사 연구를 속박하지는 않을 것이고, 궁극적으로 그것에서 벗어나야 역사학 지식이 더 향상되어 수준 높은 전 지구적 과거로의 안내자가 될 수 있다"고 강조한다.[39] '유럽적' 역사 연구

---

37 평가되어야 할 역사 해석의 본질, 구조, 표현 형식과 그것을 분석하는 기준 등에 대한 논의는 Arthur Chapman, "Historical Interpretation"을 참조.

38 제리 벤틀리, 「다양한 유럽중심의 역사와 해결책들」, 조지형·김용우 엮음, 『지구사의 도전: 어떻게 유럽중심주의를 넘어설 것인가』(서해문집, 2010), 126쪽.

방법을 넘어선 새로운 방법을 모색해야 한다는 것이다. 역사교육에서 유럽 중심주의 극복을 위해 무엇을 어디까지 살펴야 하는가? 역사교육과정을 고민하면서 숙고해야 할 문제 중 하나이다.

4. 맺음말

많은 사람들이 지구화가 더 이상 책 속이나 신문에서만 볼 수 있는 현상이 아니라는 것을 느끼고 있다. 그러면서도 대부분의 사람들이 국가라는 틀을 개인의 삶에 가장 중요한 영향을 미치는 제도로 생각해왔고, 여전히 그 생각은 강하다. 이러한 20세기 말과 21세기 초의 세계 변화 담론과 역사 인식 변화를 역사교육은 어떻게 품을 것인가?

한국에서는 이 문제를 세계사 교육에서 주로 고민해왔으나 최근 '역사' 과목이 탄생하면서 한국사와 세계사를 함께 가르치는 방안의 문제로 접근하고 있다.

집합 기억 접근법은 세계 변화 담론에 민감하게 반응하며 한국사와 세계사를 연계하는 일관된 내러티브를 제시하는 데 관심을 갖는다. 따라서 집합 기억 접근법이 한국사와 세계사의 관계를 설정하면서 특정한 내러티브를 제시하려는 반면, 학문적 접근법이나 포스트모던 접근법은 한국사와 세계사를 어떻게 연계할 것인가에 대해서 크게 관심을 갖지 않는다. 학문적 접근법은 학생들이 한국사와 세계사를 연계한 다수의 주어진 내러티브들을 비교 분석하고 스스로 내러티브들을 구성할 수 있도록 역사의 주된 개념과 연구 방법

---

39 같은 글, 134쪽.

을 가르칠 것을 요구한다. 포스트모던 접근법은 한국사와 세계사를 연계하는 다수의 내러티브를, 그것들이 구성된 사회 상황과 그 내러티브들의 구성에 관계한 사람들의 정치적 목적을 분석해야 한다고 주장한다.

개별 교사의 수업을 구성하는 차원이라면 이러한 접근법들을 '다양한' 수업 방법으로 적용할 수 있을 것이다. 그러나 교육과정의 틀로서 고민한다면 문제는 달라진다. 집합 기억 접근법, 학문적 접근법, 포스트모던 접근법은 서로 다른 층위의 역사교육을 기획하고 계획하기 때문이다. 학문적 접근법과 포스트모던 접근법을 피상적·부분적으로 교육과정에 도입하는 것이 아니라 역사교육을 구성하는 기본적인 틀로 삼고자 한다면 여러 연구와 변화가 필요하다. 구체적으로는 내용 선정과 구성 방법, 수업 방법, 교재, 평가 방법 등에서 시작해 크게는 역사교육을 둘러싼 철학과 문화까지 살펴야 한다. 나아가 그러한 접근법들을 적용할 때 함께 변화되어야 할, 입시를 포함한 여러 교육제도 및 문화에 대한 검토도 필요하다. 실제로 학문적 접근법의 전통이 강한 영국의 경우, 역사교육의 철학과 문화는 물론 수업 방법과 평가의 형식 및 내용이 우리와 전혀 다르다.

사실 국가 단위의 제도 교육에서 그 나라의 문화, 교육 체제 등 제반 여건을 떠나 한 과목의 구성 방안만을 획기적으로 변화시키기는 어렵다. 그럼에도 인식 체계와 사회 변화는 새로운 방식의 역사교육에 대해서도 끊임없이 고민할 것을 요구한다.

제5장

동아시아 담론과 비교법을 활용한 동아시아사 교육

한국에서 동아시아 담론은 냉전 체제가 붕괴되면서 부각되었고, 자본주의 체제의 지구적 확산을 배경으로 국가 단위를 넘어서는 다른 '체제', '사회' 또는 '공동체'를 구상하는 과정에서 심화되었다. 그런데 '전 지구화 담론'과 '동아시아 담론'을 교육적으로 어떻게 고려할 것인가에 대해 학계가 구체적으로 고민하기 전에 고등학교 동아시아사 선택과목이 탄생했다. 따라서 역사학계, 역사교육계에서 과목으로서 동아시아사를 어떻게 정의해야 하는지, 세계사에서 다루는 여러 '지역 세계' 가운데 하나로서 동아시아사와는 어떻게 구별해서 접근해야 하는지 등에 대한 준비를 과목이 탄생한 후에 진행하게 되었다.

2007 개정 교육과정과 2011(2009) 개정 교육과정에 의하면 동아시아사는 "국사와 세계사의 중간적 역사 단위"로서 국가보다는 크고 지구보다는 작은 역사 분석의 단위를 구상한다. 이렇게 역사 분석 단위의 측면에서 접근하면 세계사 속에서 동아시아사를 지역 세계의 하나로 학습하는 것과 구별하기가 쉽지 않다. 그런데 교육과정은 이 과목을 통해 동아시아인으로서의 "정체성

구현"까지 모색한다.[1] 그렇다면 세계사와는 다른 접근이 가능하다. 그러나 동아시아인으로서 사고하고 행위를 할 준비가 되어 있는가? 동아시아인으로서의 정체성을 갖고 가르칠 사건을 선정·해석하는 것은 한국인으로서 그렇게 하는 것과 전혀 다르다. 보통 '우리'라는 용어는 한국인으로서의 소속감을 내포한 용어로 사용해왔다. 그 '우리'를 어떻게 중층적인 정체성의 표현으로 만들 수 있을까? 또한 동아시아사는 비동아시아사와의 구별을 전제로 하는 것은 아닌가? 그러한 구별이 '편견'이나 '차별'로 연결되지 않게 할 수 있는 방법은 무엇인가?

교육과정은 동아시아사를 '한국사와 세계사의 중간에 위치하는 역사 단위'로 정의했다. 그러므로 동아시아사는 한편으로 한국사 및 세계사와의 연계나 차별화 전략에 대해서도 고민할 필요가 있다. 특히 학생들은 중학교에서 한국사와 세계사를 함께 가르치는 역사를 필수적으로 학습하지만, 고등학교에서는 세계사나 동아시아사 가운데 하나만 학습하게 될 가능성이 있다. 고등학교에서 동아시아사를 선택하는 학생이 중학교 세계사에서 학습한 동아시아사를 심화해 학습하면서도 편협한 지역주의로 빠지지 않게 경계하도록 하기 위해서는, 동아시아사를 세계사적 시야와 맥락에서 살펴볼 수 있게 교과서를 개발할 필요가 있다. 이러한 취지에서 여기서는 '비교법'을 활용해 동아시아사를 복합적으로 구성할 수 있는 방안에 대해 논하겠다.

---

1 교육과학기술부, 「동아시아사」, 『2009(2011)개정 교육과정』, 교육과학기술부 고시 제 2009-41호 별책 7, 94쪽.

1. 동아시아사 내용 선정의 원칙

과목으로서 동아시아사는 중국이나 일본 제국주의에 의해 시도되었던 자기중심적·패권주의적 '동아시아 공동체' 구상의 한계를 넘어야 하며, 최근의 세계 변화와 새로운 학문적 성과를 담아내야 한다는 과제를 안고 있다. 이러한 문제의식을 바탕으로, 동아시아사 교과서에 어떤 내용을 어떻게 구성할 것인가에 대해 구상할 때 동아시아론을 구상했던 학자들이 경계했던 점들을 고려할 필요가 있다.

조병한은 동아시아 사회들의 공통된 문화에 기초해 '공동체'를 구상한다고 하더라도 "폐쇄적 지역주의가 되는 것을 경계해야 하며 국가주의적 이데올로기로 이용되어서는 안 된다"고 강조했다. 또한 동아시아 사회들의 문명적 동질성이라는 것도 실은 다른 문명과 "융합되고 변용되는 과정에서 개방적인 다면성"을 갖게 되었다는 점을 간과하지 말라고 권고했다.[2]

김광억은 세계를 서구와 비서구로 구분하고, 비서구를 동아시아로 간주하는 단순 논리와 유희를 되풀이하지는 않는지 성찰할 필요가 있다고 주장한다. 수많은 비서구와 비동아시아사를 동양 중심적 논리와 언어로 왜곡하는 오류를 범할 수 있다는 점을 경계해야 한다는 것이다. 그는 다음과 같이 말한다.

우리 자신을 규정하기 위해 …… 서구와의 대조에만 치우쳐서 수많은 비서구와 비동아시아의 실체를 사상시키거나 동양 중심적 논리와 언어로 왜곡하는

---

2 조병한, 「90년대 동아시아 담론의 개관」, 정재서 엮음, 『동아시아 연구, 글쓰기에서 담론까지』(살림, 1999), 153쪽.

오류를 더 이상 범해서는 안 된다. 자신을 찾기 위해서는 아무래도 수많은 타자라는 거울을 통해서 우리의 다양성을 비춰봐야 하기 때문이다.[3]

성민엽은 동아시아는 서구 중심적이며 자본주의적인 근대를 극복하는 방법으로 구상되어야 한다고 주장했다. 남아시아, 아프리카 등 어떤 지역도 중심이 아니며 역으로 모든 지역이 중심이므로 각 지역 사이의 대화와 소통 연대까지 추구되어야 한다고 했다.[4]

학계에서는 중국이나 일본 제국주의에 의해 시도되었던 자기 중심적·패권주의적 '동아시아 공동체' 구상의 한계를 넘어 새로운 동아시아상을 추구한다. 또 동아시아를 폐쇄적 공간이 아닌 다른 지역과 상호 교류를 하면서 '융합', '변용'을 자극하고 또 자극받았던, "개방적인 다면성"을 지녔던 공간으로 이해할 것을 요구한다.[5] 엄격한 분리를 가정하기보다는 세계가 혼합·이주·겹침의 세계라는 점을 이해할 수 있게 해야 한다는 것이다.

과목으로서 동아시아사도 이러한 학계의 요구에 부응해 폐쇄적 지역주의를 경계하려는 노력이 필요하다. 또한 종래처럼 세계를 서구와 비서구, 비서구는 동아시아라는 이분법적인 단순 구도와 논리를 되풀이하지 않아야 한다.[6] 다면적 '인간성'의 그림을 통해 인간 이해의 폭을 확대하기 위한 것이기도 하지만, 인종과 민족주의적 편견을 경계하는 교육적 목적의 측면에서도

---

3   김광억, 「동아시아 담론의 실체: 그 분석과 해석」, 정재서 엮음, 『동아시아 연구, 글쓰기에서 담론까지』(살림, 1999), 174쪽.
4   성민엽, 「같은 것과 다른 것: 방법으로서의 동아시아」, 정재서 엮음, 『동아시아 연구, 글쓰기에서 담론까지』(살림, 1999), 244~245쪽.
5   조병한, 「90년대 동아시아 담론의 개관」, 153쪽.
6   김광억, 「동아시아 담론의 실체: 그 분석과 해석」, 174쪽.

중요하다.

과목으로서 '동아시아사'는 한국, 중국, 일본, 베트남의 역사를 하나의 덩어리로 가르치도록 요구하지만 교과서 서술에서는 대체로 각 민족사(국가사)의 병렬이 되고 있다. 국가사의 병렬을 뛰어넘어 동아시아사를 하나의 역사 이해 단위로 설정하기 위해, 또 폐쇄적 지역주의를 경계하기 위해서는 동아시아의 내적 역동성 이외에 다른 지역과의 상호 작용이 만든 작고 큰 역동성에도 주목할 필요가 있다. 이를 위해서는 동아시아 문화가 타 문화와 융합하고 타 문화를 변용하면서 형성되었다는 점, 동아시아 문화 또한 다른 지역으로 흘러들어가 혼합되어 새로운 문화 창조에 기여했다는 점을 이해할 수 있도록 동아시아사의 내용을 선정하고 구성해야 한다.

존 맥닐John McNeal과 윌리엄 맥닐, 퍼듀 등이 네트워크network나 웹web을 중심으로 지역 내의 공동체들, 지역과 지역 사이의 관계와 상호 작용에 초점을 맞추었던 것을 참고할 만하다.[7] 선사시대 이후 경계를 넘는 다양한 접촉을 통한 네트워크의 확대, 이질적 문화 집단 간의 접촉 과정에서 일어난 문화 복합, 또는 타민족(지역)에 대한 상호 지식의 확대 등에 초점을 맞추어 내용을 선정하고 구성하는 것이다. 타민족과 타 지역에 대한 지식의 생산과 유통이 자극한 세계관과 상호 인식의 변화 등은 최근에 주목받은 주제 가운데 하나이다. 동아시아에서 생산한 타민족에 대한 지식, 또 타 지역인이 구성한 세계나 동아시아에 대한 지식 등의 변화 등을 탐구해보도록 하면 지식이나 담론의 역사적 역할과 영향까지 이해할 수도 있다. 역사적으로 지속적인 접

---

7   존 맥닐·윌리엄 맥닐, 『휴먼 웹: 세계화의 세계사』, 유정희·김우영 옮김(이산, 2007); Peter Perdue, "Eurasia in World History: Reflections on Time and Space," *World History Connected*, Vol.5, No.2(2008).

촉·갈등·정복·교역 등을 통해 상호 인식이 확대·심화되었던 공간으로서의 세계의 밑그림을 그리게 하고, 그 그림 속에서 동아시아와 그 밖의 지역 사이의 접촉과 교환의 지속과 단절을 보여주면서 동아시아사의 위치를 이해할 수 있게 하는 것이다.

동아시아사 교과서들도 그러한 방향에서 '몇 가지' 주제들을 다룬 적이 있다. 예를 들면 문화의 혼합과 변용은 인도에서 발생한 '불교'가 동아시아로 전파되고 동아시아만의 독특한 색채를 띠게 된 것을 설명하는 부분에서 다루었다. 또 경제적 측면에서는 몽골제국과 그 이후의 네트워크의 성장 과정에서 동아시아 내 경제적 변화와 그것이 자극한 그 외 지역의 경제적 변화를 부분적으로 설명하기도 했다. 그러나 이 부분에서는 동아시아와 다른 지역의 문물이 상호 교환되는 것을 문화 복합 과정으로서보다는 대체로 일방적인 '단순 전파'의 시각에서 언급했다.[8]

동아시아 내의 내적 움직임만이 아니라 다른 지역과의 상호 영향을 주고받았던 역동성까지 함께 주목하고자 한다면, 동아시아의 일상적 또는 사회경제적 변화를 자극했던 타 지역의 문물이나 인물, 동아시아적 '전형성'에서

---

[8] 예를 들면, 안병우 등의 『동아시아사』 교과서에는 '유럽의 진출과 교역망의 확대(145 쪽)'의 본문 서술 내용에 다음과 같은 것이 있다. "동남아시아 무역이 활성화되면서 동남아시아에는 여러 나라 사람들이 거주하는 항구 도시가 출현했고, 이슬람교와 크리스트교도 본격적으로 전래되었다. 또 아메리카로부터 고추, 감자, 고구마, 옥수수, 담배 등이 아시아에 전해졌다. 명·청과 일본의 도자기가 유럽에 대량으로 판매되었으며, 이를 계기로 유럽에서는 도자기의 복제 기술이 발달하였다." 주제 탐구(151쪽)에서 새로운 작품의 전래가 동아시아 사회에 끼친 영향을 탐구하도록 질문하기도 한다는 점은 고무적이다. 그러나 전래 이후 각지에서 어떤 변형이 일어났는지 구체적으로 탐구해볼 수 있도록 주제 탐구를 좀 더 구체적으로 안내했다면 좋았을 것이라는 아쉬움이 있다. 안병우 외, 『동아시아사』(천재교육, 2011).

벗어나, 타 지역에서 역동성을 발휘했던 동아시아의 문물이나 인물, 타 지역인이 구성한 동아시아에 대한 담론에 이르기까지, 특정 시기의 동아시아와 직간접적으로 영향을 주고받았던 지역과 인물들을 다룰 수 있다. 이 경우 세계의 다양한 문물이 동아시아로 들어와 독특한 문화들로 변형되고, 동아시아의 독특한 문물은 다른 세계로 전파되어 문화적 변화를 자극한 것으로 내용이 구성된다. 또한 문물 교환 및 변환 과정과 함께 이루어지는 서로에 대한 인식이나 지식의 변화도 다룰 수 있다. 탈라스 전투, 몽골의 원정, 장건張騫, 이븐 바투타, 마르코 폴로, 예수회 선교사 등의 여행, 실크나 도자기 등의 교역은 문물의 교환만 가져온 것이 아니라 여러 관련 지역에 대한 지식에 영향을 미쳤던 경우라고 할 수 있다.

그런데 종래 동아시아 밖으로 '전파'된 ― 그것이 단순하게 다른 지역의 상품이 되었든, 문화적 변용을 자극했든 ― 동아시아 문물 가운데 중국의 문물이 다수를 차지하면서 중국만이 창의적·역동적이었다는 인상을 줄 수도 있다. 동아시아사 내에서는 동아시아의 중화 질서를 다층적 이해관계로 해석하고, 동아시아 주변의 시각에서 중국의 제국주의적 전통을 다루며, 갈등과 분쟁을 부각시킬 수 있다. 그러나 동아시아와 여타 지역과의 상호 관계 및 상호작용을 다룰 때는, 중국이 19세기까지 대체로 동아시아 역동성의 중심이었다는 점을 축소하기 어렵다. 그럼에도 만약 '동아시아사' 과목에서 '정체성'을 공유하는 '동아시아 공동체'라는 시각을 견지한다면, '중국 중심주의'를 문제화하기는 어렵다. 중국 중심주의는 중국을 타자화하는 것에서 출발하기 때문이다. 중국, 일본, 한국, 베트남 등의 '국가' 경계가 만드는 정체성을 축소하고 동아시아라는 한층 큰 틀에서 정체성을 추구하기 위해서는 중국도 '우리'라는 의식으로 봐야 한다.

그러나 현실적으로 한국, 일본, 베트남 등이 최근 중국의 정치적·경제적 부상을 동아시아인의 정체성에 기초해 단순하게 환호할 수만은 없는 상황이다. 또 중국이 역사적으로 중화주의의 틀 속에서 패권적 동아시아를 구상해왔고, 현재 한국은 그와 다른 방향에서 동아시아 공동체를 추구하기 때문에 중국 중심의 동아시아 형상화를 경계하지 않을 수 없다. 따라서 동아시아 밖의 지역과의 관계에서 동아시아를 어떻게 형상화할 것인가, 중국의 역동성을 어떻게 다룰 것인가에 대한 고민이 절대적이다. 이 문제는 한층 근본적으로 접근해 교육과정에서 추구하는 '동아시아인으로서의 정체성'이란 어떤 것인가에 대한 논의에서 다시 출발함으로써 해결해야 한다. 그러나 이 문제를 부분적으로는 동아시아와 그 밖의 지역과의 교류·대화·충돌 등의 과정에 중국만이 아니라 동아시아 내 다른 민족들이나 공동체가 어떻게 참여했는가를 함께 탐구해보도록 하는 방법으로 해결할 수도 있다. 기술, 제도, 사상, 상품 등의 흐름, 충돌, 변형 등을 중국과 동아시아 밖의 관계로만 다룰 것이 아니라, 동아시아 내의 그것들과 함께 연결해서 다루는 것이다. 간단한 예를 들자면, 종이와 인쇄술 등의 기술, 유교나 불교 등의 종교, 비단이나 도자기 등의 문물을 동아시아 내 여러 민족의 변형 transformation 이나 전유 appropriation, 동아시아 밖과 교환이나 충돌과 관련해 다룰 수 있다.

최근에는 세계사학계에서 '대안적 근대', '근대성'에 대한 논의가 활발하다. 유럽 중심적 자본주의의 근대를 해체하는 동시에 대안적 근대성을 모색하려고 노력하는 것이다. 다수의 근대를 상상하고, 그러한 근대에 접근하는 방법으로서 지역이나 사회에 주목하는 연구들도 있다.

차크라바르티는 벵골의 근대성에 대한 연구를 통해 유럽적 범주의 역사 연구에 저항하며 유럽을 '변방화'하려 했다.[9] 즉, 유럽의 근대를 삶을 조직하

---

9   Despesh Charkrabarty, *Provincializing Europe: Postcolonial Thought and His-*

는 여러 방법 가운데 하나로 전락시키려 한 것이다. 차크라바르티는 다수 근대성을 상상하고 유럽이 만든 근대와 다른 지역의 특정적 근대에 초점을 맞춤으로써 '근대성'을 지역화하려 한다. 이러한 방법의 문제는 유럽이 자본주의, 국민국가, 과학 등을 이용해 세계를 재구축한 결과에 대한 역사적 의미를 축소한다는 것이다.[10] 유럽이 만든 근대적 기획의 영향력이 탈근대적 현재에도 전 지구적 차원에서 현실적으로 중요하게 다가오고 있다는 점을 부정하기 어렵기 때문에 차크라바르티식의 대안적 근대 논의가 '대안적'으로 다가오지 않는 측면도 있다.

나아가 대안적·복수적 근대성을 논하는 것 자체가 유럽을 표준으로 보는 것이기 때문에 설득력이 없다는 주장도 있다.[11] 그리고 단일한 지구사와 세계사를 보편주의적 역사와 동일시하는 시각에 근본적인 문제가 있다고 비판하며 그것의 배척을 주장한다.

최근 탈식민지주의적 연구는 자본주의적 근대를 극복하는 방법으로 자본주의보다는 식민주의, 정치·경제보다는 문화에 초점을 맞추어 근대를 논하는 경향을 보인다. 특히 '번역된 문화translated cultures'나 변형, 전유 등에 주목한다.[12] 이는 지구적인 자본주의 경제구조에 참여하면서도 '서구적 가치Western values'에 거리를 두는 방법으로서 고려되기도 한다.[13] 그럼에도 지구

---

torical Difference(Princeton, 2000).

10 아리프 딜릭, 「탈중심화하기: 세계들과 역사들」, 조지형·김용우 엮음, 『지구사의 도전: 어떻게 유럽중심주의를 넘어설 것인가』(서해문집, 2010), 160쪽.

11 같은 글. 160쪽.

12 Nestor Garcia Canclini, *Hybrid Cultures: Strategies for Entering and Leaving Modernity*, translated by Christorpher L. Chiappati and Sylvia L. Lopez(MN: University of Minnesota Press, 1995); Wang Ning, *Translated Modernities: Literary and Cultural Perspectives on Glamorization and China*(Ottawa: Legas, 2010).

화되고 있는 자본주의 자체가 하나의 사회구조나 문화를 대변한다는 점도 부정할 수 없다. 물론 그 문화가 다른 사회적 맥락으로 전이되면서 변형이 일어날 수도 있으나, 자본주의 자체는 그것이 기원한 사회적 맥락의 문화적 유산을 전수하는 수단이 되기 때문이다.[14]

동아시아 연구에서도 대안적 근대, 다수 근대성에 대한 논의들의 필요성을 역설하고, 또 대안을 제시하려 노력하고 있다. 동아시아만의 고유한 특성을 중심으로 동아시아적 자본주의 근대성의 형성과 발전을 설명하기도 한다.[15] 유럽의 헤게모니 속에서 자본주의적 근대가 만들어진 것을 인정하면서, 그것이 다른 지역으로 퍼져나가며 '변형'되었다는 시각에서 '대안적 근대'를 모색하는 것이다.[16] 상호 침투를 거쳐 혼종·잡종 체제가 되었다는 시각에서 유럽적 근대성을 상대화하려는 시도이다. 이는 유럽적 근대가 확산되었다는 점을 인정하면서도 동시에 각 민족이나 지역이 독자적인 근대를 이루었다는 주장에 기초한다. 이러한 방식의 근현대 재구성도 '다수의 근대들'을 추구해 유럽의 근대를 여러 근대 가운데 하나로 축소하고자 하지만, '암묵적으로' '유럽적 근대'를 보편적 근대의 '우월한' 모델로 제시한다는 점에서 유럽 중심주라는 비판으로부터 자유롭지는 못하다.

역사교육에서는 탈식민주의 이론과 담론을 현재 역사교육의 제한적인

---

13 Arif Dirlik, "Thinking Modernity Historically: Is 'Alternative Modernity' the Answer?" (Keynote Addresses), 제2회 아시아세계사학회 국제학술대회(The Second Congress of the Asian Association of world Historians, 서울, 2012.4.27~29), p.76.

14 같은 글. p.76.

15 유교 자본주의나 아시아적 가치에 대한 주목도 이러한 방향에서 진행된 것으로 보인다.

16 이에 대한 논의는 김성보, 「탈중심의 세계사 인식과 한국근현대사 성찰」, ≪역사비평≫, 80호(2007)을 참조.

틀을 비판하는 방향에서 검토할 필요가 있다. 실제 세계사나 동아시아사 교육에서 근대사는 탈식민지주의 이론이나 최근 역사학계 논의와는 전혀 관계없이 민족주의적 근대, 서구화, 근대화를 동일시하는 근대화론의 '완고한' 틀에서 벗어나지 못하고 있다. 이러한 틀은 중학교나 고등학교에서 거의 반복적으로 사용되고 있다. 지구사적 관점에서 유럽 중심주의 극복을 모색하는 연구자들을 비롯해 많은 연구자들이 '근대화론'의 틀을 벗어날 수 있는 방법으로서 '비교'나 '상호 차용', '복합' 등의 개념들에 기초한 다층적 역사를 제안한다. 동아시아사도 그러한 문제의식에서 '근대'를 어떻게 가르칠 것인가에 대해 고민할 필요가 있다.

2. '비교법'을 통한 다층적 역사 구성

1) '비교법'

고등학교 동아시아사 교과서는 물론이고 초·중·고등학교의 사회, 역사, 한국사, 세계사 교육과정과 교과서들은 여러 방식으로 '비교법'을 구사한다. 그런데 역사에서 비교는 단순히 외견상 비슷한 현상들을 나열하는 데 그치지 않는다. 자주 인용되는 마르크 블로크Marc Bloch의 설명에서도 확인할 수 있듯, 그 현상들이 어떻게 비슷하고, 어떻게 다른지, 왜 그렇게 비슷하고 다른지를 설명하는 것이다.[17] 비교는 다양한 사회과학 분야에서 주로 사용되며, 그들은 역사적 현상들을 구체적인 비교 대상으로 삼아 인간과 인간 사회

---

17 이진일, 「비교사에서 교류사로」, ≪사림≫, 28호(2007).

의 전형성을 파악하거나 법칙을 도출하려는 경향을 보인다. 역사 서술에서는 여러 지역에서 확인할 수 있는 가족, 촌락, 도시, 국가, 산업화 등과 같은 유사한 현상이나 제도를 중심으로 존재 양태, 변화 양상 등을 비교하는 경향을 보인다. 그러나 비교 대상은 단순히 개별적인 역사적 현상에 그치지 않는다. 집단적 행위·발전의 구조적 패턴 또는 발달 경로, 장기적 역사 과정, 문화, 나아가 역사 내러티브(담론), 역사적 관점 등 여러 차원에서 비교할 수 있다. 현재의 고등학교 동아시아사의 내용 체계에서는 비교 대상이 대체로 역사적 현상이나 제도이다.

역사적 현상이나 제도의 비교는 다시 목적에 따라 '차이 접근법'과 '일치 접근법'으로 구분된다. 전자가 차이와 다양성을 크게 부각시킨다면, 후자는 공통성을 보여주기 위한 방법이다. 차이 접근법과 일치 접근법 모두 비교의 목적, 비교 대상의 선정 방식, 비교 서술 방식 등을 검토해보면 더 세분될 수 있다. 비교 서술 방식의 측면에서는 '병렬 기술 비교', '기원(원인) 분석 비교', '법칙 도출 비교', '간문화적인 사회문화 과정 비교'의 네 가지로 구분할 수 있다.

첫째, 병렬 기술 비교는 다양성이나 공통성을 병렬적으로 제시하는 방법이다. 즉, 일치 접근법과 차이 접근법 모두에서 사용한다. 대체로 서술 방법의 측면에서는 유사한 사례들analogies을 각각 상세하게 기술함으로써, 겉으로 보기에는 유사하지만 심층적으로 분석하면 다양하다는 것을 확인하거나, 겉으로 보이는 것처럼 심층적으로도 유사하다는 것을 보여주는 방식으로 서술한다. 이 경우 사례들은 병렬적으로 상세히 기술되고, 그 원인이나 이유는 독자가 알아서 해석하도록 유도한다.[18]

18 같은 글.

초등학교는 사회과는 '다름'을 확인하는 차원에서 '단순' 비교를 적용해 교육과정과 교과서를 개발하고 있다. 중학교 역사에서도 종종 병렬 기술 비교법을 활용한다. 예를 들면 2007 개정 중학교 역사는 다음과 같은 성취 기준에서 '비교'를 적극적으로 활용해 한국사나 세계사 영역에서 사건들이나 현상들을 '비교'해보도록 요구했다.

① 삼국이 발전하는 과정에서 나타난 공통점을 추출하고 이를 부여, 가야의 경우와 비교한다.

② 크리스트교, 불교, 유교의 성립과 확산 과정을 비교하여 파악한다.

③ 중세 유럽의 형성 과정을 파악하고 서유럽과 비잔틴제국의 정치경제적 특징을 비교한다.

④ 동남아시아의 국가 형성 과정을 파악하고 여러 나라의 문화를 비교한다.

⑤ 인도·동남아시아인의 저항과 근대국가 수립 운동을 비교하여 이해한다.

⑥ 동아시아 세 나라의 개항과 근대국가 수립 운동을 비교하여 이해한다.

①은 중앙집권국가로 발전한 나라들과 그렇지 못한 나라들 사이의 차이를 비교하게 해, 중앙집권국가라는 제도의 공통적인 체제 기반과 특징을 이해하도록 하는 것이 목적이다. 따라서 '전형성'을 확인할 수 있도록 비교법을 사용한다. 이 경우 비교 분석의 단위는 '나라'가 된다. ②의 경우 각 종교의 성립과 확산 과정상 비슷한 점이나 다른 점을 탐구하게 하는 것처럼 보인다. 현상의 유사성에 기초한 비교 대상 선정이지만, 실제 비교 대상은 각 종교의 확산 과정을 중심으로 한 역사적 과정이다. 그러나 교육과정 해설을 참고하면, 고대 제국들에서 거대 종교의 역할을 파악하도록 유도한다. 공통적·일반적 현상을 이해하게 하는 것이 주목적이다. 교육과정상 표면적인 서술에

비추어보면 비교의 분석 단위는 국가나 제국과 같은 정치적 단위를 넘어선다. 그러나 고대 제국에서 거대 종교의 역할을 비교 분석하는 것이라면 비교의 단위는 제국이 된다. ③의 경우는 문화권이, ④의 경우는 문화권 내의 '나라(국가)'가 비교의 단위가 된다. 두 가지 모두 비슷한 문화적 또는 정치적 공동체 형성 과정을 파악하면서, 비교를 통해 정치적·경제적·문화적으로 서로 비슷한 체제와 서로 다른 특징을 이해하도록 유도한다. 이때 '비교'는 대조에 가깝다. ⑤와 ⑥의 경우 근대국가라는 공통적인 제도를 이해하는 데 주목적이 있고 비교의 단위는 국가이다.

이러한 성취 기준이 실제 교과서의 내용으로 서술될 때는 '병렬법'의 수준으로 이루어진다. 세계사 영역에서 고대 문명, 산업화, 영국·프랑스·미국 등의 시민혁명, 아시아 및 아프리카 등지의 민족운동이나 외세배격운동 등에 대한 서술도 대체로 여러 국가나 지역의 사례들을 나열하는 방식을 취한다. 한국사에서도 삼국의 고대국가 단계로의 발전을 서술할 때, 적극적으로 드러나지는 않지만 대체적으로 삼국의 사례를 은연중에 비교하는 방식을 취한다. 공통된 주제를 중심으로 개별 국가들의 특징을 한데 모아놓는 형식이다. 교과서는 공통성과 차이성의 기원이나 원인을 본격적으로 제시하지는 않는다. 그러나 개별 공동체들 사이의 공통성은 시·공간적 근접성에 의한 상호 작용 또는 사건 촉발의 유사한 원인이나 배경 등으로, 차이성은 그 공동체들의 독특한 사정으로 설명할 수 있는 주제들이다. 2011(2009) 개정 중학교 역사교육과정은 '비교'를 대폭 줄였다. 아래에 제시한 것처럼 2007 개정 교육과정의 ①과 ③만을 남겼다.

- 삼국의 발전 과정에서 나타난 공통점을 추출하고, 가야 연맹의 성립과 변화 과정에 나타난 삼국과의 차이를 파악한다.

- 서유럽과 동유럽의 절대왕정을 비교하여 그 차이를 이해한다.

중학교 역사가 국가나 문화권 단위의 정치체제 형성 과정이나 문화적 특징을 비교 분석하게 한다면, 고등학교의 세계사나 동아시아사는 그보다는 좀 더 심층적인 탐구를 요하는 주제들을 비교하도록 요구한다. 예를 들면 2011(2009) 개정 동아시아 교육과정에는 다음과 같은 성취 기준이 있다.

- 율령과 유교에 기초한 통치 체제의 특징을 이해하고, 이를 각국이 수용한 양상을 비교한다.
- 제국주의 침략 전쟁과 그로 인한 가해와 피해의 실상을 알아보고 각국에서 일어난 민족운동을 비교한다.
- 각국의 경제 성장 과정을 비교하고 지역 내 교역이 활성화되고 있음을 이해한다.

그런데 이러한 성취 기준도 실제 교과서의 서술로 구현될 때는 '병렬법'의 수준으로 이루어진다. '비교'라고 직접적으로 지시하지는 않았지만 실질적인 비교를 요구하는 성취 기준들도 있다. 예를 들면 "조공·책봉 관계를 포함한 동아시아의 다양한 외교 형식을 각국의 상호 필요라는 관점에서 파악한다"와 같은 것이다. 동아시아사 교과서 서술에서도 대체로 국가나 민족이 비교의 단위가 된다.

둘째, 기원(원인) 분석 비교는 단순히 다양성이나 공통성을 상세하게 기술하는 것을 넘어서, 그것의 원인 또는 기원을 분석·설명하는 것을 목적으로 한다. 서술 방식에서는 사례들을 병렬적으로 제시하는 틀을 넘어 무엇이 왜 공통적인지 혹은 어떤 차이가 왜 나타나는지를 분명하게 설명하는 방식을 취한다.

이러한 비교는 예수회 선교사들, 그리고 후에 영국계 단순 전파론자들이 유럽 이외 지역의 문명을 관찰하고 그 지역 문명(중국, 남아메리카 등)과 서유럽 기독교 문명을 비교한 저작들에서 발견된다.[19] 영국계의 단순 전파론자들은 시·공간적으로 멀리 떨어져 있는 문화들을 비교 관찰하고 공통점을 확인한 후 그 원인을 일조설―條說로 설명했다. 즉, 인류가 같은 뿌리에서 유래하기 때문에 문명을 정의하는 기본적 관습이나 제도(음성언어, 문자 체계, 종교적 관념, 예술적 동기, 가족에 대한 개념, 권력과 관련된 예식) 등의 원류도 같다고 설명한 것이다. 또한 같은 뿌리, 즉 이집트 문명에서 기원한 제도와 관습이 다른 지역으로 확산 또는 전파되면서 다른 지역에서도 비슷한 문화가 나타났다고 설명했다. 단순 전파론자들은 그들 사회에서 보이는 차이를 고립에서 오는 퇴화와 열등한 토착 문화와의 상호 작용이라고 주장했다.

그러나 이러한 단순 전파론의 시각은 비판받고 있다. 그 대신 문화의 흐름, 네트워크를 통한 상호 교환, 주변 생태 환경과의 상호 작용, 그리고 그 사회의 독특한 문제의식에 기초한 변용과 전유 등으로 여러 지역에서 관찰되는 문화들의 공동성을 설명한다. 예를 들면 이기동은 지린 성 중부의 서단산西團山 문화, 고조선, 부여, 베트남 북부의 동산東山 문화를 메소포타미아와 나일 강 유역의 초기 국가, 게르만족과 슬라브족의 초기 국가들과 시기 측면에서 비교했다.[20] 그는 시기의 차이가 나타났던 원인으로서 지역적 근접성에 기초한 상호 작용의 영향에 주목하면서도 각 지역의 독특한 생태적 조건, 주

---

19 파멜라 K. 크로슬리, 『글로벌 히스토리란 무엇인가』, 강선주 옮김(휴머니스트, 2010) 을 참조.

20 이기동, 「비교사의 방법론과 세계사적 파악의 필요성: 한국고대사의 연구 성과를 어떻게 발전시킬 것인가」, 《한국고대사연구》, 50권(2008).

변 세력과 관계 등에 초점을 맞추어 차이를 설명할 수 있다고 서술했다. 다만 서단산, 고조선과 부여, 베트남 등은 지역적 근접성에 의한 상호 작용의 가능성으로 비슷한 현상을 설명할 수 있는데, 그들 지역과 메소포타미아나 게르만족과 슬라브족의 초기 국가 형성은 지리적·시간적으로 멀리 떨어져 있어서 상관성을 찾기 어렵다. 그렇다면 왜 지리적·시간적으로 멀리 떨어진 곳에서도 비슷한 현상이 일어났는가라는 질문에 대해서는 어떻게 대답할까? 이에 대해 학계는 모든 인류가 보편적인 발전 단계를 거친다는 고전적인 발전단계론, 단순 전파론자들의 일조설과 전파론, 장기적인 상호 작용, 우연성 이론 등의 대답을 해왔다.

문화인류학에서는 보편적 '인간성'에 기초해 서로 연결되어 있지 않았던 지역의 문화적 유사성에 대해 설명하기도 한다. 예를 들면 나무나 짐승 가죽을 이용한 악기 제작은 세계 여러 곳에서 보편적으로 확인할 수 있다. 그것을 '전달', '모방'이 아니라 인간의 주변 자원 활용이라는 보편성에 기초해 설명한다. 이외에도 역사적 현상 가운데, 선사시대에 서로 멀리 떨어져 있었던 지역에서 인류가 어떤 형태로든 '가족'을 이루었다든가, '농사'를 짓기 시작했다든가, 소통의 방법으로 음성언어 이외에 다른 형식을 발명했다든가 하는 것을 '장기적인 상호 작용'이나 '전파' 이론으로 설명하기도 하지만, 보편적인 '인간성'이라는 측면에서 설명하기도 한다. 그러나 때로는 왜 그러한 차이가 나타났는가에 대한 기원을 분석하기 위해 체제론적 시각에서 접근할 필요도 있다. 서로 얽혀 있는 정치경제적 또는 문화적 권력관계와, 각 지역의 독특한 문제의식이나 생태적 조건이 다른 형식의 제도를 만들게 할 수 있기 때문이다. 기원 분석 비교는 후술할 간문화적인 사회문화 과정 비교와 겹치는 부분이 있다. 간문화적인 사회문화 과정은 '비슷함'의 원인을 문화 간 상호 작용에 초점을 맞추어 설명하기 때문이다.

셋째, 법칙(일반화) 도출 비교는 여러 사례들을 비교해 시간과 공간을 넘어 인간 또는 인간 사회의 전형성을 확인하거나, 인류 역사 전개 과정의 법칙성을 찾는 방식으로 비교하는 것이다. 이러한 비교법을 사용한 대표적 예로 이로쿼이족, 고대 그리스, 아즈텍Aztec, 로마, 마야, 터키 등을 비교해 인류 발전의 보편적 패러다임을 추출했던 인류학자 루이스 H. 모건Lewis H. Morgan 의『고대사회Ancient society』(1877), 4대 문명 지역을 비교한 카를 A. 비트포겔Karl A. Wittfogel 의『동양적 전제군주Oriental despotism』(1956) 등을 들 수 있다. 이는 인간 삶의 '전형성'을 확인하거나 인간 역사에서 일정한 패턴 또는 법칙을 발견하려는 목적으로 여러 사례를 비교하는 경우이다. 그런데 지금까지 많은 이론들은 비교의 보편성이나 표준을 유럽의 근대적 사유 체계에 기초했다.

비교법을 활용한 대표적 대중서인『국사시간에 세계사 공부하기』는 한국사와 세계사의 특정 국면이나 인물을 단순히 병렬적으로 상세하게 기술하는 것을 넘어서, 왜 다른지를 과감하게 설명하는 방식을 취했다. 저자는 한국사와 한국 이외 지역의 역사를 비교하면서 한편으로는 인간 경험의 전형성 또는 인류 발전의 '보편적' 특징이나 단계를 보여주려 했고, 다른 한편으로는 한국적 경험의 특수성을 보여주려 했다. '고인돌과 피라미드', '신라의 삼국 통일과 프랑크왕국의 서유럽 통일: 고대에서 중세로', '무신 정권과 세계의 무사들: 중세의 봉건영주 제도', '탕평 군주 영·정조와 절대 군주 루이 14세: 동서양의 절대왕정', '조선의 대장간과 영국의 기계 공장: 중세에서 근대로' 등의 주제에서는 인류 발전의 공통된 단계가 있다는 전제하에 대상들을 비교하고 설명한다. 비교 대상은 시간적·공간적 연관성보다는 현상의 연관성을 기초로 선정했다. 비교의 대상들 사이의 공통성을 인류의 보편적 발달 단계에서 나타날 수 있는 특징으로 설명하고, 차이는 그 지역의 특수한 사정으로 설명한 것이다. 대체로 서유럽의 발달을 인류 발달의 '정상'이자 '보편'으로 설정하고, 그러한 보편 궤도에 진입하지 못했던 한국의 경우는 '특수'한 사정과 한계가 있었던 것으로 설명하는 방식을 취했다.[21] 예를 들면 "시간의 차이가 있을 뿐 우리나라도 세계사의 흐름에 맞추어 문명으로 진입했으니 말이다"[22]와 같은 서술은 이러한 비교 방식을 단적으로 보여준다. 전형적인 유럽의 역사를 중심으로 보편적·단선적 발전 과정을 상정하고 한국적 특수성을 강조하는 비교법이다. 이러한 비교법을 추구할 경우, 유럽적인 것을 우월하고 당연하며 보편적인 것으로 받아들이게 되며, 하나의 잣대에 준해 인류 발달을 전형화하기 때문에, 법칙적·도식적 역사 이해에 의해 파생될 수 있는 여러 문제들을 감수해야 한다. 역사 교과서에서 그러한 법칙론적 관점의 해석을 부각시키며 서술한 경우는 없다. 학계는 이미 오래전부터 유럽 중심 보편적 발달론의 허구성을 지적해왔고, 보편과 특수를 구분하는 그러한 법칙론적 설명을 비판했다.

넷째, 간문화적인 사회문화 과정 비교는 블로크가 강조한 '상호 차용의 역사'의 시각과 방법론으로 연결된다. 블로크는 역사적 비교란 현재를 구성하는 다양한 세력들이 역사적 시간 속에서 어떻게 서로 만나 영향을 미치며 결국 하나의 전체를 만들어냈는지 그 복잡한 얽힘의 과정을 분석하는 것이라

---

21 김정, 「탕평 군주 영·정조와 절대 군주 루이 14세: 동서양의 절대왕정」, 『국사시간에 세계사 공부하기』(웅진, 2007), 100쪽에서 중세 말기에 조선과 서양에 강력한 왕권이 출현했다는 공통점을 지적한 후, 결정적 차이는 새로운 정치 세력의 성장 여부로 설명한다. 서양에는 시민계급이 성장했으나 조선은 새로운 사회 세력을 키우지 못했다는 것이다. "무너져가는 봉건제를 개혁할 수 있는 세력은 상공업자였는데 조선에서는 이들의 힘이 아주 미약했다. …… 우리 스스로 근대화를 향해 나아갈 수 있는 기회가 사라져버린 안타까운 순간이었다."

22 『국사시간에 세계사 공부하기』, 16쪽.

고 했다.[23] 이 경우는 대체로 시간적 또는 공간적으로 멀리 떨어져 있더라도 특정한 상호 작용으로 나타난 공통적·역사적 현상들로 묶거나, 시간적 또는 공간적으로 근접한 대상들을 비교한다. 즉, 끊임없이 상호 작용하고, 인접성과 동시성으로 인해 동일한 거대 움직임 속에서 발전하면서 적어도 부분적으로는 공통의 기원을 함께 나누는 동시대의 이웃 사회들을 병행적으로 연구하면서 사회문화적 과정이나 구조를 비교하는 것이다.[24] 최근에 간문화적·트랜스내셔널 역사에 대한 연구가 활발해지는 가운데 국가의 경계를 넘어서는, 중첩적이면서 '복잡'하게 얽혀 있는 사회문화 과정들과 구조들을 비교하는 방향이 주목받고 있다.[25] 이러한 비교 방법을 통해 다층적 역사 탐구를 추구할 수 있다.

2) 동아시아 교과서에서 비교법 활용의 방향

교육적 측면에서 본다면, 어떤 비교 방법으로 설명하든 '발생' 시기의 차이를 문화나 민족의 '우열' 차이로 귀결되지 않도록 하는 것이 중요하다. 또한 여러 지역에 공통적으로 나타나는 특정 현상을 설명할 때, 하나의 이론적 틀을 넘어 전파, 우연, 주변의 생태적·정치적 조건과의 상호 작용 등을 복합적으로 고려할 수 있게 하는 것도 중요하다. 사실 어떻게 비슷하게, 그러면서도 왜 이렇게 다른 문화나 역사적 현상 또는 사건이 여러 곳에서 관찰되는가라

23 고원, 「마르크 블로크의 비교사」, ≪서양사론≫, 93호(2007), 168쪽.

24 같은 글, 166쪽.

25 Hannes Siegrist, "Comparative History of Cultures and Societies, From Cross-societal Analysis to the Study of Intercultural Interdependencies," *Comparative Education*, Vol.43, No.2(2006), p.383.

는 질문에 쉽게 대답할 수는 없다. 비교하면서 비슷함과 다름의 '원인'을 분석하는 것도 단순하지 않다. 그러나 단순히 '다르다'와 '비슷하다'의 감상을 넘어 질문을 던지고 역사적 과정을 탐구해보도록 유도하는 것은, 학생들이 국가나 문화권이라는 단위를 넘어 다층적인 역사에 접하게 할 수 있는 방법이다.

동아시아 교과서들에서 간문화적인 사회문화 과정 비교의 관점에서 '국가(민족)'를 넘나들며 역사적 현상을 설명하는 예를 많이 볼 수 있다. 대표적인 방식이 동아시아에서 일어난 '사건'의 이해를 돕기 위해 다른 지역의 역사를 배경지식으로 제시하는 것이다. 예를 들면 안병우 등과 손승철 등의 동아시아사 교과서는 공통적으로 '불교의 전파와 토착화'라는 중단원에서 동아시아 지역의 불교문화에 대해 설명하기 위해 '인도불교의 성립과 발전'이라는 주제를 본문에서 하나의 섹션으로 제시했다. 이 섹션에서는 인도에서 불교가 어떻게 성립되고 변화했는지, 어떻게 동아시아에 들어와 변형되었는지에 대해 설명했다. 필자들이 의도했든 의도하지 않았든, 상호 차용의 역사로 이해할 수 있게 서술되었다.

이러한 방식의 본문 구성은 동아시아사 교과서에서 16세기 이후 여러 주제를 다룰 때 주로 관찰된다. 16세기 동아시아 교역망을 설명하기 위해 유럽(포르투갈, 에스파냐, 네덜란드 등) 상인이 동남아시아와 동아시아에 '진출'했던 사건을 설명하거나,[26] 제국주의의 동아시아 침략을 설명하기 위해 19세기 제국주의 시대를 개관하는 것[27]과 같은 방식이다. 예를 들면 16~17세기 동아시아 경제 발전에 대한 이해를 돕기 위해, 15세기 '대항해 시대' 또는 '유럽의 진출'에 대해 개관한다. 특히 19세기의 제국주의 침략 이후 '근대'는 유럽

---

26 안병우 외, 『동아시아사』, 144~145쪽.

27 손승철 외, 『동아시아사』(교학사, 2011), 188쪽.

의 자극에 대해 동아시아가 어떻게 대응했는가에 초점을 두었다.

또한 안병우 등의 『동아시아사』는 '병렬 비교'의 방법으로 국가 단위의 비교를 넘으려는 몇 가지 장치를 통해 다층적인 역사 과정을 이해할 수 있게 했다. 특히 주목할 만한 것은, '그때 세계는'이라는 별도의 읽기 자료를 제시해 학생들이 동아시아 역사를 좀 더 넓은 시야에서 조망할 수 있게 한 것이다. '그때 세계는'은 동아시아 지역의 역사적 사건이나 현상을 다른 지역의 역사와 비교할 수 있게 했다. 즉, 다른 지역에 동아시아와 비슷한 역사적 사건이나 현상이 있었다는 점을 이해할 수 있도록 동아시아 이외 다른 지역의 구체적인 사례를 제시했다. 예를 들면 동아시아에서 '국가의 성립'을 다루면서 그 시기 인도와 지중해 지역에 통일 제국(마우리아왕조, 로마제국)이 들어섰던 점을 읽기 자료로 제시한다든가, 동아시아에서 '인구 이동과 교류의 증대'를 다루면서 이 시기 '유럽에서 게르만족의 이동'에 대한 읽기 자료를 제시하는 방식이다. 또 동아시아에 진·한제국이 들어섰던 시기에 아시아·유럽·아프리카에서 비슷한 규모의 통일 왕국이나 제국이 형성되고 있었다는 점도 '그때 세계는'을 통해 제시했다.

안병우 등의 '그때 세계는'의 내용이 주로 유럽사에 몰려 있었기 때문에 그 취지를 잘 살리지 못했던 측면이 아쉬움으로 남지만, 좀 더 넓은 역사적 지형도를 그리면서 동아시아사를 다른 지역사와 비교할 수 있도록 시도했다는 점은 매우 고무적이다. 안병우 등은 그 외에도 동아시아를 다른 지역과의 관계 속에서 이해할 수 있는 몇 가지 읽기 자료를 제공했다. 예를 들면 '서양 제국주의와 일본 제국주의'를 비교하는 읽기 자료도 있다.[28] '동아시아 사람들'이라는 별도의 읽기 자료(칼럼 형식)도 제시했는데, 자료 중에 '몽골제국

---

28 안병우 외, 『동아시아사』, 200쪽, 194쪽.

시대의 국제인'과 '서구의 과학기술을 전한 유럽인'이 있다. 즉, 몽골제국 시기에 야율초재耶律楚材, 마르코 폴로, 장순룡張舜龍, 16세기의 박연朴堧, 마테오 리치Matteo Ricci, 알렉상드르 드 로드Alexandre de Rhodes 신부, 윌리엄 애덤스William Adams 등의 인물이 동아시아에서 어떤 활동을 했는지, 동아시아에 어떤 변화를 자극했는지 등에 대해 설명했다. 이러한 방식은 동아시아 내의 변화를 외부에서 온 문화적 또는 물리적 '자극'과 '변용'으로 설명하는 장치 역할을 했다. 여기에 예수회 선교사들이 유럽 본국에 중국에 대해 소개한 보고서나 계몽사상가들에게 미쳤던 영향, 그리고 유럽에서 유행한 차이나풍까지 함께 보여준다면 문화 차용·변형 등의 과정을 좀 더 부각시킬 수 있다. 안병우 등은 몽골제국 시기와 명·청제국 시기에 동아시아 이외의 지역인을 '동아시아인'으로 소개함으로써 인종이나 민족을 넘는 동아시아인 정체성에 대해 생각해볼 여지까지 주었다.

그러나 피상적으로 현상을 이해하는 수준을 넘어서기 위해서는, '주제 탐구'의 형식으로 지역의 경계를 넘어 이루어졌던 '교환', '충돌', '논쟁' 등과 그 과정에서 일어난 혼합과 겹침을 역사적 과정이자 현상으로 탐구할 수 있도록 교과서를 구조화할 필요가 있다.

사실 교역로를 통한 문물의 교환과 이질적 문화 집단 간의 충돌이 자극한 문화 융합의 사례는 오래전부터 언급되어왔다. 그러나 대체로 교환된 문물을 알려주거나 새로 등장한 문화를 제시하는 데 그칠 뿐, 그것을 문화 교환·혼합의 역사적·문화적 과정으로 탐구해볼 장을 제공하지는 않았다.

고등학교에서는 '주제 탐구' 형식을 통해 '지식 전달식'의 중학교 세계사 교과서 체제와 차별화 전략을 사용할 필요가 있다. 역사적 과정으로 이질적인 문화들이 접촉·충돌하는 과정에서 나타나는 문화 수용·동화·저항·차용·변용·번역·복합 등의 복잡한 과정을 심층적으로 탐구할 기회를 주는 것이다. 그런데 이러한 방식은 역사를 거대한 문화 과정의 단순한 움직임으로 이해하게 할 가능성이 있다. 그러므로 이러한 문화 과정에 중요하게 작용하거나 변화되는 정치적·사회적·문화적 권력관계도 분석해보도록 할 필요가 있다. 단순한 문화적 과정으로서가 아니라 문화적 과정을 역사적으로 탐구하게 하는 것이 중요하기 때문이다. 또한 서로 다른 역사적 과정과 결과를 보였던 사례들을 비교·토론해볼 수 있게 내용을 구성하는 것이 다면적 인간성을 이해하는 데도 중요하다.

동아시아 교육과정은 '근대국가의 수립 모색'의 '내용 요소'로서 ① '근대화 운동과 국제 관계 변동', ② '제국주의 침략과 민족운동', ③ '침략 전쟁의 확대와 국제 연대', ④ '서구 문물의 수용'을 제시했다.[29] 동아시아사 교과서들은 '근대화 운동과 국제 관계 변동'을 다루면서 19세기 말의 동아시아인이 서구[30]의 사상과 제도를 받아들여 서구와는 다른 변형된 근대를 만들려고 했다는 그림을 그렸다. 즉, 양무운동, 변법자강, 메이지유신, 갑오개혁, 대한제국 등의 사건들을 설명하는 형식을 취했지만, 큰 그림은 중국과 조선의 변혁 주체들이 19세기 말과 20세기 초에 중체서용中體西用, 동도서기東道西器, 구본신참舊本新參 등의 사상을 배경으로 서구의 '근대적 제도'를 '따라 하기(수용)' 위해 노력하면서도, 일부 서구 문물에는 저항하며 '구별 짓기'를 통해 '문명화'를 시도하고 독자적인 근대를 추구했다는 것이다.

동아시아사 교과서들은 중국이나 한국이 전면적이고 근본적인 서구식의 개혁을 추구하는 데 실패한 것으로, 일본은 '서구화'를 추구해 근대화에 성공

---

29 교육과학기술부, 「동아시아사」, 88쪽.
30 이 장에서는 '서구'라는 용어보다는 '유럽'이라는 용어를 주로 사용했다. 예외적으로 동아시아사 교육과정과 교과서가 '서구'라는 용어를 사용한 경우에만 '서구'라고 표기했음을 밝혀둔다.

한 나라로 설명했다. '근대국가', '근대화 운동' 등의 개념어들을 사용해 설명했지만 중국·한국·일본이 따라 하려 했던 서구 문물이 구체적으로 어떤 것이고 그것이 왜, 어떻게 '근대적'인 것인지에 대한 개념적 설명도 부족할 뿐아니라, 중국이나 조선이 고수하려 했던 정치·경제·사회·문화 체제적 또는 사상적 특징 등에 대해서도 피상적으로 설명하는 데 그쳤다.

따라서 학생들은 동아시아 변혁 주체들이 추구했던 '근대'나 '근대화' 과정을 개념적으로 분석하고 심층적으로 이해하기 어려울 뿐 아니라, 유럽 따라잡기식의 근대화 과정에서 어떤 정치적·경제적·문화적 복합이 이루어졌고 그 과정에서 어떤 근대가 형성되었으며 또 어떤 문제가 파생되었는지에 대해서는 스스로 탐구해볼 기회도 없었다.

사실 이미 중학교 세계사는 서구가 이룬 근대에 대해 사건 중심으로 가르치지만 개념적으로 분석해볼 기회는 주지 않는다. 특히 2007과 2011(2009) 개정 중학교 교육과정의 세계사는 서구의 근대를 국민국가의 산업혁명(산업화)에 초점을 두고 설명했다. 그런데 고등학교 동아시아사에서는 '국민국가', '민족주의', '서구 문물의 수용' 등을 중심으로 동아시아의 근대를 설명했다. 동아시아 근대를 어떻게 설명하든, 서구의 근대를 개념적으로 이해하지 못한다면 현재의 동아시아사 교육과정이 제시하는 청, 일본, 조선 등의 근대화 과정도 이해하기 어렵다. 근대화를 거의 서구화 과정으로 제시하기 때문이다.

그런데 사실 서구화의 과정을 단순히 수용과 동화의 과정으로 요약할 수는 없다. 예를 들면 손승철 등은 '만국공법萬國公法'이나 '사회진화론' 등의 서구 사상의 수용 과정을 설명할 때, 만국공법이나 사회진화론에 대한 서구의 해석과 활용 방식을 먼저 설명한 뒤, 그러한 사상을 청, 일본, 조선 등이 자국의 이해관계나 전통 사상에 기초해 어떻게 번역·활용했는지 제시했다.[31]

손승철 등의 그러한 서술은 문화 번역의 과정을 간단하게라도 이해할 수 있게 한다. 이외에도 철도, 시계, 시간, 도시 등의 서구 문물의 수용 과정에서 정치적·문화적 저항이 있었다는 점을 서술함으로써 이질적인 문화 사이의 접촉이 파생시킬 수 있는 정치권력적, 문화적 갈등에 대해 생각해볼 기회를 주었다.[32]

이러한 정치적·문화적 수용(따라 하기)과 저항(구별 짓기), 그리고 혼합(새로 섞어 만들기) 등의 복잡한 역사 과정으로서 근대화를 심층적으로 탐구해보도록 하기 위해서는 주제 탐구의 형식으로 서구의 근대, 청이나 일본의 근대, 그리고 그들과는 다른 근대화의 길을 걸었던 국가의 사례 등을 비교해서 탐구해볼 기회를 제공할 필요가 있다.

새로운 내러티브를 구성할 때는 세계와 세계 변화 과정을 설명하는 기존 담론과 최근 담론의 지향점에 대한 비판적 분석이 토대가 되어야 한다. 근대의 창안을 유럽의 내적 발달의 논리적 결과라고 해석하는 역사의 지향점을 문제라고 생각한다면, 또 최근 부각되는 다양한 민족들의 역동성과 그들 사이의 상호 관계 및 상호 작용이 만드는 세계 변화의 방향을 설명하고자 한다면, 경계를 가로지르는 문화 복합 과정과 그 결과로 나타나는 혼종에 초점을 맞추는 것이 하나의 방법이 될 수 있다.

나아가, 가능하다면 그 혼종들이 어떻게 세계적으로 비슷하면서도 다른 문제들을 파생시켰고, 각 지역은 그 지역의 역사와 문화적 특성 속에서 그 문제들을 어떤 방식으로 해결하려 했는지, 그 과정에서 어떤 새로운 문화나 제도가 만들어졌는지에 대해 탐구해볼 기회를 주는 것이 '역사 과정'으로서

---

31 손승철 외, 『동아시아사』, 180~181쪽.
32 같은 책, 184~185 쪽.

복합과 겹침을 이해하는 데 한층 도움이 될 것이다.

역사교육과정에서는 비교의 대상을 시·공간적 근접성에 기초해 선정하지만, 대체로 국가 단위의 제도나 문화를 비교하도록 한다. 비교법을 활용한 다수의 역사 연구도 국가나 문명을 비교의 단위로 설정했다. 그런데 비교는 민족(국가) 단위의 역사 서술을 지양하면서 그 대안으로 주목을 받아왔다. 블로크도 국민국가의 독창성을 발견하고 단일 국가만의 고유한 차별성을 확인하는 방식으로 비교법이 사용된다면 이는 종래의 국민국가 단위 역사 서술의 틀을 벗어나기는커녕 강화할 뿐이라고 비판했고, 민족적·국가적 단위 이외의 다른 단위의 역사 서술을 제안하면서 비교법을 제창했다.[33]

초등학교와 중학교 학생들에게 그들의 수준을 고려해 민족(국가) 단위나 문화권 단위에서 병렬 비교의 방식으로 공통성이나 차이성을 분석하도록 요구한다면, 고등학교 단계에서는 학생들에게 국가나 민족 단위 이외에 다른 정치·경제·문화 공동체를 상상하고, 좀 더 복잡한 역사 과정과 다층적인 역사상에 접할 기회를 줄 필요가 있다. 이러한 측면에서 간문화적인 사회문화 과정을 비교할 수 있는 기회가 고등학교 한국사, 동아시아사, 세계사에서 제공되어야 한다.

3. 맺음말

고등학교 한국사, 동아시아사, 세계사는 중학교 역사와 연속적이면서도 차별적인 역사상을 탐구할 수 있는 방향에서 내용을 선정하고 구성할 필요

---

33 고원, 「마르크 블로크의 비교사」; 이진일, 「비교사에서 교류사로」.

가 있다. 중학교 역사의 세계사 영역에서 동아시아사는 문화권 또는 '지역 세계'이다. 그러나 구체적인 교과서 서술에서는 민족이나 국가 역사들의 병렬에 그친다. 동아시아 안, 동아시아, 동아시아 밖과의 역사적 상호 관계는 크게 다루지 않는다. '민족'이나 '지역 세계'가 역사 이해의 단위가 된다. 이러한 중학교 역사를 고려한다면 고등학교 역사는 중학교 역사와는 다른 층위에서 역사를 중층적으로 분석하고, 역사적 쟁점들을 탐구할 수 있도록 내용을 선정하고 구성할 필요가 있다.

학교 역사를 구성할 때 학생들의 수준도 고려해야 하지만, 학생들이 변화하는 세계를 이해하면서 역사를 여러 각도와 층위에서 분석할 수 있게 하는 것도 중요하다. 즉, 현재에 대한 인식과 미래에 대한 전망이 역사교육의 방향 설정에 녹아나야 한다. '쉽고 재미있는 역사'라는 담론에 기초해 역사교육을 '재미있는 이야기'에, 그리고 초·중·고등학교 역사 모두를 종래 단순한 문명사적·민족사적 틀에 가두고 있지는 않은지 성찰이 필요하다. '쉬운 역사'는 '의미 있는 역사'와 함께 추구해야 한다. 현재 세계는 역사가 무엇을 가르치길 요구하는가라는 문제, 어떻게 하면 학생들이 그것을 좀 더 쉽게 학습할 수 있는가의 문제는 함께 고민되어야 한다.

익숙한 것이 쉽기도 하고 안정적이기도 하다. 그러나 익숙한 것을 통해서는 새로운 변화를 따라가지도, 앞서 추구하지도 못한다. 동아시아사는 변화하는 세계에 대한 인식을 토대로 익숙함을 깨면서 새롭게 만든 과목이다. 이러한 과목의 취지를 고려한다면, 동아시아사는 동아시아를 하나의 인식 단위로, 그러면서도 그 내부에 매우 복잡한 정체성의 문제가 있는 공간으로, 또한 동아시아를 폐쇄된 공간이 아닌 다른 지역과 상호 접촉하면서 인류의 역사를 함께 만들었던 '개방적인 다면성'을 지닌 공간으로 이해할 수 있게 가르쳐야 할 것이다.

제2부
역사 연구의 새로운 방법과 역사교육

제 6 장

생활사와 생활사 교육

1908년 전국의 의병은 서울에 주둔한 일본군을 물리치기 위해 서울진공
작전을 준비했다. 그런데 총대장이었던 이인영 장군이 부친상을 당해 작전
지휘를 포기하고 고향에 내려가 장례와 삼년상까지 치렀다는 이야기를 들었
을 때 이인영이라는 사람의 행위가 '이상하다'고 여겼던 적이 있다. 그 당시
사람들에게 이인영의 행위는 당연한 것이었을까?

'근대'로 들어서면서 국가와 민족이라는 대의명분은 제사·결혼·상·가족
행사·연애와 같은 개인적인 일들을 사소한 것으로, 국가적인 사업을 위해
희생할 수 있는 것으로 만들었다. 민족이나 국가적 범위에 영향을 미쳤던 정
치적·사회경제적 사건이나 제도, 현상만이 역사 연구의 '중요한' 대상이며,
태어나고 아프고 결혼하고 자녀를 돌보며 여러 집안일을 하는 사람들의 일
상은 역사적인 문제의식의 대상이 아니었다. 교과서에서 과거 개인의 편지
글이나 일기는 고전문학 작품으로 제시되었을 뿐 역사를 탐구하는 자료로
다루어지지 않았다.

그런데 최근 역사적인 것과 역사적이지 않은 것을 구분하는 기준이 모호

해지고 있다. 특히 1990년대 이후에 독일의 일상사가 소개되고, 국사학계에서 생활사에 대한 연구가 증가하면서, 생활사가 역사교육의 내용과 방법에 대한 논의에 새로운 영감을 불어넣고 있다. 그런데 사실 역사교육계가 '생활사' 교육에 관심을 갖기 시작한 것은 1960~1970년대이다. 역사교육계의 생활사는 국사학계와 내력은 물론 개념도 달리해왔다. 역사교육이 '생활'을 역사 학습의 주요 주제로 삼은 까닭은 무엇이고, 그때 '생활'은 무엇인가? 내용의 범주, 방법, 시각 등의 측면에서 초등학교 교육과정이 제시하는 생활사란 무엇인가? 앞으로 생활사 교육은 어떤 방향에서 논의되어야 하는가?

초등학교 사회과의 역사 영역은 주로 생활사와 인물사에 기초해 구성되어왔다. 따라서 초등 역사교육에 대해 논하기 위해서는 생활사와 인물사 교육에 대한 비판적 검토가 필요하다.

1. 생활사의 개념

1) 역사교육계의 생활사 교육, 그 내력과 개념화

송상헌은 초등학교의 생활사 교육에 대해, 제3차 교육과정 이후 초등학교는 생활사, 중학교는 연대사, 고등학교는 문화사와 사회경제사로 명시적으로 계열을 정한 이래, 제7차 교육과정까지 큰 변화 없이 지속되어왔다고 주장했다.[1] 그런데 김홍수는 초등학교에서의 생활사 교육이 이미 제1차 교육

---

1   송상헌, 「초등학교 역사교육 편제와 내용의 계열화 문제」, ≪역사교육≫, 87집(2003), 94쪽.

과정(1954~1963)부터 시작된 것으로 보았다.[2] 교육과정이나 교육과정 해설을 살펴보면, '생활사'라는 용어는 제5차 교육과정(1988~1992)에서 처음으로 등장한다.[3] 그러나 역사교육 논의에서 생활사라는 용어는 1974년에 발행된 강우철의 『역사의 교육』에서 발견된다. 강우철은 문교부 주관하에 구성되던 국사교육강화위원회의 소위원회(1972)와 제3차 교육과정(1973~1981) 개발에 참여했다. 국사교육강화위원회는 각급 학교의 국사교육 강화를 위한 교육과정 편재 방향에 대해 건의하는 보고서를 작성했고, 이 보고서에 기초해 제3차 교육과정이 개발되었다.

그러나 제3차 교육과정에는 '생활사'라는 용어가 나타나지 않는다. 그럼에도 5학년 역사 영역의 내용 선정과 구성에 '생활'이 중요한 원칙이 되었음을 알 수 있다. 제3차 사회과 교육과정은 초등학교 3학년 때 고장의 역사를 배우도록 하고, 4학년 때 도읍지를 통해 역사상 한국의 국가명과 시대구분에 대해 알도록 했다. 3학년과 4학년의 역사 영역은 지리, 일반사회 등의 다른 영역과 '통합'했으나, 5학년과 6학년의 역사 영역은 국사를 독립시켜 제시했다. 독립된 5학년 국사에서는 '조상의 경제생활', '조상의 문화생활'을 살펴보도록 했고,[4] 6학년 국사에서는 시대순에 따라 국사 전체를 개관하도록 했다.[5]

---

2 김흥수, 『韓國歷史敎育史』(대한교과서, 1992), 191쪽.
3 최석진, 「사회」, 『국민학교 교육과정 해설』(배영사, 1989), 225쪽.
4 이러한 구성은 당시 국민학교 사회과가 명목상 통합 과정이었지만 고학년에서는 광역형으로 내용이 조직이 되었던 것에 기인하며, 또한 제3차 교육과정이 국사교육을 강화했던 방향에서 이해된다. 강우철, 『歷史의 敎育』(교학사, 1974), 148쪽.
5 문교부, 『문교부령 제310호 준거 국민학교 교육과정 해설』(교학도서주식회사, 1973), 170~173쪽.

강우철은『역사의 교육』에서 초등학교 역사 영역의 학년별 구성을 "4학년에게 고적, 위인, 문화재를 내용으로 하고, 5학년에게 생활사를 다루며, 6학년은 의무교육의 최종 학년이라는 의미로서 시대적 조직이 적절하다"고 주장했다.[6] 강우철이 말한 생활사란 곧 5학년의 '경제생활의 발전'과 '문화생활의 발전' 단원을 지칭하는 것이다. 좀 더 구체적으로 말하자면, 당시『국민학교 교육과정 해설』은 '경제생활의 발전'에서는 "농업, 공업 등의 생산 방식의 발전과 교통, 통신 등 경제활동의 발자취를 다루되, 연대에 크게 구애하지 않고, 조상의 생활에 관심과 애정을 갖는 데 중점"을 두며, '문화생활의 발전'에서는 "학문, 교육, 종교 등 문화 활동과, 우리가 알아두어야 할 명절, 풍습에 대한 학습"을 포함한다고 설명했다.[7]

제5차 사회과 교육과정에서는 다음의 진술처럼 5학년의 역사 영역에 대해 생활사라는 용어를 사용했다. 제5차 교육과정(1988~1992)은 생활사를 5학년의 "가족, 사회, 산업, 기술, 종교, 예술"로 제시했다.

3학년에서는 우리 고장의 옛날과 오늘, 우리 고장의 전통 등을 통하여 고장의 변화를 이해하게 하고, 4학년 수준에서는 시·도의 내력뿐만 아니라 우리나라의 내력까지 살펴보도록 하며, 5학년에서는 문화 생활사를 이해하고, 6학년 수준에서는 우리의 역사를 근세사 중심으로 이해하도록 하고 있다.[8]

윤종영도 제5차 초등학교 사회과 교육과정의 역사 영역에 대해 설명한 글

---

6   강우철,『歷史의 教育』, 155쪽
7   문교부,『문교부령 제310호 준거 국민학교 교육과정 해설』, 170쪽.
8   문교부,『문교부령 고시 제87-9호 국민학교 교육과정해설』(교육과학사, 1987), 280쪽.

에서, 생활사라는 용어를 5학년 역사와 관련해 다음과 같이 사용했다.

- 3~4학년에서는 사례사: 내력, 유물, 향토 자료를 중심으로 역사에 대한 흥미, 관심 유발
- 5학년에서는 생활사: 가족, 사회, 산업, 기술, 종교, 예술, 등의 주제를 중심으로 발전적 계열을 파악
- 6학년에서는 인물 사건사: 주요 인물과 사건을 중심으로 시대의 윤곽과 특징, 역사 발전에 기여한 조상의 노력 이해[9]

그런데 윤종영은 생활사라는 용어를 사용해 국민학교(현재 초등학교) 역사 영역의 전반적인 특징을 설명하기도 했다. 윤종영은 제4차 교육과정 역사 영역(1981~1988)의 특징 가운데 하나로 "학교급별 계열성을 정립했다"는 점을 들고 있다. 그리고 다음과 같이 설명했다.

국민학교에서는 생활사 중심, 중학교는 정치사 중심, 고등학교의 문화사 중심의 국사 내용을 보다 심화해 학교급별의 계열성을 뚜렷이 했다. 즉, 국민학교는 우리 생활 주변에서 볼 수 있는 사물이나 사건의 생활사적 접근이나 사례를 통해 금석 비교 능력을 길러 주도록 구성하였다.[10]

윤종영이 말한 생활사란 현재 주변에서 볼 수 있는 사물이나 사건을 중심으로 과거의 사물이나 사건을 다루는 것이다.

---

9   윤종영, 「「국사」 敎科書의 編纂方向」, ≪역사교육≫, 48집(1990), 180쪽.
10 윤종영, 「新敎育課程 社會科의 歷史學 內容의 特性」, ≪사회과교육≫, 16호(1983), 64~65쪽.

이러한 생활사 용례들을 종합해보면, 초등학교 교육과정에서 생활사라는 용어는 크게 두 가지 용법으로 사용되었다는 것을 알 수 있다. 첫째, 정치사, 경제사 등과 같은 분류사의 관점에서 생활사를 하나의 분야사로 보는 것이다. 이는 주로 제3차 교육과정 이후 5학년에서 제시된 '경제생활의 발달'과 '문화생활의 발달' 부분을 칭한다. 이때 생활사는 1990년대 이후 국사학계에서 분류사의 관점으로 연구되고 있는 생활사와 같은 내용은 아니다. 특히 '산업의 발달'과 관련된 부분은 현재 역사학계에서 논의되는 생활사와 전혀 관련성이 없다. 둘째, 초등학교 사회과 전체가 '생활'과 밀접한 주제를 중심으로 그 내용이 구성되도록 했고, 이러한 맥락에서 역사 영역도 내용 구성의 기본 개념으로 '생활'을 채용하면서 생활사라고 칭한 것이다. 이때 생활사는 단지 5학년의 특정 주제만이 아니라 역사 영역 전체의 성격을 대표한다.

첫 번째 관점의 생활사, 즉 분야사의 관점에서의 생활사 교육은 강우철에 따르면 제3차 교육과정(1973~1981)에서 시작되었다. 그런데 김홍수는 제2차 교육과정(1963~1973)에서 시작된 것으로 서술하고 있다.[11] 확실한 것은, 제3

11　김홍수는 제2차 교육과정의 역사 영역에 대해 "3, 4학년에서는 향토사적인 접근을 했고, 5학년에서는 생활사를, 그리고 6학년에서는 통사적으로 국사의 내용이 구성되었다"고 서술했다. 김홍수, 『韓國歷史教育史』, 224쪽. 그리고 김홍수는 제3차 교육과정에서는 "3학년에는 고장을 중심으로 하는 향토사, 4학년에는 시, 도를 중심으로 하여, 특히 옛날의 도읍지를 학습함으로써 향토사와 생활사 및 국사의 일부, 5학년에는 산업사와 문화재를 중심으로 한 문화사, 6학년에서는 국사 전체를 간략한 통사로 그 학습 내용을 구성했다"고 주장했다. 제3차 교육과정의 5학년 역사 영역에 대해 강우철은 '생활사'라고 표현하고 있으나, 김홍수는 '산업사'와 '문화사'로 표현했다. 그런데 김홍수는 제4차 교육과정에 와서 다시 3학년은 향토사 중심, 4학년은 향토사적 접근을 바탕으로 우리나라 역사의 기초적인 이해, 5학년은 경제 및 사회생활을 중심으로 하는 생활사적인 접근, 6학년은 국사라고 서술하고 있다. 요컨대 김홍수는 생활사라는 용어를 교육과정 시기에 따라 달리 쓰고 있지만, 기본적으로 5학년의 '경제 및 문화생활의 발

차 교육과정을 개발했던 당사자들이 생활사라는 용어를 분야사의 관점에서 사용했다는 것이다.[12] 그런데 제3차 교육과정기 이후, 생활사라고 분류되어 왔던 '경제생활의 발전'이라는 주제가, 제1차와 제2차 교육과정기에는 '기계발달과 산업'이라는 주제로 제시된 것을 볼 수 있다. 제1차 교육과정의 경우 산업의 발달에서 주로 다룬 것은 '산업혁명'이고, 제2차 교육과정의 경우 '우리나라의 근대 공업'에 관한 것이다. 제1차 교육과정기의 내용은 이질적이지만, 제2차 교육과정의 '우리나라 근대 공업'이라는 단원은 제3차 교육과정기 '경제생활의 발전'에서 다루도록 했던 내용과 부분적으로 일치한다. 따라서 '경제생활의 발전'이라는 단원을 중심으로 보자면 분야사적 관점의 생활사는 제2차 교육과정에서 그 기원을 찾을 수 있다. 제1차 교육과정기에 '근대사회'의 특징을 설명하기 위해 '기계의 발전과 산업'이라는 단원이 역사적 시각에서 개발되었다. 그런데 이 단원은 제2차, 제3차 교육과정기를 거치면서 경제개발에 총력을 기울였던 당시의 독특한 국가적·사회적 요구에 부응해 '경제생활의 발전'이라는 단원으로 체계화되었다. 이 단원을 통해 '근대화된 현재'의 모습을 학습하도록 강조하기 위해 '우리나라 근대 공업의 발전'을 다루게 한 것이다.

'문화생활의 발전'이라는 단원은 '경제생활의 발전'이라는 단원과 달리 제3차 교육과정의 5학년에서 처음으로 등장했다. 이 단원 역시 당시 '민족문화 창달'을 주요 국정 과제로 여겼던 사회적 배경 속에서 등장한 단원으로 보인

달'과 관련된 단원을 생활사로 인식하고 있었던 것으로 보인다. 김흥수, 『韓國歷史敎育史』, 253쪽.

12 제3차 교육과정에서 5학년 역사가 분야사로 구성되었다는 점은 이 시기 국사교육에 대해 논했던 다른 논문들에서도 확인된다. 예를 들면 김철, 「국사교육과정의 계열성」, ≪사회과교육≫, 7호(1974), 5~6쪽이 있다.

다. 따라서 '문화생활의 발전'이라는 독특한 단원을 중심으로 생활사를 정의한다면, 생활사 교육의 본격적 시작은 제3차 교육과정이라고 할 수 있다.

제3차 교육과정의 5학년 '경제생활의 발전'에서는 농업·상업·화폐의 발달 등을 다루도록 되어 있었다. 그런데 이러한 주제들은 단지 과거와 오늘날을 대비하고 있을 뿐, 역사적으로 특정 시대의 경제제도, 관계, 생활이나 그 변화 양상을 이해하도록 유도하지는 않는다. 이 단원의 주된 취지는 오늘날 농업과 상업을 비롯한 경제 영역이 과거에 비해 획기적으로 변화하고 발달했다는 것을 보여주는 데 있다. '문화생활의 발전'에서는 문화사의 관점에서 '문화'를 '인간의 사상과 행위에 의해 생산된 것'으로 보면서, 문화의 내용으로서 학문, 교육, 종교 등을 다룬다. 그러나 '경제생활의 발전'과 마찬가지로 오늘날의 문화를 설명하는 데 그 초점이 있다. 요컨대 이 두 단원은 외형적으로는 역사의 틀을 갖추고 있으나, 그 취지는 과거에 대한 이해 또는 시간에 따른 변화보다는 주변에서 확인할 수 있는 현재의 발전에 대한 이해를 주된 목적으로 한다.[13]

제3차 교육과정의 생활사 단원은 제4차 교육과정과 제5차 교육과정에서 "산업의 발달"이라는 단원으로, "문화생활의 발전"이라는 단원은 제4차 교육과정에서 "우리나라의 학문과 기술의 발달", 제5차 교육과정에서 "우리 문화생활의 발달"이라는 단원으로 계승된다. 제6차 교육과정(1992~1997)에 와서는 "산업의 발달"이라는 단원이 학습 내용 축소라는 취지하에 삭제되고, "우리 민족의 문화생활"이라는 단원만 남는다. 이 단원은 제7차 교육과정에서

---

13 5학년 국사의 이러한 원칙은 1972년 문교부 주관으로 구성된 국사교육강화위원회에서 제출한 보고서의 건의와도 일치한다. 이 위원회는 보고서에서 "5학년에서는 산업 경제와 관련된 역사적 내용을 중심으로 국민 생활의 발달 과정을 이해하고, 현재와의 연관성이 있음을 알게 한다"고 서술했다. 강우철, 『歷史의 敎育』, 151쪽 재인용.

"우리 겨레의 생활문화"로 발전한다. 제6차 교육과정까지의 '문화생활'의 내용에는 학문, 기술, 종교 등이 함께 포함되어 있다. 제7차 교육과정에 이르러 학문과 관련된 내용이 사라지고 생활 도구과 과학기술, 신앙과 종교를 중심으로 생활사가 구성된다. 내용은 조금씩 달라졌지만, 제3차 교육과정 이후 '문화생활' 단원에서 의식주, 종교, 건축, 예술 등의 내용은 민속학, 건축사, 예술사와 관련성을 보인다. 2007 개정 교육과정에서 역사·지리·일반사회 영역이 재편되면서 3학년 과정이 세 영역을 통합하는 단원들로 구성되었고, 4학년과 6학년에서 지리와 일반사회를 함께 가르쳤으며, 5학년 과정이 역사 영역으로 독립하게 되었다. 이러한 재편 과정에서 종래 5학년에서 가르쳤던 '생활사'는 과거 속으로 사라지게 되었다. 2011(2009) 개정 교육과정 이후 초등학교가 인물 중심의 통사로 역사를 가르치도록 하면서 생활사는 점점 축소되는 추세를 보인다.

두 번째 관점의 생활사, 즉 '생활'을 역사 내용 구성의 중심 개념으로 설정하는 생활사의 기원을 김흥수는 제1차 교육과정에서 찾는다. 김흥수는 제1차 교육과정의 국민학교 역사의 내용 체계를 보면서 그 특징을 "역사 전체에 대한 이해보다는 현재의 생활과 역사를 관련시켜 민족사를 이해하는 생활사 중심의 접근과 함께 문화사적인 접근 방법을 택하고 있음을 알 수 있다"고 주장했다.[14] 그런데 사회과 교육에서 '생활'이 내용 구성의 중요한 개념으로 등장하기 시작한 때는 교수요목기(1946~1954)로 거슬러 올라간다.

'생활'이라는 용어는 미군정하에서 일제의 식민 교육 잔재를 청산하기 위한 '민주주의 교육'의 대명사로 등장했다. 당시 교육 개편에서 핵심적 역할을 했던 인사들은 미군정과 뜻을 같이 하면서 민주주의의 확산을 교육의 제일

---

14 김흥수, 『韓國歷史敎育史』, 191쪽.

목표로 삼았다. 그리고 민주주의 확산을 위한 교육의 주안점으로 "개인이 현실 생활을 개선하고 사회 적응을 도모할 수 있는 '생활의 도야'"에 두었다.[15] 이때 '생활'은 단지 사회과만이 아니라, 교육과정, 교수법, 직업교육, 생활지도에 이르는 교육 전체를 구조화하는 기본 개념이었다. 사회생활과에는 단지 역사, 지리, 공민뿐 아니라, 직업교육으로서 농업에 관련된 내용도 포함되어 있었다.

교수요목기 사회과에서 '생활'의 개념은 '생활 중심(경험 중심)' 교육관과 관련이 있다. 생활 중심 교육관은 역사, 지리, 공민의 통합교과로서 사회생활과가 성립된 제1차 교육과정기에도, '사회과'로 개칭했던 제2차 교육과정 개편에서도 지대한 영향을 미쳤다. 생활 중심 교육과정은 학생들이 살아가게 될 사회에 대한 이해와 적응, 그리고 사회 개선에 요구되는 기능이나 지식을 가르치는 것을 중요하게 여겼다. 그리고 생활 중심 교육관에 기초한 사회과는 민주주의 사회에 알맞은 시민의 양성, 공동생활에서 책임과 의무를 이행할 줄 아는 생활인 양성을 주된 목적으로 했다.[16]

제1차 교육과정에서는 생활 중심 교육과정이 정면으로 부각되지는 않았지만 개발의 전제로 깔려 있었다.[17] 이러한 점은 제1차 교육과정이 "사회생

---

15 이강훈, 「新國家建設期 '새교육운동'과 생활교육론」, ≪역사교육≫, 88집(2003), 105쪽.

16 교수요목기 생활 중심 교육관에 입각한 사회생활과 교수 방침은 다음과 같은 교수 방침을 통해 구현되도록 했다. "단체 생활에 필요한 정신, 태도, 기술, 습관을 양성함. 단체 생활의 모든 관계를 이해하게 하며 책임감을 기름, 사람과 환경과의 관계를 이해하게 함. 우리나라의 역사와 제도에 관한 지식을 얻게 함. 우리나라에 적의한 민주주의적 생활 방법에 관한 지식을 함양함. 실천을 통하여 근로정신을 체득케 함." 김홍수, 『韓國歷史敎育史』, 179쪽.

17 1952년 문교부 장학관이던 심태진은 "교과 커리큘럼을 경험교육과정으로 개조하는 것이 되어야 한다"고 주장했고, 1954년에는 「새교육의 진로」라는 글에서 새로운 교육과

활과의 목표"에서 역사와 관련된 목표로 "각종 제도, 시설, 습관 및 문화유산이 우리 생활에 있어서 여하한 의의를 가지는가를 이해시키어 이를 이용하고 개선하는 능력을 기른다"[18]고 제시한 것에서도 확인할 수 있다. 역사교육에서도 현재의 생활을 이해하는 데 주된 의미를 부여했던 것이다.

제2차 교육과정에서는 제1차 교육과정에 생활 중심 교육이 제대로 반영되지 못해 교육과정이 실생활과 유리되었다고 반성하면서 생활 중심 교육과정을 정면에 내걸었다.[19] '총론'은 이러한 취지에서 교과의 내용보다는 학생의 경험을 중심으로 교육과정을 마련했다는 점을 밝히고 있다. '생활'은 내용면에서 '자주성', '생산성', '유용성'을 구현하도록 했다.[20] 제2차 교육과정까지는 사회과 교과의 내용 편재에서 '생활'이라는 용어가 직접적으로 등장하지 않는다. 단지 사회과 교육과정 내용 구성의 기본 원리로서 '생활'이 표방되었으며, 그 원리는 학생들이 생활에 적응하고 생활을 개선하는 데 도움이 될 수 있는 내용을 선정하는 기본 틀로서 작동했다.

역사에서 '생활'의 원칙은 제2차 교육과정 부분 개정(1969)에서 '민족'이라는 틀에 의해 압도되기 시작한다. 제1차 교육과정이 역사 영역에서 '문화유산이 현재 생활에서 갖는 의의'를 이해하도록 했던 것과 달리, 제2차 교육과정 부분 개정에서 역사 영역은 '민족적 자각'과 '민족의 발전'이라는 목표를

정은 우리의 현실에 입각하고, 민주주의적인 것이어야 하며, 생활 경험을 중심으로 구성되어야 한다고 주장하기도 했다. 劉奉鎬, 『韓國敎育課程史 硏究』(교학연구사, 1992), 311쪽.

18 문교부, 『국민학교 교육과정』(1955), 47쪽.

19 교육인적자원부, 『교육부 고시 제1997-15에 따른 초등학교 교육과정 해설 III: 국어, 도덕, 사회』, 229~230쪽.

20 김흥수, 『韓國歷史敎育史』, 218쪽.

강조했다.[21] 6.25 전쟁 및 냉전 체제, 4.19 혁명과 5.16 군사쿠데타라는 일련의 정치적 사건들은 민족 자주의 이념을 사회적으로 고조시켰다. 이러한 분위기는 민족문제에 관심을 집중시켰고, 자주의식과 민족의식의 함양이라는 담론을 강화하는 역할을 했으며, 이러한 담론의 틀에서 역사교육이 조직되었다. 제2차 교육과정 부분 개정에서는 '국적 있는 교육'과 '민족 주체성'을 표방하면서 민족의식의 고취가 역사교육의 주요 과제로 강조되었다. 이러한 과제는 6학년 역사에서 '애국 애족 정신'을 단원명으로 내세우는 등 민족주의적 관점을 강화한 것에서도 확인할 수 있다. 이러한 변화를 역사교육이 생활 중심 교육과정의 틀을 벗어나 독자적인 행보를 취한 것으로 해석할 수도 있고, 민족문제를 중심으로 생활 중심 교육과정이 요구했던 당시 생활의 이해와 개선의 측면을 풀어가려 했던 것으로도 해석할 수 있다. 중요한 것은 당시 민족의식 함양 담론이 내용 구성에 중요한 영향을 미쳤다는 점이다.

그런데 제3차 교육과정은 '생활'이라는 용어를 단원 구성에 직접 사용해 거의 모든 학년의 역사 영역을 '생활'로 체계화시켰다. 그런데 제3차 교육과정은 생활 중심 교육과정을 지양하고, 지식의 구조와 탐구 능력을 중시하는 학문 중심 교육과정 이론에 기초했다. 따라서 제3차 교육과정에서는 제롬 S. 브루너Jerome S. Bruner의 '지식의 구조'가 내용 구성 원리로서 강조되었고, 탐구 학습이 강조되었다. 이 과정에서 사회과의 '생활'이라는 개념은 '생활 중심' 교육과정의 취지를 벗어나게 된다. 그럼에도 불구하고 '생활'이라는 용어는 오히려 초등학교 사회과 내용 체계에 전면적으로 부각되면서 체계화된

---

21 역사교육의 목표가 "우리나라의 사회적인 제도, 생활 풍습, 고유문화 등에 대하여 그 변천 발전의 모습을 이해시킴으로써 올바른 민족적 자각을 가지고 민족의 발전을 위하여 이바지하려는 태도와 능력을 기른다"가 된 것이다. 문교부, 『1969년 9월 개정 국민학교 교육과정』, 문교부령 제251호 별책(배영사, 1969), 79쪽.

다. '생활'이라는 용어는 내용 면에서 초등 사회과와 중등 사회과를 차별화하는 전략적 도구로 사용되었다. 제3차 교육과정 해설은 '학습 소재 선정의 원칙'을 다음과 같이 서술했다.

아동의 학습 동기, 아동들의 인식, 사유, 감수 능력의 미발달 단계에서는 학습 소재는 아동 자신의 동기의 긴절성을 고려하여 선정되어야 한다. 주지 교과에 있어서 학문적인 배경의 중시와 더불어 최근 아동 생활과의 관련성이 다시금 재강조되기 시작한 것도 이와 같은 사실의 재발견에 연유되는 것이다.[22]

요컨대 교수요목, 제1차와 제2차 교육과정에서 '생활'은 생활 중심 교육관과의 관련 속에서 사회과에 도입되기 시작했다. 이때 '생활'은 교육과정 조직의 원리로서, 그리고 교수법의 지침으로서 현재 생활에 대한 이해와 적응, 생활 개선의 이바지라는 교육사상과 관련된 것이었다. 그러나 제3차 교육과정에 들어와서는 학문 중심 교육과정에 기초하는 동시에, 초등학교는 생활사 중심, 중학교는 정치사 중심, 고등학교는 문화사 중심이라는 역사교육의 계열화를 추구하게 된다. 그 과정에서 '생활'이라는 개념은 사회과 내용 요소들의 실생활과의 직접적 관련성이라는 관점에서 수용·해석되었다. 역사교육에서는 과거 생활과 관련된 소재들을 여러 학문 분야에서 찾는 가운데 민속학, 복식학, 건축학, 역사학 등의 연구 성과들에 기초해 생활사가 개념화되었고, 생활사 교육의 주된 목적은 민족의식 함양, 전통문화 교육의 측면에서 제시되었다. 요컨대 초등학교 생활사 교육은 역사학계나, 민속학계의 연구 성과에 기초해 개념화된 것이 아니라, 사회과의 통합의 원리에 기초해 조

---

22 문교부, 『문교부령 제310호 준거 국민학교 교육과정해설』, 145쪽.

합되고 개념화된 것이다. 이에 따라 제7차 교육과정 이전 시기에는 생활사라는 용어를 통해 역사교육의 방향을 표방했지만, 그 본질이나 내용 선정 및 조직 원리, 접근 방법은 역사학의 연구와는 무관하게 초등 사회과 역사 영역의 독특한 문제의식에 기초해 개발되었다.

2) 역사학계와 민속학계의 생활사 연구

역사교육계의 생활사는 서양사학계의 일상사나 한국사학계의 생활사와는 다른 개념으로 시작되었다. 그러나 최용규는 제7차 교육과정에 입각한 사회과 교과서를 개발하면서 서양사학계의 일상사, 미시사, 신문화사 등의 이론들을 배경으로 초등학교 '생활사'를 정의했다.

안병직은 독일 일상사에서 '일상'의 개념을 두 가지로 제시한다.[23] 하나는 "의식주처럼 가장 기본적인 물질적 삶의 형태로서, 매일매일 반복되고 지루하게 계속되며 별다른 성찰 없이도 일어나는 행위들로 이루어진 세계이다. 비록 고립되고 고정된 세계는 아니지만 긴장과 갈등이 해소되고, 안정과 평온이 유지되는 세계"이다.[24] 다른 하나는 "물질적 삶이 습관화된 형태로 진행되는 폐쇄적인 세계가 아니라, 사람들이 계층 혹은 계급별로 특수한 문화적 생활방식에 따라 사회적 삶의 현실을 끊임없이 경험하고 해석하면서, 지속적으로 파생되는 긴장과 갈등 속에서도 부단하게 현실에 대한 변화를 모색하는 영역"이다. 그러나 문기상은 독일의 일상사에서 일상의 개념은 다양해 통일적인 개념으로 정의하는 것은 불가능하다고 주장한다.[25] 또한 역사

---

23 안병직, 「일상의 역사란 무엇인가」, 『오늘의 역사학』(한겨레신문사, 1998), 28쪽.
24 같은 글, 28쪽.

연구의 대상·방법·이론이 널리 합의되지 않았다는 점도 지적한다.

안병직과 박영태는 독일의 일상사의 등장에 대해 인간의 행위보다는 사회 구조와 거대 과정을 통해 역사의 변화를 설명하는 사회과학적 역사학에 대한 반작용으로 설명한다.[26] 일상사는 기술의 진보, 경제성장, 생활수준의 향상, 문화적 혜택의 확대, 정치의 민주화 등이 서로 유기적으로 연결되어 진행된다는 근대화 이론의 틀 내에서 '진보'의 양상에만 초점을 맞추었던 역사 연구가, 정작 근대화 과정이 초래한 희생·비용·소외·상실, 그리고 기술의 진보가 가져온 파괴 등에 대해 무관심하고, 나아가 그것들을 은폐하는 데 일조했다는 비판 의식에서 출발했다.[27] 일상사 연구자들은 역사적 사회과학이 근대화, 산업화, 합리화, 도시화 등으로 개념화되는 거대한 구조적 변화 과정에 초점을 맞추었으며, 근대화·산업화·합리화 과정을 역사적 진보의 실현 과정으로 동일시하는 잘못된 믿음을 추구했다고 비판했다. 또한 거대한 변화에 맞서 전통적 규범과 가치를 지키려는 저항이 있었음을 간과하거나, 그러한 저항을 단지 불가역적인 것을 거스르려는 시대착오적인 행위로만 파악하는 오류를 수정하겠다는 의지도 있었다. 일상사는 역사적 사회과학이 행위 하는 인간을 구조와 떨어져 존재하는 구조의 산물로 보는 인식을 문제화하면서, 구조 자체보다는 구조나 구조적 변화에 대한 인간의 인식과 경험 그리고 해석에 더 큰 관심을 갖는다.

그런데 문기상은 정치 현상의 측면에 무게를 두어 일상사의 등장을 설명

---

25 문기상, 「일상생활사」, ≪역사교육≫, 57집(1996), 55쪽.

26 안병직, 「한국 생활사 연구의 성과와 과제」, ≪역사학보≫, 213집(2012), 415쪽; 박영태, 「역사인류학의 방법에 대한 연구: 독일 일상사 방법의 모델을 중심으로」, ≪성대사림≫, 10권(1994), 101~108쪽.

27 안병직, 「'일상의 역사'란 무엇인가」, 31~33쪽.

한다. 즉, '노동계급의 진보적·정치적 행위에 관한 현저한 불확실성'과 '노동계급의 구조적 해체'가 일상사 등장의 배경이라는 것이다. 노동계급의 정치적 보수성을 어떻게 설명해야 하는가라는 문제의식이, 구조나 계급이라는 분석 단위가 가렸던 개별적인 행위와 그 행위의 배경이 된 문화 등을 신문화사, 인류학, 민족지학적인 방법을 통해 해명하도록 했다는 것이다. 즉, 일상사는 사회과학적 역사학이 설명하지 못했던 현상들을 설명하기 위한 개념, 관점, 시각 등을 제공한 것이다. 일상사는 역사적 사회과학과 차별화된 연구방법과 문제의식을 통해서, 사회사와는 다른 독자적 패러다임으로서의 입지를 구축하려는 듯했다. 그러나 전체사의 결여는 일상사에 사회사의 보충사 이상의 의미를 부여할 수 있는가라는 회의와 비판에 직면하게 한다. 그리고 독일의 많은 역사가들은 일상사를 사회사의 한 범주로 다루기도 한다.[28]

한국의 생활사는 역사 연구의 방법 측면에서, 그리고 정치적 문제의식 측면에서도 독일 일상사와 태생을 달리한다. 한국사학계에서 생활사 연구들이 눈에 띄게 늘어나기 시작한 것은 1990년대 중반 『조선시대 생활사』와 '…… 어떻게 살았을까' 시리즈, '한국생활사박물관' 시리즈 등 다양한 생활사 관련 책들이 출판되면서부터이다. 종래 한국사학계는 '생활'을 복식, 제도, 경제, 사회 등에 대해 연구하면서 부분적으로 다루었을 뿐, 하나의 독립적인 연구 분야나 방법으로 보지는 않았다. 이러한 책들은 생활사의 개념을 명확하게 정의하지 않은 채, 종래의 사회사의 관점에서 생활 관련 내용을 소개하거나, 종래 역사학에서 비본질적인 부분으로 간주되었던 소재들을 중심으로 특정 시대의 생활 국면에 대해 서술했다.

그런데 1990년대 중반 이후 생활사 연구가 늘어나면서, 종래 생활사 연구

---

28 문기상, 「일상생활사」, 60쪽.

성과를 기반으로 생활사를 하나의 연구 분야로 정의하려는 시도가 이루어졌다. 우인수는 생활사를 "인간의 일상적인 생활모습과 생활양식 그리고 그 변화상을 추구하는 역사 연구의 한 분야"로 정의한다. 여기서 "생활 모습은 겉으로 드러나는 생활의 구체적인 양태를 의미하고, 생활양식은 그 저변에 흐르는 일정한 방식"이다.[29] 그는 "생활사 연구는 개인이나 계층의 구체적인 삶, 혹은 어떤 생활문화의 구체적 모습들을 종합적으로 분석 정리함으로써 삶의 실체를 좀 더 생생하게 전달해줄 수 있다는 장점이 있다"고 주장한다.[30] 우인수가 보는 생활사란 하나의 분야사로서 '생활'과 관련된 과거인의 경험이다. 그는 민속학, 복식사, 제도사 등의 분야에서 부수적으로 연구되던 '생활'을 역사학에서 하나의 연구 분야로 독립시켜서 생활사로 정의하고, 생활사 연구의 범주를 제시한다. 그가 제시한 생활사 연구의 범주는 '가정생활', '의식주 생활', '사회생활', '신앙생활', '여가생활', '기타: 언어생활, 의료생활, 노동생활' 등이다.

이수건은 생활사의 연구 대상과 영역을 제한하고, 접근 방법을 달리함으로서 생활사의 학문적 독자성을 확보하려 한다. 『조선시대 생활사 2』(2000)에서 그는 진정한 의미의 생활사 서술을 위해서는, 국가적 간섭이 적고 개인이 서로 접촉하면서 재화와 서비스를 교환하는 사적 생활 영역을 중심으로 역사를 서술해야 하며, 생활사를 통해 전체적인 시대상을 재현해야 한다고 주장한다. 이러한 관점에서 그는 출산, 육아, 위생, 부부생활, 약국, 질병 등과 같이, 종래 중요하게 여기지 않던 다른 항목들을 생활사의 관심 분야로

---

29 우인수, 「조선시대 생활사 연구의 현황과 과제」, ≪역사교육논집≫, 23·24권(1999), 825쪽.
30 같은 글, 852~853쪽.

추가한다. 이수건은 생활사가 학문적으로 독자성을 갖기 위해서는 "영웅호걸 중심이나 제도사적인 역사 서술에서 벗어나 사회 구성원 다수를 차지하는 일반인들의 살아가는 모습을 생생하게 복원하면서도 그 시대의 전체적인 시대상을 보여주는 '사회 구성 되어야 한다"고 주장한다.[31] 우인수가 여러 계층의 생활들을 다룰 것을 제안했다면, 이수건은 피지배층인 '일반인 다수'의 '사적 영역'으로 연구의 범위를 제한한다.

정연식은 『일상으로 본 조선시대 이야기』(2001)에서 '일상'이라는 용어를 '생활사'에 접목시키는 가운데 생활사를 전혀 새로운 관점에서 정의했다.[32] 정연식은 생활사를 "반복되는 사소한 것들의 역사"로 정의한다. 종래 역사에서는 반복되는 일상을 역사적 사유의 대상으로 여기지 않았다. 중앙정치나 사회구조와 같은 거대한 변혁이 역사 연구의 중요한 주제가 되어왔기 때문이다. 그러한 변혁 담론의 관점에서 볼 때, '일상'은 역사에서 비본질적인 측면으로 간주되었다. 정연식은 반복되는 일상적인 생활로서 '아침 먹기', '신고식', '구경하기'등의 주제를 다루고 있다. 정연식의 '일상'이라는 표현은 독일 일상사의 영향을 받은 것으로 보인다. 정연식은 일상이 반복성과 지속성을 특징으로 하며, 비록 고립되고 고정된 세계는 아니지만 긴장과 갈등이 해소되고, 안정과 평온이 유지되는 세계로 보았다.[33] 그러나 안병직은 독일 일상사의 '일상'이, 정적이지 않은 역동적 세계로서 한국 생활사 연구의 '일상'과는 다르다고 선을 그었다.[34] 문기상이 독일 일상사에서 일상이라는 개념이

---

31 이수건, 『조선시대 생활사 2』(역사비평사, 2000), 5쪽.
32 정연식, 『일상으로 본 조선시대 이야기』(청년사, 2001).
33 곽차섭, 「'새로운 역사학'의 입장에서 본 생활사의 개념과 방향」, ≪역사와 경계≫, 45집(2002), 166쪽.
34 안병직, 「한국 생활사 연구의 성과와 과제」.

모호할 뿐 아니라 다양하다고 했던 지적을 떠올려서 '일상'의 개념에 대해 논의할 필요가 있다.

한국사학계의 생활사는 일상사와 비슷한 연구 방법을 취하고 있지만, 그 연구가 그리는 역사의 지형은 좀 다르다. 우선 보통 사람들의 일상생활을 생생하게 그려내고자 한다는 점, 종래 역사 연구에서 주로 이용되었던 관찬 자료나 규범적 성격의 자료 이외에 일기, 문집, 소설, 야사, 그림 등 다양한 개인 문서와 문학 작품까지 사용하고 있다는 점, 그리고 분석적·설명적 서술 방식이 아닌 이야기체를 지향하고 있다는 점에서 독일의 일상사와 한국의 생활사는 비슷한 연구 경향을 보인다.[35] 또한 마을, 가족, 개인 등의 사례연구로 집중되고 있다는 점도 비슷하다. 그런데 일상사가 근대주의적 접근에 대한 비판 의식에 기초해 근대 중심의 거대사가 소외시켰던 전통적인 생활 문화에 눈을 돌리고, '구조 자체보다는 구조나 구조적 변화에 대한 인간의 경험과 그 경험에 대한 해석'에 집중하는 반면, 한국사학계의 생활사는 아직까지는 사회사의 문제의식의 연장선상에 있으며 구조나 구조 속에서의, 우인수의 개념을 빌리자면 '생활 모습'과 '생활 양상'을 서술하는 사회사적 생활사의 틀 안에 있다.[36] 이해준은 이러한 사회사적 생활사의 틀을 민속학 연구와

---

35 곽차섭은 국사학계의 대표적인 '생활사' 저서들을 검토하고, 국사학계에서 생활사의 개념에 대해 어떻게 생각하고 있는지 그 대략적 경향을 다음과 같이 요약했다. ① 생활사는 보통 사람들의 일상적으로 살아가는 모습을 '생생하게' 그려내면서, 동시에 반복되는 일상의 저변에 존재하는 구조나 패턴까지도 연구의 대상으로 삼는다. ② 국가적·공적 측면보다는 개인의 사적 측면에 초점을 둔다. ③ 사례연구를 지향한다. ④ 사료의 범위를 종래의 관찬 자료나 규범적 성격의 자료를 넘어서 일기, 문집, 잡기, 소설, 야사류 등 문학 자료, 나아가서는 서화류까지도 망라하는 쪽으로 대폭 확대한다. ⑤ 분석적인 서술 방식보다는 이야기체를 지향한다. 곽차섭, 「새로운 역사학의 입장에서 본 생활사의 개념과 방향」, 166~167쪽.

접목해 확대시킬 필요를 강조하기도 한다.[37]

　민속학계의 생활사 연구는 그 역사가 거의 50년이 넘는다. 민속학은 근대적 학문이지만, 그 관심은 전근대사회에 있다.[38] 민속학은 과거의 것이든 오늘날의 것이든 이른바 생활의 영역들을 다루었고, 연구의 초점은 주로 근대사회로 전환된 이후에도 지속되고 있는 '오래된 습관', '오래된 풍속'에 맞추어졌다. 장철수는 종래 민속학에서 연구되어온 생활사의 범주를 사회민속(가족과 친족, 마을), 경제민속(의식주생활, 생업과 기술), 의료민속, 언어민속(신화, 설화, 전설, 민담, 민요, 무가, 판소리, 속담, 수수께끼), 의례, 연희민속(평생 의례, 세시 의례, 연희, 놀이), 신앙민속(가정과 마을의 신앙, 무속, 점복, 풍수), 예술민속(민간 회화, 음악, 무용, 공예) 등으로 분류했다.[39]

　민속학이 주로 전근대에서 근대로 변이되는 과정에서 전근대부터 지속되어온 오래된 관습이 어떻게 적응·변동했는지에 주된 관심이 있다면,[40] 역사학계는 특정 시기에 국한되지 않고 생활 모습과 그 변화를 이해하고자 한다. 또한 민속학에서 생활사가 '민속'에 대한 현장 조사를 통해 '민중'의 생활을 복원하려 한다면, 역사학에서 생활사 연구는 주로 '기록'을 통해 '민중'에 국한하지 않고 다양한 계층과 신분의 생활을 복원하려 한다. 이해준은 민속학계와 역사학계의 차이에 대해, '구분'이 아닌 통합과 보완적인 접근의 필요성

36　정연식, 「한국 생활사 연구의 현황과 과제: 조선시대 생활사 연구를 중심으로」, ≪역사와 현실≫, 72호(2009), 296쪽.

37　이해준, 「생활사 연구의 역사민속학적 모색」, ≪역사민속학≫, 13호(2001).

38　주영하·김호, 「생활사 연구와 이규경」, 『19세기 조선, 생활과 사유의 변화를 엿보다』(돌베개, 2005), 17~18쪽.

39　장철수, 「민속학 연구 50년사」, ≪한국학보≫, 82집(1996), 86~110쪽.

40　주영하·김호, 「생활사 연구와 이규경」, 17~18쪽.

을 강조한다.[41] 그 가능성에 대해서는 지켜볼 필요가 있다.

한국에서 생활사 연구가 증가하고 있다. 그러나 많은 연구자들은 그것이 독일의 일상사처럼 하나의 독특한 연구 방법, 패러다임으로서 논의할 수 있는 가능성에 대해서는 회의적이다. 안병직을 비롯한 서양사학자들은 물론이고 한국사학자들도 독일 일상사와 비교하는 가운데 한국 생활사 연구의 개념이나 범위, 방법 등의 한계를 지적한다. 생활사를 '소재주의'라고 비판하기도 하고, '생활'의 의미가 명확하지 않다고 공격한다.[42] 한국 생활사의 현황과 과제를 정리한 여러 글들은 매번 생활사 연구가 의미 있으며 가능하다는 점을 '애써' 주장한다.[43] 사실 우인수가 지적한 것처럼 한국에서 생활사에 대한 관심이 증대한 데는 서양사학계의 일상사의 영향도 있다.[44] 그러나 한국 생활사는 독일과는 다른 역사적·학문적 풍토와 여건, 문제의식에서 출발했다는 점을 이해해야 한다. 한국의 생활사 성장의 배경에는 1980년대 정치적

---

41 이해준, 「생활사 연구의 역사민속학적 모색」, 34쪽.

42 안병직, 「한국 생활사 연구의 성과와 과제」, 414쪽.

43 정연식, 「한국 생활사 연구의 현황과 과제: 조선시대 생활사 연구를 중심으로」; 김지영, 「한국사학계에서 생활사의 가능성과 한계: 송기호 저 생활사 세권에 대한 서평」, ≪역사학보≫, 213집(2012).

44 1990년대 중반 이후 국사학계가 생활사 연구에 주목하기 시작한 연유에 대해서 우인수는 몇 가지 요인들을 제시했다. 첫째, 그동안 정치, 경제, 사상, 사회사 분야에 대한 연구가 축적되면서 생활사 분야에 대한 관심의 확대를 가능케 했다는 것, 둘째, 서양사학계의 일상생활사의 영향이 자극이 되었다는 것, 셋째, 생활문화에 대한 문화인류학계, 민속학계, 가정학계 등이 국사학계에서 생활사에 대한 관심을 환기시키는 데 기여했다는 것, 넷째, 북한학계의 생활사 연구로부터 일정한 시사를 받았다는 것, 그리고 마지막으로, 일반 대중의 생활수준 향상으로 말미암아 문화적 여유를 찾는 이들이 과거인들의 생활에 대한 지적 호기심을 충족하려는 분위기가 확산되었다는 것이다. 우인수, 「조선시대 생활사 연구의 현황과 과제」, 828~829쪽.

민주화 이후, 일반 대중이 일상적인 안정과 행복을 추구했던 사회적 분위기가 있다. 그러므로 이해준의 주장처럼 서양의 일상사와 그 현상을 설명하는 데 동원된 서구의 이론이 우리의 생활사를 구성하는 데 적절하지 못하다는 점, 특히 서구가 그러한 이론을 만드는 데 토대가 된 자료의 유형이나 축적량 등이 우리와 다르다는 점을 고려해 우리 식의 생활사 설명 틀을 만들 필요가 있다.[45]

생활사 연구는 종래의 사회사를 '수정'하고 '보완'해 역사를 한층 다층적으로 볼 수 있게, 그리고 항상 논리정연하지만은 않은, 감정이 뒤섞인 인간들의 다양한 인식 세계를 볼 수 있게 역사의 지평을 확대하고 있다. 그러나 독일의 일상사와 마찬가지로 '전체사'를 결여하고 있다는 비판에서 자유롭지 못하다. 추구하는 역사의식도 아직까지는 뚜렷하게 보여주지 못하고 있다. 그럼에도 한국에서 생활사는 대중 역사나 학교 역사에서 독보적인 존재감을 발휘하고 있다. 2007 개정 교육과정에서 초등학교와 중학교 교과서에서 생활사 비중이 확대되었던 점과 최근 폭발적으로 증가한 생활사 저작들이 그 존재감을 입증한다. 그렇다면 학교에서 가르치는 생활사는 어떤 논리·내용·방향에서 가르쳐야 할까?

---

45 이해준, 「생활사 연구의 역사민속학적 모색」, 34쪽.

2. 생활사 교육의 방향

1) 초등 생활사 학습에 대한 연구

생활사 교육은 역사학계 논의와 상관없이 독자적인 노선을 걸어왔다. 적어도 제6차 교육과정까지는 생활 중심 교육관에 기초해 초등학교 생활사의 내용을 선정하고 구성했다. 그런데 1990년대 생활사가 하나의 역사 연구 분야로 성장하기 시작하면서, 역사교육계에서도 역사학계의 생활사 연구에 기초해 생활사 교육 내용을 구상하는 논문이 증가했다. 그런데 이러한 논문들은 대체로 독일 일상사의 개념과 방법을 한국 초등학교 생활사 교육에 적용했다.

최용규는 초등 사회라는 시각을 견지하면서 생활사 학습 방안을 내용·관점·자료·방법으로 분류해 구조화했다.[46] 초등학교 수준을 고려해 생활사의 '내용'은 사회사와 문화사로 제한했고, '자료'는 '시각 자료' 측면에서 실물 자료, 그림·사진, 역사 이야기, 자원 인사 등을, '방법'으로는 조사·탐구·문제 해결, 현재·과거의 비교, 의미 구성의 재현 등을 제안했다. 그런데 관점은 서양사학계에서 논의되고 있는, 곽차섭이 제안한 '일상, 문화, 미시의 관점'을 수용했다.[47] 특히 최용규는 '관점'으로서 문화를 단순히 일련의 학습된

---

46 최용규, 「사회과에서의 생활사 학습 지도 및 교재 구성 방안」, ≪사회과학교육연구≫, 7호(2004).

47 최용규가 해석한 곽차섭의 일상·문화·미시의 관점은 다음과 같다. 최용규는 '일상'이 결코 물질적인 삶의 단순한 습관의 형태로 진행되는 것이 아니며, 사람들 각자가 자신이 속한 계급이나 계층의 특수한 '문화적 생활방식'에 따라 삶의 현실을 끊임없이 경험하고 해석할 뿐 아니라 지속적으로 파생하는 긴장과 갈등 속에서도 부단히 변화를 모

행위의 결과로서가 아니라, '과정'으로 볼 것을 주장했다. 또한 최용규는 미시적 관점에서 구조에 의해 망각된 개인과 소집단에 주목했으며, 그들의 삶을 '문화'가 아니라 '문화들'로 해명할 것을 요구했다. 그런데 이러한 내용, 관점, 자료, 방법 등이 어떻게 구체화될 수 있는지 보여주는 사례연구는 많지 않다.

민윤은 최용규가 개념화한 생활사 학습 방안에 기초해 생활사 학습을 실행하고, 학생들의 '추체험追體驗' 양상을 설명하려 했다.[48] 그런데 민윤이 제시한 생활사 학습 자료와 학습 내용은 정치사이며, 학습 목표도 거대한 정치적 사건들과 관련된 것으로, 일부는 사진 속의 이름 없는 행위자들, 일부는 지배 엘리트의 정치적 행위 동기·상황·목적 등을 추체험하는 것이었다. 민윤이 실제 개발해 적용한 학습 내용과 학습 방법 등은 최용규가 추구했던 생활사와 다른 개념이었다. 정치사와 생활사를 연결시켜 특정한 정치 상황 속에서 사람들의 생활 양상을 생각해보게 했다. 독일계 일상사는 추체험을 시대착오적인 발상으로 보고 인류학적 해석학의 관점을 추구하는데, 민윤은 역사주의의 시각에서 추체험을 하게 했다. 학습 목표도 사실상 정치사의 거

색하는 삶의 영역이라고 정의했다. '문화'는 정치, 사회와 같은 하나의 분야로서가 아니라 문화인류학적 관점에서, 정치와 경제 어떤 범주에 속하든 그 나름대로의 삶을 위해 때로는 타협하고 때로는 저항하면서 스스로의 생활방식을 유지하는 삶의 세밀한 그물망 같은 것으로 정의하고, 총체적 범주로서의 개념이라기보다는 다기 다양한 '문화들'로 보아야 한다고 했다. 그리고 '미시사'의 개념을 장기 지속적 구조와 거대한 역사적 흐름 속에 망각되어온 개인과 소집단들의 삶과 그 의미를 조명한다는 입장에서, 위인·남성·엘리트 위주의 정치적 사건을 거부한다는 측면에서, 또 행위자로서 인간을 고정적이고 불변적인 사회적 범주가 아니라 시·공간적으로 끊임없이 변하는 역사적 존재로 본다는 의미로 수용하고 있다.

48 민윤, 「생활사 학습의 과정에 나타난 추체험의 양상」, ≪사회과학교육연구≫, 12권 1호(2005).

대 서사를 강화하는 것으로서, 최용규가 말한 일상적·미시적·문화적 접근과는 다르다고 할 수 있다.[49] 개인 또는 집단이 어떤 개인적인 열망, 좌절감, 두려움 등을 가졌는지에 대해 세세하게 생각해보도록, 즉 미시적 또는 문화적으로 해석해볼 수 있게, 자료들이나 학습활동이 거대한 역사적 흐름과 관련 없이 구성되었다고 보기는 어렵다.

방지원은 미시적인 구체적 사례를 통해 가르치면서 거시적 구조와 접목시킬 것을 강조한다.[50] 최병택은 초등학교 생활사 학습이 미시적으로 접근하는 것의 문제를 지적하고, 방지원과 달리 오히려 초등 생활사는 거시적인 집단 심성사, 망탈리테mentalité, 시대적 분위기를 이해시킬 수 있는 방향에서 구성해야 한다고 주장한다.[51] 초등학교 생활사 학습을 어떤 방향에서 추구해야 할지에 대한 약간의 이견들이 있지만, 학습을 구성하는 방향은 비슷하다. 생활 모습의 외형을 피상적으로 이해하게 할 것이 아니라, 인간이 행동하고 사고하는 데 영향을 미쳤던 생활문화로 이해하도록 해야 한다는 것이다.

최용규는 생활사 학습의 내용을 사회사와 문화사로 폭넓게 제안했으나,

---

49 예를 들면 민윤은 다음과 같은 학습 자료의 내용과 학습 목표를 제시하고 있다.
· 을사조약 이후의 의병 운동: 사진을 통해 을사조약 이후의 의병 운동 양상과 당시의 생활 모습을 이해할 수 있다.
· 헤이그 특사: 사진을 통해 헤이그에 파견된 밀사들의 활약상과 밀사들이 자결한 이유를 이해할 수 있다.
· 안중근과 민영환: 자료를 통해 안중근과 민영환이 한 일을 알고 오늘의 상황에 비추어 평가할 수 있다.
· 일제의 만행: 자료를 통해 일제강점기 우리 민중들이 당한 수난에 대해 이해할 수 있다. 자료를 통해 일제강점기 우리 민중들의 생활에 대해 이해할 수 있다.
50 방지원, 「초등 역사교육에서 생활사 내용 구성」, ≪역사교육≫, 119집(2011).
51 최병택, 「현행 초등학교 사회과 역사 영역 내용 구성의 문제점」, ≪역사교육≫, 124집(2012).

방지원은 최근 생활사 분야의 사례연구들을 염두에 두고 생활사 구성 방안을 제시했다. 최근 생활사 연구들은 크게 가정생활, 공동체 생활, 신분별 생활, 직업 또는 지역별 생활, 경제생활, 종교생활, 여가생활, 의식주 생활, 성별생활 등의 분야로 구분할 수 있다.[52] 최근의 사례연구들은 양반가 사례를 중심으로 당시의 생활 모습과 생활 문화, 사회구조와 함께 그러한 구조나 문화에 대한 인물들의 해석까지 세밀하게 서술하고 있다. 그러한 사례들을 초등 수준에 맞춰 '단순화'하는 작업이 필요하다. 어떻게 하면 종래의 피상적인 생활 모습에 대한 서술을 탈피하면서도 초등 수준에 맞춰 생활문화를 이해하게 할 수 있을까?

한국 생활사 연구는 소재주의라는 비판을 받고 있다. 그러나 역사교육계

---

52 한국고문서학회에서 펴낸 『조선시대 생활사』를 보면, 가정생활(친족과 혼인, 상례와 제례, 재산 상속, 여성생활), 공동체 생활(촌락생활, 어촌생활, 신앙과 놀이), 신분별 생활상(관료생활, 중인생활, 향리생활, 평민생활, 노비생활), 제도와 생활(교육제도, 과거제도, 법률생활, 호적제도), 경제생활(농업경제, 서울 상업, 지방 상업) 등 다섯 분야이다. 한국고문서학회, 『조선시대 생활사』(역사비평사, 1996). 그런데 정연식은 최근 생활사 연구 경향 및 성과를 다음의 세 가지 갈래로 정리했다. 첫째, 사회사 영역에 있다가 생활사로 옮겨온 가족과 친족에 대한 연구가 있고 새로이 생활사에 터를 잡은 것은 관광, 여가, 여행, 성생활, 유배 생활 등이다. 둘째, 사적 영역에서 개인의 활동을 다룬 사회사로서 양반들의 일기에 나타난 양반들의 농업 활동, 상행위, 선물, 칭념(稱念), 집 짓기, 외도 등을 다룬 연구, 양반 특유의 생활상으로서 문중, 친족, 삼년상, 시묘살이, 제사 등에 대한 연구, 그리고 서리, 출신군관, 능참봉의 생활처럼 특정 직역의 생활을 다룬 연구가 있다. 셋째, 되풀이되는 일상 또는 구조로서의 생활이다. 브로델이 장기 지속의 구조로 지목했던 것으로서 의식주 생활에 대한 연구가 여기에 속한다. 그런데 생활사학계의 의식주 연구는 대체로 사례연구이며, 아직까지는 역사학계보다 의류학계·식품영양학계·건축학계에서 연구의 주도권을 잡고 있는 실정이다. 정연식, 「한국 생활사 연구의 현황과 과제: 조선시대 생활사 연구를 중심으로」, 296~300쪽. 여기에 최근 여러 여성생활사 저작들의 증가는 성별 생활이 또 하나의 연구 내용으로 정착하고 있음을 보여준다.

에서는 생활사를 학생의 경험에서 출발해 '소재'로서 적용해왔다. 그런데 학생들이 소재로서 생활사를 쉽고 재미있다고 여길까? 초등학생들의 역사 이해 양상에 대한 최근 국외의 여러 경험적 연구들은, 학생들에게 가르쳐야 할 역사를 '소재'나 '주제'의 측면이 아니라 역사를 '이야기하는 방식의 측면'에서 찾는다. 구체적인 인물이 등장하는 '이야기식' 또는 '내러티브'식 역사 서술이 어린 학생들의 인지구조에 적합하다는 것이다. 1980년대 이후 미국의 많은 연구는 초등학생이 내러티브 구조의 역사에 흥미를 보인다는 사실에 주목했다. 키이런 이건Kieran Egan은 내러티브로서 역사가 어린 학생에게 익숙하고, 인간의 매우 기초적이고 강력한 감성을 자극할 수 있기 때문에 초등학생에게 적당하다고 주장했다.[53] 린다 레브스틱Linda Levstik도 6학년 학생이 역사를 두려움, 차별, 비극 등에 대해 사람이 어떻게 반응하는가와 관련된 것으로 보면서 흥미를 느꼈다고 보고했다.[54] 마거릿 G. 맥커운Margaret G. McKeown과 이사벨 L. 벡Isabel L. Beck 그리고 반슬리드라이트와 브로피는 5·6학년 학생이 구체적인 역사적 인물과 영웅 중심의 이야기로 역사를 설명한다는 것, 역사 지식을 내러티브의 구조로 기억하고 있음을 확인했다.[55] 키스

---

53 나이버그·이건, 『교육의 잠식』, 고려대학교교육사·철학연구회 옮김(양서원, 1996).

54 Linda S. Levstik, "The Relationship Between Historical Response and Narrative in a Sixth-Grade Classroom," *Theory and Research in Social Education*, Vol.14, No.1(1986), p.12.

55 Margaret G. McKeown and Isabel L. Beck, "The Assessment and Characterization of Young Learners' Knowledge of a Topic in History," *American Educational Research Journal*, Vol.27(1990); M. G. McKeown and I. L. Beck, "Making Sense of Accounts of History: Why Young Students Don't and How They Might," in G. Leinhardt, I. Beck and C. Stainton(eds.), *Teaching and Learning in History* (Hillsdale, NJ: Erlbaum, 1994); Bruce VanSledright and Jere Brophy, "Storytelling, Imagination, and Fanciful Elaboration in Children's Historical Reconstructions,"

바턴Keith Barton과 레브스틱은 학생이 장소, 사람, 사건, 경향 등 여러 정보를 만화, 책, 영화, 유물이나 유적 등 다양한 자료로부터 획득하는데, 그 정보를 별개의 동떨어진 것이 아니라 어떤 방식으로든 말이 되게끔 구조화해 기억한다고 보고했다.[56] 그리고 그러한 대표적인 구조가 바로 내러티브라고 보았다.

이러한 연구들은 초등학생이 흥미를 보이는 역사, 기억하는 역사를 소재 측면이 아니라 역사를 구성하는 방식의 측면에서 찾아야 하는 것은 아닐까 라는 가정을 하게 만든다. 실제로 필자는 몇 차례의 연구를 통해 한국의 초등학교 4·5·6학년생도 외국의 또래들과 비슷하게 인물들의 이야기로 역사를 이해한다는 점을 확인했다.[57] 초등학생들은 '정치' 영역이라고 해서 관심이 없는 것이 아니고, '생활' 영역이라고 해서 관심을 갖는 것도 아니다. 즉, 중요한 것은 생활의 어느 분야를 다루는가의 문제가 아니다. 정치 영역을 다루더라도 학생들이 '공감'할 수 있는 주제라면 상대적으로 흥미를 느끼고, 자신의 생활과 밀접한 생활 영역이라도 학생들의 '공감'을 자극할 수 없다면 이해하지 못하고 '기억'하지 못한다는 것이다. 그렇다면 학생들이 공감할 수 있는 주제, 쉽고 재미있었다고 '기억'하는 역사는 어떤 성격을 보일까?

2007년과 2010년에 진행했던 필자의 연구를 통해 설명하자면, 초등학생

American Educational Research Journal, Vol. 29(1992).

56 Kieth Barton and Linda S. Levstik, "Individual Achievement and Motivation," *Teaching History for the Common Good*(Mahwah, New Jersey: Larence Earlbnaum Associates, Publishers, 2004).

57 강선주 외, 『초등학교 사회과 역사 영역에서 생활사 내용 선정에 관한 연구』(2006년도 교과교육공동연구 결과보고서, 2007); 강선주, 「5학년 역사 내용 구성 방향」, ≪역사교육≫, 117집(2011).

들이 기억하거나 재미있었다고 한 역사에는 사람들 사이의 갈등이 심화되고 역경을 극복하면서 그 갈등을 해결하는 과정이 포함되어 있었다. 또 초등학생들은 과거가 현재와 다른 세계라는 점에서 흥미를 느끼기도 하고, 역사에서 위대한 누군가를 보면서 자신도 그렇게 되고 싶다고 생각하며, 자신은 누구인가 확인하기도 했다. 학생들은 역사에서 자신이 경험하지 못한 낯선 세계와 접속해 인간의 본성·사회·문화에 대한 자신의 편견들을 깨기도 하고, 창조를 위한 영감을 얻기도 한다. 이러한 국내외의 경험적 연구는 초등학교 역사를 인물사로 가르쳐야 한다는 종래 연구 및 주장과도 일맥상통한다.

송춘영은 인물사 학습에는 인물을 통한 인간 탐구와 역사 규명이라는 양면성이 있다고 설명했다. 그는 역사 발전에서 개인과 집단의 역할을 인식시키고 시대적 조건이나 그 사회적 배경과 관련시켜 인물의 창조성과 개성적 의미를 다각적인 면에서 역사적으로 고찰하게 하는 것이 생활사 학습의 목적이라고 보았다.[58]

그런데 초등학생이 과거의 문화적·상황적 맥락에서 현재와 다른 과거인의 행위와 사고를 이해할 수 있을까? 구체적인 사람들의 이야기를 통해서 역사를 이해하는 데 가장 기본적인 전제는, 학습자가 자기중심성에서 벗어나 타인의 관점을 이해할 수 있어야 한다는 것이다. 사회인지 역할 수용 연구[59]는 대략 8세경부터 타인의 관점을 이해할 수 있다고 주장한다. 조복희

---

58 송춘영, 「인물교재의 교육적 기능과 그 지도방안」, ≪대구사학≫, 20·21권(1982), 296쪽.

59 사회인지 연구의 역할 수용(role taking) 연구는 아동이 사회적 개체로서 복잡한 인간관계를 이해하는 것으로, 다른 사람의 능력, 속성, 감정, 판단 등 타인의 존재를 인정하고 이러한 다른 사람의 행위를 인식한 후 추론해서 자신에게 적용시켜 행동해나가는 과정에 대한 연구이다. 이 연구들은 역할 수용 단계를 전 상징단계(피아제의 전 조작

등에 따르면 구체적 조작기 단계의 아동은 "사물도 달리 볼 수 있다는 것을 깨달으며 상황 중심적 사고를 해 같은 사건을 두고 두 사람이 달리 해석할 수 있다는 것을 알게 된다. 즉, 지식이란 상징이라는 것을 알게 된다"[60]는 것이다. 그리고 형식적 조작기의 아동은 "지식을 획득해 나가는 데는 개인의 스타일이 있다는 것을 인정해 사회 역할 수용에 있어 주관적 형태를 취하게 된다."[61] 즉, 사회인지이론에 따르면 대체로 8세 이후에 타인의 관점을 이해할 수 있고, 10세 이후에 타인과 제3의 입장을 이해할 수 있으며, 12세 이상에서는 사회적 과정을 이해할 수 있다고 본다. 이러한 이론에 따르면, 개인차를 고려한다고 하더라도 10세 이후에는 사건에 등장하는 인물들이 어떤 생각을 하면서 행위를 했는지, 그 인물들의 행위나 사고에 대해 제3자(역사가)가 어떻게 생각하는지를 이해할 수 있다.

논란이 되는 것은 역사에서 인물의 행위와 사고는 현실에서 아동이 직접 관찰할 수 없는 과거라는 상상의 세계에서 이루어진, 대체로 어른의 행위와 사고라는 것이다. 1960년대 에드윈 A. 필Edwin A. Peel, 로이 N. 할람Roy N. Hallam 등 영국 역사교육 연구자들은 피아제Jean Piaget 이론에 기초해 구체적 조작기에 속하는 10~11세 아동은 과거 어른의 활동과 사고를 이해할 수 없다고 주장했다. 그 이후 앨런 부스Alan Booth 등 영국 연구자들, 최근에는 레브스틱, 바턴, 반슬리드라이트 등 미국 연구자들은 피아제류 연구의 이론적 한계를 지적하면서, 그리고 여러 경험적 연구에 기초해 필과 할람의 주장을 반박했다.

기), 상징단계(구체적 조작기), 다원표상단계(형식적 조작기)로 구분한다. 조복희·도현심·유가효, 『인간발달』(교문사, 2010), 237~238쪽.
60 같은 책, 238쪽.
61 같은 책, 238쪽

상황 인지의 측면에서 본다면, 다양한 매체는 인간을 둘러싼 다양한 상황에 대한 학생들의 경험을 확대하고 있다. 그들은 과거의 '신분제'라는 상황을 경험해보지는 않았지만 텔레비전 드라마에 나오는 양반과 상민, 천민에 속한 구체적인 인물의 행위와 말 등을 통해 조선의 신분제 구조 속에서 그 행위와 말을 자연스럽게 받아들일 수 있게 된다. 영역 고유 인지 이론적 측면에서 레브스틱도 역사 수업을 개선하는 수단으로 인물과 사건들을 한층 강조할 것을 제안했다.[62] 이와 비슷하게 윌리엄 베넷William Benett은 역사 수업을 전설과 영웅 중심으로 개발할 것을 제안했다. 과거의 전설과 영웅들에 대한 학습은 역사를 흥미롭고 기억할 만하게 만든다는 것이다. 이러한 연구들은 초등학생들에게 인물을 중심으로 역사를 가르치면 그들이 한층 쉽게 이해할 수 있을 것이라는 주장의 근거 자료가 된다. 그러나 다른 한편으로, 국내외 경험적 연구들은 초등학생들이 인물을 통해 역사를 이해한다기보다 과거 인물을 통해 현재 인간을 이해하는 경향이 있다는 점도 지적한다. 그러므로 인물사로 역사를 가르칠 경우 나타나는 이러한 문제를 해결하는 방안에 대해 한층 적극적인 연구가 필요하다.

학생들의 역사에 대한 흥미나 이해 양상에 대한 연구는, 초등 생활사 학습을 소재의 측면에서 제한해 정의하기보다는 구체적인 인간들의 행위나 사고에 영향을 미쳤던, 또는 인간들이 만들었던, 해석했던, 오늘날과 다른, 생활문화를 학습하는 것에까지 확장해 정의하면서 생활사를 가르칠 필요가 있다는 시사점을 준다. 그런데 초등학교에서 인물사는 주로 정치사와 문화사에 적용하는 원칙이었고, 생활사는 사회사적 생활사를 가르치는 소재 또는 주

---

62 Linda S. Levstik, "The Relationship Between Historical Response and Narrative in a Sixth-Grade Classroom."

제의 측면에서 적용하는 원칙이었다. 이들을 어떻게 통합할 수 있을까? 정치사와 문화사를 인물 중심의 거대 서사로 구성한다는 원칙을 그대로 적용하면서, 인물과 관련된 시기의 생활문화를 함께 이해·탐구할 수 있게 내용을 선정하고 구성할 수 있다. 첫째, 교육과정이 제시하는 정치사와 문화사의 주제를 인물 중심으로 구성한다. 그리고 이러한 주제에서 인물들이 관련된 시기나 사건들 가운데, 사람들의 행위와 생각을 당시의 구체적인 생활문화와 관련시켜 이해하고 탐구할 수 있도록 생활문화사적인 시각을 도입해 내용을 구성한다. 즉, 정치적 또는 사회적 사건을 생활문화라는 관점에서도 생각해볼 수 있게 내용을 구성함으로써 생활사와 인물사의 통합을 시도할 수 있다. 둘째, 주된 주제로서 생활사, 즉 생활방식에 대해 주제 중심으로 선정하면서도 구체적인 사람들의 이야기로 구성한다. 생활사의 주제를 인물을 통한 역사 이해라는 측면에서 구성하는 것이다.

그런데 생활문화사적 접근이란 무엇인가? 정연식은 생활사 연구의 필요성을 '진정한 역사'와 '실제 역사'를 구분하면서 설명했다.[63] 그에 따르면 "제폭구민除暴救民, 척왜양창의斥倭洋倡義의 기치를 들고 북상하던 동학농민군이 정부군을 물리치고 전주성을 점령한 것"이 '진정한 역사'의 몫이라면, "춘궁기 보릿고개에 굶주린 농민들은 동학농민군에 가담했다가 보리가 익고 농번기가 다가오자 집으로 돌아가려 했던" 것은 '실제 역사'의 몫이다. 이러한 구분을 통해 "동학농민전쟁의 보이지 않는 바닥에 전통적인 농민 문화가 작동하고 있었다"는 점을 말할 수 있는 것, 인간이 문화와 상호 작용하면서 만드는 '실제 역사'를 연구하는 것이 생활사 연구의 의미라고 설명했다.

여러 초등학생의 역사 이해에 대한 경험적 연구들은, 초등학생들이 인간

---

63 정연식, 「한국 생활사 연구의 현황과 과제: 조선시대 생활사 연구를 중심으로」, 303쪽.

의 행위를 인간 본성에 초점을 맞추어 설명하는 경향이 있고, 역사적 맥락 또는 인간의 행위나 사고를 제약했던 구조, 법, 제도, 문화 등에 대해서 고려하지 못하는 한계가 있다고 보고했다. 이러한 점들을 고려한다면 초등학교 생활사는 관점으로서 생활문화사를 추구할 필요가 있다. 그러나 정연식처럼 진정한 역사와 실제 역사를 구분하기보다는, 개인이나 집단으로서 인간의 행위와 상호 작용하던 거대한 또는 작은 생활문화를 생각해보게 하는 방향에서 생활문화사를 추구하는 것이다. 다만 그것을 피상적으로 설명하는 것이 아니라 구체적인 사람들의 이야기 속에 녹이는 방안으로 구체화해야 한다.

방지원은 "역사가 과거 인간들의 치열한 삶에 관한 이야기"라는 측면에서 생활사 학습의 가치가 있다고 강조한다. 민족 단위가 아니라, 개인이나 개인들로 구성된 집단들의 이야기를 통해 다른 사람에 대해 이해하고 공감할 수 있는 능력을 키워주는 것의 중요성을 강조한 것이다.[64] 그런데 이는 반드시 생활사여야만 하는 것은 아니다. 오히려 정치와 사회 영역에서 활동했던 개별 인물들이나 집단들의 고민, 선택, 결정, 그리고 그들이 추구했던 정의, 가치, 믿음, 소망, 또는 개인들이 느꼈을 좌절, 분노, 두려움, 사랑, 희열 등의 감정을 당대의 생활문화와 연결시켜 가르치는 것이 초등학교 수준에 맞는 생활문화사일 것이다.

농번기에 집으로 돌아간 동학농민의 이야기나, 임진왜란 때 의병을 일으키려다 어머님이 돌아가셔서 삼년상을 먼저 치르고 의병을 일으켰던 사람의 이야기, 양반 주인을 따라 임진왜란에 참전했던 노비의 공을 크게 치하하면서 국가가 충노비忠奴碑를 세워주었던 이야기, 노비제가 공식적으로 폐지되

---

64 방지원, 「초등 역사교육에서 생활사 내용 구성」, 10쪽.

었음에도 불구하고 일제 강점 이후 양반 주인을 따라 간도로 갔던 노비들의 이야기, 일제의 지배를 받을 수 없다며 조상의 신주를 불태우고 만주로 갔던 양반 독립운동가의 딸이나, 며느리가 만삭의 몸으로 따라갔던 이야기 등은 관점에 따라서는 정치사라고 할 수도 있고 생활사로 분류할 수도 있다. 그런데 그러한 이야기가 바로 학생들이 흥미로워 할 치열한 삶의 이야기는 아닐까? 그러한 이야기에는 민족 단위의 정치사가 있으며, 또 긴장감을 유도하는 갈등 관계, 학생들의 상식에 도전하는 낯선 인간들의 행위와 인식 그리고 생활문화도 있다. 또 바턴과 레브스틱이 인간 경험의 '변경적 영역border areas' 이라고 한 것, 즉 사람이 두려움, 차별, 비극 등에 반응해야만 할 상황을 보여주는 장면이 포함된다.[65]

생활사를 시대적인 생활문화사로 이해시키고자 한다면, 그 사회를 규율했던 거대한 생활문화, 그 문화에 대한 사람들의 해석, 그 사람들이 자율성을 발휘하면서 만들었던 일상의 작은 문화들을 함께 보여줄 수 있는 방안에 대한 궁리가 필요하다. 그것이 바로 학생들이 생활사에 대해 단순히 생활 모습을 아는 차원에 머물지 않고, 과거 생활문화에 대한 이해를 바탕으로 자신의 생활문화를 성찰해볼 수 있게 하는 방법이기 때문이다. 생활문화에 대한 성찰, 바로 여기에 생활사 학습의 가치가 있다. 생활문화에 대한 탐구로서 생활사 학습은 학생들이 스스로 자신을 둘러싸고 있는, 자신의 행위에 영향을 미치는 매우 익숙한 생활문화에 대해 그것을 당연하게 받아들여야 하는지, 그것이 나에게 사회적·개인적으로 무엇을 '하게' 하고, '못 하게' 하는지에 대해 생각해보고, 또 새로운 생활문화를 만들어갈 수 있는 능력을 키우는 데

---

65 Kieth Barton and Linda S. Levstik, "Individual Achievement and Motivation," p.154.

그 의미가 있다.

3. 맺음말

지금까지 초등학교 생활사는 생활의 역동적 변화보다는 과거 생활의 평면적인 나열이나 과거와 현재 생활의 단순한 비교에 그치는 경향이 강했다. 특히 의식주, 생활 도구, 교통, 통신, 가정의례, 놀이, 여가, 종교, 축제 등의 생활 모습은 역사 변화의 '반영물'로 제시되었다. 그런데 이렇게 역사 변화 반영물의 나열로 구성된 생활사는 과거의 생활을 소개하는 정도에 그칠 뿐, 생활문화 교육의 차원에서 우리 문화를 성찰할 기회를 주지는 못한다. 그렇다고 과거인의 생활을 시간의 흐름 속에서 이해하고 탐구해볼 수 있는 기회를 주는 것도 아니다.

종래 초등학교에서 생활사 학습은 학생들에게 익숙한 소재들을 통해 역사를 가르친다는 취지하에 개념화되었다. 이러한 취지를 살리면서 학생들이 전통문화 학습과 역사 학습을 통해 역사가 제공할 수 있는 폭넓은 경험과 세상을 보는 안목을 습득하기 위해서는, 오늘과 다른 과거 생활 모습을 피상적으로 이해하는 수준을 넘어, 과거 사건과 인간 행위에 영향을 미쳤던 그 사회의 시대적인 생활문화를 탐구하는 것으로써 생활사 학습을 개념화할 필요가 있다. 이는 생활사를 하나의 분야사로 보지 않고, 사건 또는 사건 속 인간들의 행위와 사고를 이해하거나 설명하는 방법으로서 보는 것이다.

시대를 움직였던 패러다임과의 관련성 없이 개별적인 생활 모습을 탐구하는 것은, 결국 역사를 조각들로 접근하는 데 그치고 만다. 즉, 생활사가 '작은 것들'을 통해 '큰 것'을 해명하는 작업을 병행하지 않는다면, '작은 것들의 역사'는 결국 조각난 채 남아 있을 수밖에 없다. 한 시대의 생활 모습은 그 시대의 전체적인 생활상과 시대상의 맥락 속에서 그 의미를 생산할 수 있다. 생활사 학습에서 중요한 것은 학생들이 생활 모습을 평면적으로 이해하는 데 그치지 않고, 과거인의 이야기를 통해 그들이 경험한 생활문화를 입체적으로 생각해볼 기회를 갖는 것이다.

그 시대에 살았을 만한 사람들의 입을 통해 그들이 경험했을 만한 질감 있는 생활 이야기를 들려줌으로써 당대 사람들의 생활에 대한 인식을 이해하게 해야 한다. 특히 인물을 중심으로 한 구체적인 생활 이야기를 '내러티브'로 접근한다면, 어린 학생들이 과거인의 경험을 한층 생생하게 이해할 수 있을 뿐 아니라, 역사 자체를 한층 쉽게 접근할 수 있을 것이다.

제 7장

여성사와 여성사 교육

　역사교육은 오랫동안 '권력', '정치', '외교', '진보', '근대화' 등 거대 담론의 지배를 받았고, 역사를 정치 엘리트의 독점적 영역으로 가르쳐왔다. 거대 담론 중심의 정치 엘리트의 역사는 여성을 역사교육의 변경으로 몰아냈다. 여성은 '무력한' 존재로, 여성의 경험은 '사소한' 것으로 간주되었다. 특히 역사교육이 주로 남성의 영역으로 인식되었던 '공적 영역public sphere'을 중심으로 '공헌'에 초점을 맞추면서, '남성의 경험'을 인류의 '보편적' 경험인 것처럼 가르쳤다. 1990년대 이후 역사교육은 '민중사'의 문제의식을 반영해 농민이나 노동자의 경험을 부분적으로 삽입하고, 때로는 그들을 역사의 능동적 주체로 조명하고 있다. 그러나 '세상의 절반'인 여성은 역사에서 여전히 소외된 '다수'로 남아 있다. 2007 개정 사회과 교육과정 초등 역사 영역에서 '여성사'가 성취 기준 가운데 하나로 삽입되면서, 교육과정상에서 '여성'이 가시화되기 시작했다. 그러나 중학교와 고등학교의 역사교육과정은 여전히 여성을 누락하고 있다. 역사교육에서 여성을 어떻게 가르칠 수 있으며, 어떻게 가르쳐야 하는가?

양성평등 교육의 이념은 이미 오래전에 천명되었다. 교육 시스템이나, 교육 이념, 목적, 그리고 초·중·고등학교 사회 교육과정과 교과서도 양성평등의 관점에서 비판적으로 분석되고 또 재구성되고 있다. 그러나 공적 역사를 대표하는 학교 역사교육은 인류 역사의 여성적 측면을 여전히 억압하고 있다. 문제는 단지 역사에서 여성의 경험이 배제되는 것만이 아니다. 크게는 역사교육, 작게는 역사교육과정을 정의하고 구조화하는 데 젠더gender라는 범주를 비롯해 '다름'을 이해하기 위한 필수적 요인이 고려되지 않으면서, 역사의 많은 부분에 대한 망각이 강요되고 있다는 것이다.

이제 사회 각 분야에서 일어나고 있는 사건들과 쟁점들은 더 이상 역사교육이 인류 역사의 소위 여성적/젠더적 측면에 대해 침묵하는 것을 방관하지 않는다. 역사교육이 변화하는 사회 속에서 주체적인 역사 인식을 기반으로 사고하고 행동할 수 있는 인간 양성을 목적으로 한다면, 달라지고 있는 여성/젠더에 대한 관심과 인식을 역사교육에 한층 적극적으로 반영할 필요가 있다.

역사교육과정 개발을 위한 숙의 과정에서 고려되어야 할 역사 지식의 특성, 중요한 내용을 선정하는 데 전제되는 가정 등에 여성 또는 젠더라는 범주를 어떻게 반영할 것인가에 대한 본격적인 논의가 필요하다. 이는 작게 보면 역사교육과정에 사회적·문화적 집단으로서 여성의 목소리를 어떻게 통합할 것인가라는 질문이고, 크게 보면 역사교육과정을 젠더의 관점에서 어떻게 재편할 수 있는가라는 문제이다.

1. 여성사 연구 방법과 역사교육에서 여성사

1) 남성 시각의 '보편사'에서 다뤄지는 예외적 여성

여성사 연구가 본격적으로 진행된 것은 1960~1970년대이다. 서구에서 일어난 여성운동과 사회사 연구 방법에서 영감을 받아, 서구에서는 물론 한국에서도 역사 속 여성의 궤적과 여성의 인식에 본격적으로 관심을 갖기 시작했다. 1960년대 이전의 여성사 연구는, 서구는 물론 한국에서도 그 사회에서 여성의 존재 양태, 생활 습속, 풍속, 관습 등을, 남아 있는 문헌 자료를 통해 실증적으로 고증하거나, 여성 명사의 활동과 공헌을 밝히는 데 주력했다. 이러한 연구의 자료 발굴과 고증 성과는 여성사 연구의 토대가 되어 이후의 여성사 발전에 크게 기여했고, 그러한 작업은 아직 계속되고 있다. 그러나 이러한 연구는 연구 방법의 측면에서 볼 때 자료가 내포한 남성적인 '보편'을 비판 없이 받아들임으로써, '남성적인 규준'에 의해 규율되는 한계가 있다.

역사는 오랫동안 기본적으로 남성 편향적인 규준에 의해 '보편'과 '특수', '표준'과 '예외', '중심'과 '주변', '중요함'과 '사소함', '모범'과 '이탈'을 구분했다. 그리고 그에 따라 '중요한' 사건, '보편적'이고 '표준적'인 가치관과 행위 방식, '모범적'인 인물을 선정하고 그 역사적 의미를 해석했다. 이러한 관점에 기초해 편재된 역사교육과정과 교과서는 왕조 교체나 정치제도의 변천, 동학농민운동 등과 같은 정치적 변혁 운동, 고려 시기 대몽항쟁과 같은 대외 항쟁사, 세종과 정조 때의 문화 부흥, 실학, 서민 문화와 같은 문화사 등을 중요한 사건으로 다루며, 왕, 장군, 관료, 민란의 주동자, 학자, 문예인 등을 변화의 주체로 부각시킨다. 사실 이러한 방향의 역사교육은 역사가 아주 특별한, 예외적인 남성에 의해 만들어지는 것이므로 학생들이 자기와는 상관없는 사람들의 이야기라고 인식하게 할 수 있다. 또한 자신의 행위나 생각이 역사와 무관하고 중요하지 않다고 생각하게 만들 수도 있다.

제7차 교육과정까지, 즉 2007 개정 교육과정이 발표되기 전까지 역사교육과정은 기본적으로 여성의 경험을 역사적 사유의 대상으로 간주하지 않았다. 교과서 차원에서 보자면 제7차 교육과정기의 초등학교와 중학교 역사교과서는 정치사와 대외 항쟁사를 중심으로 편재되었기 때문에 유관순을 제외하고는 어떤 여성도 역사적 행위자로 등장하지 않았다. 고등학교 교과서에서만 근대 계몽운동의 주체 중 하나로 여성 집단들이 거론되었다. 여성도 소위 '공적인 영역'에서 두각을 나타낸 인물만 '역사적'이 된다. 즉, 남성의 관점에서 볼 때 '중요한' 삶의 영역에서, 다른 여성들과 달리 남성처럼 '예외적' 공적을 쌓았거나 활동을 한 여성의 궤적, 남성의 규준에서 볼 때 '보편적 가치 체계나 행위 방식'을 강화해 '모범'을 보였을 때만이 언급되거나 삽입되는 것이다.

보충사나 여성 명사의 역사라는 관점에서 여성사 내용을 선정하면 임윤지당, 강정일당 등 소위 여성 군자도 가르칠 수 있다. 그들은 "당시 사회에서 최고 가치였던 성리학을 체득하고 실천함으로써 여성도 남성과 같이 완성된 인격체에 도달할 수 있다는 가능성을 열었다"[1]는 평가를 받는다. 그런데 성리학적 탐구의 측면에서 '여성들이 본질적으로 남성과 다를 바 없다'는 것을 보여주려는 의도라면 그것은 남성적 규준을 표준으로 인정·강화하는 여성사 교육에서 크게 벗어나지 못한다. 그것은 거대 문화로서 남성과 여성이 군

---

1 한희숙, 「조선시대 여성사 연구의 최신 동향(1991년 이후~)」, ≪인문과학연구≫, 8호 (가톨릭대학교 인문과학연구소, 2003), 3~4쪽.

자가 되기 위한 열망과 그에 대한 성리학적 문화의 규율을 이해하게 하는 것과는 다른 것이다.

보충사적 관점의 역사교육은 여성을 하나의 독립된 사회적·문화적 집단으로서 보지도 않을 뿐 아니라, 집단으로서 여성의 삶, 지위, 여성 문화를 역사적으로 연구할 가치가 없는 '사소'하고 '주변'적인 것으로 간주한다. 여성은 남성보다 열등하며, 남성의 역할은 사회적으로 중요하고 생산적이며 창의적인 데 반해, 여성의 역할은 사소하고 비생산적이라는 인식을 심어줄 수도 있다. 나아가 여성이 창의적 주체가 되기 위해서는 소위 남성의 문화를 표준으로 보면서, 남성의 영역에서 남성처럼 행동하고 생각해야 한다는 왜곡된 의식을 심어줄 수도 있다.

보충사적 관점의 문제를 해결하기 위해서는 적어도 '보편사'의 남성적 편견을 비판하고, 역사의 여성적 측면을 인식할 수 있도록 역사 학습의 기회를 주어야 한다. 한 걸음 더 나아가 역사교육은 양성적 - 여성과 남성 - 관점에서 재개념화되어야 한다. 양성적 관점에서 역사를 재개념화하는 작업은 역사에서 서로 다른 사회적·문화적 집단으로서 남성과 여성을 인정하고, 역사의 중요한 내용을 선정·분석하는 과정에서 여성과 남성의 시각을 함께 고려하는 것에서 시작할 수 있다.

2) 신사회사의 관점에서 다뤄지는 젠더 관계

1960년대 후반부터 1970년대 전반까지 서유럽과 미국에 몰아쳤던 민권운동은 사회적으로 소외되었던 많은 집단들의 '평등'을 향한 적극적인 움직임을 촉구했다. 여기에 프랑스 아날학파Annales School 의 영향은 영국과 미국 등 여러 나라에서 사회사의 지평을 확대시켰다. 사회사는 '신사회사new social history'라는 기치를 내걸고 '아래로부터의 역사'를 외치면서, 전통적으로 사회사가 다루어왔던 범주들을 확대하고 새로운 시각에서 주제들을 다루기 시작했다.[2] 신사회사는 특히 계급 이외에 민족, 인종, 젠더, 연령, 성적 기호(섹슈얼리티) 등을 새로운 연구 범주로 첨가시켰다.[3]

사회사 연구의 방법론적 전환은 여성사 연구에도 영향을 미쳐, 종래 보충사와 공헌사 등의 관점에서 진행된 여성사 연구 방법, 관점, 주제 등의 한계를 지적했다. 가장 중요한 성과 중 하나는 여성을 공통된 의식을 공유하는 하나의 사회적·문화적 집단으로 인식하게 한 것이다. 이러한 관점에서 여성의 사회적 지위 변화에 대한 연구나, 남성에 의해 규정되는 여성 억압적 사회구조 등에 대한 연구가 이루어졌다. 한국도 1980년대 이후 혼인제도, 가족제도, 상속제도 등에 구조화되어 있는 가부장적 특징과 관련해 연구되기 시작했으며 여성의 노동, 직업, 교육 등과 연관된 사회제도와 정책 등에 초점을 두어 여성의 지위 변화나 가정과 사회에서의 역할 등을 연구했다.[4]

신사회사의 방법론을 수용하는 여성사가는 특정한 역사적 공간에 존재했

---

2   1960년대 이전의 전통적 사회사는 정치와 관련 없는 사람들의 역사, 정치와 무관한 삶의 영역에 대한 역사로 이해되었다. 따라서 대체로 하층계급이나 사회적 약자 집단의 생활방식과 관련된 주제를 연구했다. 그러한 주제들은 국가의 조직과 기능 또는 고급문화의 양상 등을 포함한 한 사회의 공식적·구조적 특징과 관련이 없는 것이었으며 하층계급, 도시 노동자, 이민(移民), 농민 등의 경험 자체보다는 그들이 처했던 환경에 대한 기술로 이루어졌다. 이러한 맥락에서 정치와 관련 없는 사람으로서 여성에 대한 연구도 시작되었다. Peter Stearns, "Old Social History and the New," Mary K. Cayton, Elliot J. Gorm, Peter W. Williamns(eds.), *Encyclopedia of American Social History* (Scribner, 1993), p.314.

3   같은 글, 314쪽.

4   최숙경, 「한국 여성사 연구의 성립과 과제」, ≪한국사 시민강좌≫, 15집(1994), 5~8쪽. 이러한 관점의 여성사 연구는 많이 축적되었다.

던 여성들의 경험에 대한 연구를 통해, 연구의 대상이 되었던 사회구조와 그 사회에서 여성의 역할을 설명했으며, 남성 중심의 구조에서 남성의 지배와 여성의 종속이라는 왜곡된 사회 모습을 비판했다. 이러한 여성사 연구 방법론은, 현실로 존재하는 성차별적 편견과 사회구조를 비판하고 평등사회를 지향하는 페미니즘 관점에서 양성 불평등 구조의 해소를 목적으로 하는 정치 운동과 밀접한 관계 속에서 발전하기도 했다.

1970년대 중반에는 복잡한 사회적·문화적 '관계'이자 '과정'으로서, 그리고 사회적·문화적·역사적 관계를 분석하는 범주로서 젠더에 대한 인식이 확립된다.[5] 분석의 범주로서 젠더의 성립은 여성사를 사회사의 한 주제로 볼 것인가, 사회사와 다른 역사 연구의 독자적인 방법으로 볼 것인가의 논쟁으로 발전했다. 사회사와 여성사의 본질적인 차이를 강조하면서, 여성사가 사회사로부터 '분리', '독립'되어야 한다는 주장이 제기된 것이다. 이러한 관점의 차이는 구체적으로는 '젠더와 계급을 둘러싼 논쟁'으로 표출되었다.[6] 이 논쟁의 쟁점은 분석의 우선순위를 젠더에 둘 것인가 아니면 계급에 둘 것인가로 요약된다.

여성사를 사회사의 한 분야로 연구하는 경우에서는 기존의 정치경제학적 틀을 고수하고, 계급을 주된 역사의 분석 범주로 간주하며, 자본주의를 가장 중요한 구조로 주장하면서 계급의 범주 내에서 젠더 관계를 분석한다. 종래 사회사는 젠더 구분 없이 계급, 인종, 민족 등의 개념을 적용해왔다. 특히 사

5　Gisela Bock, "Women's History and Gender History: Aspects of an International Debate," *Gender & History*, Vol.1, No.1(1989), p.10.

6　이에 대한 자세한 논의는 정현백, 「새로운 여성사, 새로운 역사학」, ≪역사학보≫, 150집(1996), 29~37쪽과 Gisela Bock, "Women's History and Gender History: Aspects of an International Debate," pp.18~21에서 볼 수 있다.

회관계는 주로 계급 틀로 분석하고, 여타의 관계는 부차적인 것으로 간주했다. 이렇게 계급을 중심으로 사회관계를 분석하면 하나의 계급 안에서 여성과 남성의 위치나 경험은 동질적인 것으로 간주된다.

그러나 여성사의 독립을 주장하는 여성사가는 젠더에 따라 계급의 의미가 달라진다고 주장한다. 남성에게 계급은 생산수단과 맺는 관계, 자원과 여성 및 아이들에 대한 통제권을 의미하지만, 여성에게 계급은 남성을 통해 매개되는 생산수단에 대한 관계라는 것이다.[7] 인종도 마찬가지로, 억압받는 인종의 남성은 노동력을 착취당하지만, 여성의 경우 노동력과 함께 성적 재생산 서비스까지 강요당한다는 것이다.[8] 즉, 여성사의 독립을 주장하는 여성사가는 계급이나 인종, 민족 등의 범주가 남성과 여성에게 서로 다른 방식으로 적용되기 때문에, 이러한 사회관계들을 한층 총체적으로 분석하기 위해서는 젠더의 관점에서 계급, 민족, 인종, 문화 등의 개념을 재정의해야 하며, 이는 여성사가 사회사로부터 방법론적으로 독립해야만 가능하다고 주장한다. 사회사로부터 분리를 선언한 여성사는 역사 분석의 우선적인 범주로서 젠더를 내세우면서 젠더와 여타 사회적·문화적 관계 및 구조 간의 관계를 교차 검토할 것을 강조한다.

그러나 한 사회에서 같은 계급과 같은 젠더의 집단을 동질적인 집단이라고 볼 수 없고, 계급 관계나 젠더 관계를 역사적으로 고정불변의 양상이었던 것으로 전형화시킬 수도 없다. 나아가 계급과 젠더 두 범주 간 계서화階序化를 고착시킨 이론적 틀을 역사 연구에 엄격하게 적용하는 것은 역사 연구 방

---

7 Gerda Lerner, "Reconceptualizing Differences among Women," *Journal of Women's History*, Vol.1, No.3(1990), pp.110~111; 정현백, 「새로운 여성사, 새로운 역사학」, 22~23쪽.

8 Gerda Lerner, "Reconceptualizing Differences among Women," pp.110~111.

법 자체를 편협하게 만들 수도 있으며, 역사 연구의 영역을 축소시킬 수도 있다. 기젤라 복Gisela Bock이 주장했듯이 계급과 젠더는 모두 역사적 맥락에 따라 달리 해석될 수 있는 사회관계의 범주이자 과정이기 때문이다.[9]

특히 '과정'으로서 젠더에 대한 인식은 젠더가 주어져 있는 불변의 인성적 특질이 아니라, 본질적으로 시·공간과 상호 작용하며 변화하는 동태적 사회관계라는 점을 강조한다. 이러한 점에 착안해 복은 같은 젠더 내의 관계, 또는 서로 다른 젠더 사이의 관계에 대한 '맥락 특정context-specific', '맥락 의존적 context-dependent' 사고를 요구했다.[10] 이는 역사적 사건의 기원을 설명하고, 역사적 사건을 고정된 패턴으로 제시하는 정태적·인성적 특질로서 젠더를 적용하는 방식을 거부하고, 그 사회의 독특한 맥락 속에서 그 사회의 고유한 젠더 관계를 이해하도록 요구하는 것이다. 계급과 젠더만이 아니라 인종, 민족, 문화, 지역, 연령 등도 복잡하고 다양한 사회관계를 규정하는 범주들이다. 그러므로 역사에서 복잡한 사회관계를 이해하기 위해서는 그 관계들의 중요성에 고정적 서열을 매기기보다는, 그 사회의 맥락에서 그 관계들 간의 독특한 상호 관계와 상호 영향에 주목해 복잡하고 중첩적인 사회관계를 이해하려고 노력할 필요가 있다.

독립적인 여성사 방법을 구축하려는 측과 사회사의 테두리 안에서 여성사를 추구하는 측은 분석의 범주로서 젠더와 계급, 어떤 것을 우선적으로 분석할 것인가에 대해 본질적 차이는 있지만, 기본적으로 여성사를 젠더 관계와 다른 구조와의 관계를 분석하는 방식으로 접근한다는 점에서는 공통적이다.

---

9   Gisela Bock, "Women's History and Gender History: Aspects of an International Debate," p.19.
10 같은 글, p.19.

또한 젠더, 계급, 인종, 민족, 지역과 같은 범주들의 교차적 분석을 통해, 복잡한 사회관계를 한층 다층적·역동적으로 분석하려고 시도한다는 점에서도 비슷하다.

역사에서 분석 범주로서 젠더의 성립은 여성과 남성의 경험이 본질적으로 다르다는 인식에서 출발하며, 역사 연구에서 사회적·문화적 집단으로 여성의 시각을 본격적으로 드러내기 시작한다. 방법론적으로는, 종래 역사에서 다루었던 중요한 사건이 남성의 시각에서 선정·해석되어왔음을 비판하면서, 여성의 경험에 비추어 그러한 사건의 의미를 캐묻고 재해석하며 새로운 내러티브를 추구하고, 여성의 경험을 기준으로 종래와 다른 시기 구분을 하는 시도로 연결되었다. 이러한 방식으로 역사를 재해석하려 시도한 1970년대의 대표적인 글이 조앤 켈리-가돌Joan Kelly-Gadol 의 「여성에게도 르네상스가 있었는가?Did Women have a Renaissance?」이다.[11] 이후로도 종교개혁은 여성의 경험에 비추어볼 때 기독교의 핵가족을 강조하면서 남성 중심의 가부장제를 강화시켰다는 평가, 모든 사람에게 평등한 권리를 부여한 중요한 전환점으로 평가받는 프랑스혁명의 성과가 여성에게는 평등한 권리를 나누어주지 않았다는 해석[12] 등은 종래 보편사의 남성 편향적 성격을 비판하고 여성

---

11 Di Joan Kelly-Gadol, "Did Women have a Renaissance," in Renated Bridenthai and Clandia Koonz(eds.), *Women in European History*(Houghton Mifflin, 1977). 이탈리아 르네상스는 19세기 야코프 부르크하르트(Jacob Burckhardt)의 평가 이래로 사회를 근대적으로 재조직하고 개인에게 문화적·사회적 표현의 가능성을 열어준 것으로 평가되었다. 1970년대 켈리-가돌은 여성에게 르네상스가 있었는가라는 질문을 하고 실제 이탈리아의 르네상스는 부르크하르트의 주장과는 달리 도시 여성과 남성의 문화를 동등하게 고양시키지 않았다는 결론을 이끌어냈다.

12 Mary Spongberg, *Writing Women's History Since the Renaissance*(Palgrave MacMillan, 2003).

적 재해석의 당위성을 부각시켰다.

이러한 연구 성과는 남성 편향적 보편사의 시각에서 편성된 역사교육과정의 문제를 비판하고, 새로운 역사를 가르칠 수 있는 가능성을 연다. 예를 들면 시민혁명, 사회주의 혁명 등과 같은 정치적 혁명, 신석기 혁명과 산업혁명 같은 기술혁신과 경제적 변혁, 불교·유교·이슬람교·기독교 등의 성립·수용 등과 관련된 문화적·종교적 변화, 제국주의 전쟁, 세계대전, 6.25 전쟁 등을 분석할 때, 그 사건이 가져온 구조적 변화나 사건의 의미를 여성의 관점에서, 또 여성과 남성의 관계 변화의 측면에서 분석하도록 할 수 있다. 물론 이러한 방식이 '중요한' 사건을 선정하는 기준 자체에 여성의 관점을 투영하는 것이라고는 할 수 없다. 그 사건이 진정 젠더의 관점에서 '중요한가'라는 의문을 제기하기보다는, 종래 '중요하게' 여겨지던 사건들의 영향이나 의미에 대해 여성의 시각에서 다시 해석해보는, 다르게 읽기의 기회를 제공하는 수준에서 역사의 내용을 재편하는 정도에 그친다는 한계가 있다.

이러한 관점의 여성사를 역사교육에 도입할 경우, 가르쳐야 할 중요한 내용은 특정 시기에 집단으로서 여성의 사회적 지위나 역할, 젠더 관계, 그러한 관계를 규정하는 구조나 문화, 또 특정 사건에서 젠더 관계와 다른 사회적 관계들 간의 중층적인 복합 구조를 분석하는 것 등이 된다. 산업화, 자본주의, 제국주의, 국민국가, 노예제 또는 농노제, 지주 전호제, 조선 시기의 유교적 사회구조에서 여성의 지위나 역할, 여성과 남성의 관계 등을 분석하는 것이 역사 학습 내용을 구성하는 기본적인 틀이 될 것이다. 이러한 틀에서 학생들은 신분제도, 혼인제도, 가족제도, 형벌제도, 상속제도 등에 젠더 관계가 어떻게 나타나는지, 또 젠더 관계는 어떤 방식으로 그러한 제도들의 외형을 만들었는지, 젠더 관계를 변화시킨 사건은 무엇이며, 또 그 사건은 젠더 관계를 어떻게 제도화·구조화했는지 등을 탐구하게 된다.

그런데 구조사·젠더 관계사에 주목하는 여성사는 여성이나 남성이 단순한 하나의 동질적인 집단이 아니라, 그 내부에서 또 다른 차이에 의해 구별되고, 또 다른 관계가 설정된다는 점을 주의 깊게 보도록 요구한다. 따라서 학생들이 복합적 사회관계를 이해하도록 유도하기 위해서는 구조, 법, 제도 등에 나타난 젠더 관계가 다시 인종, 민족, 계급, 지역 등에 의해 조건 지어진 관계 속에서 어떻게 또 다른 차이와 차별을 만들었는지 또는 강화·약화했는지까지 복합적으로 검토하게 할 필요가 있다. 예를 들면 자본주의 구조에서 남성과 여성의 지위 변화라는 주제를, 그 사회의 역사적 맥락에 따라 그 집단 내의 계급적·인종적·지역적 구분에 기초한 분석을 토대로, 그 시기 그 사회의 다층적인 사회관계상을 도출해내도록 하는 것이다.

좀 더 구체적으로는 유교적 가부장제에서 사족 남성 및 여성과 노비 남성 및 여성의 사회경제적 지위와 관계의 변화를 분석하거나, 미국의 산업혁명기 자본주의 구조 속에서 남성과 여성 백인 부르주아 계급과 임금노동자 계급, 또는 흑인 노예의 지위와 관계의 변화에 대해 분석할 수 있다. 또한 프랑스혁명의 영향과 의미를 남성과 여성의 정치적·사회적·문화적 지위의 변화 측면에서 분석할 수도 있으며, 이슬람교의 확립이 가져온 젠더 관계의 변화, 세계대전 후 유럽이나 미국에서 남성과 여성의 사회적 관계의 변화를 인종 및 계급 관계도 함께 복합적으로 고려해 탐구할 수 있다.

그런데 구조와 젠더 관계를 분석하는 방향에서 역사 내용이 선정될 경우, 역사 변동의 주체로서 인간의 창조적·능동적 역할을 이해할 기회는 축소된다. 특히 여성의 역할 측면에서는 역사 변동의 주체로서 창조적·능동적 역할보다는 가부장적 구조를 전제로, 구조에 의해 억압당했던 여성의 '피동적'이고 '희생자'적인 경험이 부각될 가능성이 크다. 이러한 접근법의 한계를 비판하고 여성도 노동, 공동체 생활, 부부 관계 등에서 어떤 종류의 '권력power'

을 발휘했다는 주장을 구체적으로 논증한 연구도 있다.[13] 이러한 연구에 따르면 여성은 사회를 해석하는 독특한 방식을 지녔고, 그에 입각해 삶을 꾸리고 실행했다. 그리고 이것은, 명백하게 여성이 '어떤 종류'의 권력을 통해 사회에 영향을 미쳤다는 의미라고 해석하면서 여성의 '잊힌 권력'을 복권시키려 한다.

이러한 문제의식에서 '여성 영역women's sphere'의 특징[14], 여성의 사적 영역과 공적 영역에서의 활동과 역할 등에 주목한 연구도 있다. 이른바 여성의

---

13 이러한 연구들에 대해서는 Cècile Dauphin et al., "Women's Culture and Women's Power," in Joan Wallach Scott(ed.), *Feminism and History*(Oxford: Oxford University Press, 1996), p.572에서 소개했다. 한국에서도 엄격하게 이러한 방법론에 따른 것은 아니지만 이러한 문제의식을 어느 정도 공유하면서 저술된 책들이 있다. 예를 들면 숙명여자대학교 아시아여성연구소에서 발행한 한국여성근현대사 시리즈는 사회사에서 논쟁이 되고 있는 여러 문제들을 고민하면서, 여성의 사적 영역과 공적 영역, 그리고 그 두 영역이 교차되는 지점에서의 여성의 활동과 의식을 다루려고 했으며, 특히 여성의 주체적 '참여'를 부각시키려고 노력했다. 또 최근 조선시대 생활사 관련 여러 저작들은 가정 내에서 여성의 권리, 나아가 가정 내 남성과의 관계에서의 '권력'을 부각시키기도 한다〔예를 들면 이순구, 『조선의 가족 천개의 표정』(너머북스, 2011)이 있다〕.

14 인류학자인 미셸 짐발리스트 로잘도(Michelle Zimbalist Rosaldo)는 여러 사회와 문화에서 남성과 여성 각각이 활동하는 영역의 남성 역할과 여성 역할 사이의 관계가 상당히 다르다고 지적했다. Michelle Zimbalist Rosaldo, "Woman, Culture and Society: A Theoretical Overview," in M. Z. Rosaldo and L. Lamphere(eds), *Woman, Culture and Society*(Stanford University Press, 1974). 이에 착안해 1970년대 미국이나 유럽의 여성사가들은 로잘도의 이론에 기초해 여성의 '공적 영역(public sphere)' 편입을 분석했다. 이러한 연구는 젠더와 구조의 관계를 분석하는 과정에서 여성의 사회적 지위 변화의 구조적 결정 요인을 집어내기 위해 시작되었다. Mari Jo Buble, "Feminist Approaches to Social History," Mary K. Cayton, Elliot J. Gorm, Peter W. Williamns(eds.), *Encyclopedia of American Social History*(Scribner, 1993), p.324; Natalie Zemon Davis, "'Women's History' in Transition," in Joan Wallach Scott(ed.), *Feminism and History*(Oxford: Oxford University Press, 1996), p.90.

영역에서 여성이 어떤 권력을 행사했는지 살피기 위해 가족 관계, 성관계, 가사노동 등을 탐구하기도 했으며, 소위 남성의 영역에서 여성의 활동은 어떠했는지, 남성의 영역에 여성이 어떻게 편입되었는지 등을 검토하기 위해 여성의 공동체 활동이나 생산 활동도 연구되었다.[15] 비슷한 문제의식에서 한국도 여성이 고려 시기나 조선 전기에는 조선 후기에 비해 상속, 재혼, 제례 등에서 남성만큼의 권리를 누렸고, 따라서 여성의 지위가 항상 낮은 것은 아니었다는 연구가 나오기도 했다.[16] 능동적인 역사 주체로서 여성의 권력을 회복시키려는 시도라고 할 수 있다.

여성의 영역과 남성의 영역이라는 개념적 틀을 수용해 역사 내용을 선정하면, 젠더로 구분된 주된 활동 영역에서 행위 주체로서 각 젠더의 주도적 역할을 분석할 기회를 제공할 수 있다. 소위 여성의 영역과 남성의 영역에서 이루어진 역할 분담과 역할 사이의 관계 분석은 실제 기록을 남겼거나 기록에 남아 있는 '여성 명사'가 아니더라도 특정 사회에서 여성이 누렸던 권리와 자율, 여성이 수행했던 역할과 행사했던 권력 등을 한층 적극적으로 분석할 기회를 제공할 수 있다. 그러나 여성의 영역과 남성의 영역에 착안한 역사교육은 "양성 사이의 공간, 시간, 일상적 행위, 의식 등이 확실히 분할되어 있다는 제한적인 이미지를 제공하며, 또한 각각의 역할과 임무는 적대적이지도 경쟁적이지도 않고 상호 균형을 이루었다는 판단"[17]을 유도하게 만들 가

---

15 이러한 연구에 대해서는 Cécile Dauphin et al., "Women's Culture and Women's Power," pp.575~577; 변기찬, 「여성사: 또 하나의 역사」, ≪역사비평≫, 46호(1999); 변기찬, 「'여성의 문화'와 '여성의 권력'의 상관성: 여성사 연구를 위한 제언」, ≪중앙사론≫, 12·13집(1999)에서 자세히 다루고 있다.

16 한희숙, 「조선시대 여성사 연구의 최신 동향(1991년 이후~)」, 4쪽.

17 변기찬, 「고등학교 세계사 교과서에 나타난 서양 여성」, ≪교육논총≫, 2집(부산외국

능성이 있다.

여성의 영역과 남성의 영역은 교차·교환되는 부분이 있었기 때문에 그 구분을 고정된 것으로 볼 수 없다. 또한 양성의 영역이 구분되었다고 해서 그들이 수평적으로 역할과 권력을 분담한 것으로 일반화시킬 수도 없다. 예를 들어 조선시대의 가족, 여성, 상속 등에 대한 연구들은, 가족 관계의 측면에서 조선 전기에는 여성이 남성과 비슷한 자유와 권리를 누렸거나 여성의 권리가 주도적이었지만, 후기에는 여성의 권리와 자유가 축소되었음을 보여준다.

구조사의 틀에서 젠더 관계, 젠더와 다른 구조와의 관계, 여성의 영역 등을 중심으로 다루는 역사가 본질적으로 설명하는 것은 여성의 경험이나 여성의 시각에서 중요한 사건이 아니라 사회관계, 권력관계, 사회구조이다.[18] 문제는 구조를 학습하는 것 자체가 아니라 구조를 학습하는 것에 매몰되어 남성의 시각에서 규정된 구조의 본질을 볼 수 없게 만들 수 있다는 것이다. 이러한 한계를 극복하기 위해서는 구조의 남성 중심성, 젠더 관계의 정치적 의미 등을 비판적으로 검토해볼 기회를 제공할 필요가 있다.

구조사의 틀에서 여성사 교육을 구안具案할 경우, 여성 관련 내용은 사회관계, 특히 계급 관계와 구조를 설명하는 과정에서 관련된 내용을 '삽입'하는 방식으로 다루어질 가능성이 크다. 그러나 사회사로부터 여성사가 독립하는 방향의 여성사 연구 방법론을 역사교육에 적용한다면, 젠더 관계의 변화를 중심으로 중요한 내용을 선정하고 시대를 구분하는 등 종래 사회사와도 전

어대학교 교육대학원, 2000), 5쪽.

18 Joan Wallach Scott, "Women's History and the Rewriting of History," in Christie Farnham(ed.), *The Impact of Feminist Research in the Academy*(Bloomington: Indiana University Press, 1987), p.40.

혀 다른 역사교육과정으로 발전할 수도 있다. 요컨대 내용 선정 과정에 여성 또는 젠더가 중요한 범주로 고려되지 않는다면, 여성 관련 내용은 여전히 남성적 보편사에 삽입되는 한계를 넘을 수 없다. 따라서 역사에서 젠더가 분석의 범주로는 물론이고 내용 선정의 관점으로서도 고려될 수 있는 방안이 마련되어야 한다.

3) '여성 문화'의 관점에서 다뤄지는 여성의 주관적 해석

'여성 문화women's culture'에 대한 연구는 종래 여성사가 남성과 다른 여성의 '주관적' 경험과 인식 방식을 고려하지 못했다는 문제의식에서 시작되었다. 이러한 여성 문화적 접근의 주된 관심은 남성의 시각에 의해 전형화된 여성의 역할과 생활을 여성의 주관적 관점에서 재해석하며, 그에 비추어 여성의 정체성을 재구성하고, 역사에서 여성의 자율성을 드러내는 것이다. 이러한 연구는 여성의 집단적 정체성의 근원이 '남성에 대한 종속'이라는 관점에서 탈피해 그러한 근원을 '여성들의 고유한 경험'에 의해 정의하려 한다.[19]

여성의 주관성과 고유한 인식 방식에 대한 강조는 패러다임의 전환을 의

---

19 이러한 시각의 '여성 문화'에 관심을 갖고 개념화했던 사람은, 미국의 경우 캐럴 스미스 로젠버그(Carroll Smith-Rosenburg)이다. 로젠버그는 「사랑과 예식의 여성 세계: 19세기 아메리카의 여성 관계」에서 '여성의 세계(female world)'라는 표현을 통해 여성 문화를 표현했다. 로젠버그는 백인 중산층 여성들 사이에 주고받은 편지와 일기 같은 자료를 토대로, 18~19세기 여성들이 공유했던 감정, 친밀한 우정 등을 통해 여성들 사이의 긍정적인 연대(네트워크)가 형성되었으며 그러한 연대는 의식(ritual)을 통해 여성의 삶에서 중요한 '관례'로 제도화되었다는 것을 보여준다. Carroll Smith-Rosenburg, "The Female World of Love and Ritual: Relations Between Women in Nineteenth-century America," *Signs*, Vol. 1, No. 1(1975).

미한다. '여성의 영역'이라는 개념이 마르크스적 시각에서 남성이 만든 이데 올로기, 산업화와 근대화의 부산물이라는 의미를 함축했던 반면, '여성의 문화'라는 개념은 여성이 사회관계를 형성하고, 젠더의 의미를 정의하는 데 어느 정도의 자율성을 즐겼다는 것을 가정한다.[20] 전자가 구조사적 시각에서 여성(사적)의 영역, 남성(공적)의 영역을 구분하고, 여성 영역의 특징, 여성의 공적 영역으로의 편입 과정에서 나타나는 역할의 변화, 억압의 구조에 관심을 가졌다면, 후자는 사회사의 패러다임을 버리고 상징적 인류학의 패러다임을 받아들이면서 여성 문화의 의미를 해석하는 방향으로 발전했다. 이러한 문화적 접근 방식의 여성사는 아날학파의 망탈리테의 역사에서 영감을 얻고 문화인류학, 특히 상징적 인류학의 영향을 받아 젠더 관례gender conventions, 특히 성적 이미지sexual image와 상징symbols, 의식rituals 등에 담긴 여성의 주관적 인식을 해석하며, 여성이 행위나 상징에 부여하는 의미를 해석하려 한다.[21]

특히 1990년대 들어와서는 클리퍼드 기어츠Clifford Geertz의 상징적 인류학의 방법론이 역사학에 큰 영향을 미치면서, 여성사도 여성 문화에 대한 관심을 확대했다. 기어츠는 일반 민중이 문자를 통해 자신을 표현할 수 없었다고 해서 자신의 의견이나 생각을 표출하지 못했던 것은 아니며, 그들이 만든 상징, 의식, 이미지 등을 '텍스트' 삼아 그들의 인식 세계를 해석할 수 있다는 것을 보여주었다. 신문화사는 이러한 방법론을 받아들여 그동안 역사에서 배제되었던 집단을 포괄해 역사를 재해석하려고 노력한다. 여성사에 대한 문화적 접근은 남성과 다른 여성의 경험 분야로서 수절, 출산, 육아, 우정 등

---

20 Mari Jo Buble, "Feminist Approaches to Social History," p.327.
21 같은 글, p.325.

과 관련된 관습, 의식, 상징 등에 담긴 '여성의 주관적 목소리'를 발굴해내기도 하고 혼인, 신앙, 신념, 교육, 사랑, 우정 등과 관련된 의식, 풍습, 상징에 대해서도 여성의 눈으로 재해석한다.[22]

여성 문화의 관점에서 역사교육과정을 구성할 경우 중요한 내용은 문화, 남성 문화(영역), 여성 문화(영역), 그리고 혼인, 수절, 육아, 출산, 가사, 여성의 연대, 여가, 의식, 사랑, 신앙, 상속, 가족, 윤리적 문제 등과 관련된 상징, 예의, 수사법 등을 포함할 것이다. 예를 들면 혼인, 출산, 생일, 명절 등과 관련된 의식, 당대 남성과 여성이 각각 독점했던 그림이나 글 등에서 드러나는 '상징', 여성 문화를 대표했던 수절과 같은 행위나 여성을 묘사하는 여러 종류의 수사법 등을 분석하게 할 수 있다.

여성 문화에 기초한 역사교육과정은 성차性差에서 오는 문화의 차이를 해명해 여성에게도 고유한 문화가 있었다는 것을 인식하고, 문화 창조의 주체로서 여성의 이미지를 개선하는 데 기여할 수 있다. 또한 여성의 역사를 남성의 역사로부터 독립시킴으로써 여성만의 관심, 여성적인 논리와 감성으로 역사를 재구성할 기회를 제공한다. 이에 따라 여성의 감성적 측면을 학습할 수 있는 장을 마련할 수 있다. 또한 여성의 고유한 역사적 공간과 역할을 통해 남성과는 다른 여성의 존재를 구별·인정함으로써, 종래 표면적으로는 성 중립적으로 보였던 역사 서술의 문제를 비판할 기회도 제공할 수 있다.

한편 이러한 방식은 여성에 '충실한' 여성사 교육 방법이 될 것처럼 보인다. 그러나 다른 각도에서 보면, 역사에서 여성의 문화를 다른 사회적 맥락

---

22 이러한 연구의 예로는 Patricia Buckley Ebrey, *The Inner Quarters: Marriage and the Lives of Chinese Women in the Sung Period*(Berkeley: University of California Press, 1993)을 들 수 있다.

또는 다른 사회관계나 문화로부터 유리시키고 고립되어 보이도록 만들 가능성이 크다. 또한 남성은 공적/권력의 세계를 주관하고, 여성은 사적/일상의 세계를 주관하는 것으로 대비함으로써 양자의 대칭적 관계를 더욱 부각하거나 고착화할 가능성도 있다. 특히 남성 문화와 다른 여성 문화에 초점을 맞추어 여성에 대해 접근할 경우, 여성 문화를 한 사회에 존재했던 다양한 문화의 하나로서 또는 '보편'에 대한 '예외적' 문화로서 인식하게 할 가능성이 크다. 특히 '그렇다면 왜 여성은 그러한 문화를 가졌는가?', '왜 여성은 그렇게 인식하고 해석했는가'라는 질문에 '여성이기 때문에', '여성으로 정체성이 형성되었기 때문에'라는 대답을 통해서 문제의 원인을 기능주의적 관점의 성차로 환원시킬 수도 있다.

특히 역사에서 '남성 지배와 여성 억압의 구조' 자체를 베일로 가려버림으로써 여성의 상황을 낭만적인 것으로 만들어버리고 페미니즘의 정치적 성격을 퇴색시킬 수 있다. 그러므로 이러한 접근법은 상당히 '교묘한 반페미니즘 sneaky kind of antifeminism'이라는 비판을 받기도 한다.[23] 또한 역사 자료에 담겨 있는 '남성적 편견'을 '여성적 편견'을 통해 극복하려 한다는 비판도 있다.[24]

역사에서 창조적 주체로서 종래 인정받지 못하던 여성의 '잠재력'을 드러내고 여성 주체적 의미 해석을 이해할 수 있는 기회를 제공하는 것은 중요하다. 여성 문화적 접근은 그러한 여성사 교육의 가능성을 열어준다. 다만 여

---

23 여성 문화에 대한 연구의 반페미니즘적 성격에 대해서는 1980년대부터 비판되기 시작했다. Ellen Carol DuBois et al., "Politics and Culture in Women's History," *Feminist Studies*, Vol.6, No.1(1980).

24 Uta C. Schmidt, "Problems of Theory and Method in Feminist History," in Joanna de Groot and Mary Maynard(eds.), *Women's Studies in the 1990s: Doing Things Differently?*(New York: St. Martin's Press, 1993), p.94.

성 문화적 접근의 한계를 극복하는 방향으로 역사교육에 적용하기 위해서는, 남성과 여성 문화의 이분법적 구분의 수사학을 넘어 문화사를 구성하는 방안을 생각해볼 필요가 있다. 망탈리테의 접근 방법에 기초해 사회 전체적인 문화와 양성 문화의 관계 및 각각의 자율성이 함께 탐구될 수 있도록 내용을 구성하는 방안도 하나의 방법이 될 수 있다. 예를 들면 조선시대 성리학에서 강조하는 '군자'를 남성과 여성 모두를 규율했던 문화로, 그러면서도 그 안에서 개인이 자율성을 발휘해 각각 군자가 되는 방법을 달리 정의하고 추구했던 것으로 가르치는 것이다. 물론 이러한 방식의 여성사 교육은 학생들의 수준을 고려하면서 구안되어야 한다.

4) 탈구조주의 역사의 관점에서 추구되는 젠더의 의미

역사의 분석 범주로서 젠더는 서로 다른 두 가지 방법으로 추구되고 있다. 사회사에서 젠더는 양성 간의 관계와 관련된 구조나 이데올로기를 분석하는 수단으로서, '역사적 실재'로서 남성과 여성의 관계를 분석했다. 그런데 탈구조주의 시각에서는 사회사의 젠더 용법을 비판하면서, 젠더를 사회적 구성물로 볼 것을 주장한다.[25] 사회사적 틀과 연계해 젠더를 연구하는 방식은 궁극적으로 생물학적 구분에 기원한 기능주의적 관점을 인정하거나, 남성의 영역과 여성의 영역이 별도로 존재한다는 이데올로기를 고착화시킬 수 있다는 것이다. 또한 사회사가 젠더를 통해 양성의 관계를 사회적 관계로 보려고 하나, 실제 젠더 관계가 왜 그렇게 형성되었는지, 어떻게 그러한 관계가 작

---

25 Joan Wallach Scott, "Gender: A Useful Category of Historical Analysis," *The American Historical Review,* Vol.91, No.5(1986), p.32.

동하고 변했는지에 대해서는 구조의 관점에 의지할 뿐 젠더의 관점에서 설명하지 못한다고 그 한계를 지적했다.

보편사의 관점이나 사회사의 관점 모두, 인식론적인 측면에서 보면 실증주의적 관점에서 '중심'과 '주변', '권력 있는 자'와 '권력 없는 자'를 이분법적으로 구분하고, 그러한 틀에서 남성과 여성의 정체성을 확인한다. 의식적으로든 무의식적으로든, '중심'은 중요하고 월등하며, '주변'은 사소하고 열등하다는 계서적 관계에서 남성과 여성의 관계를 볼 수밖에 없다. 탈구조주의 시각에서 젠더사를 추구하는 연구자들은 종래 여성사 연구의 이러한 인식론적 한계를 지적하며, 그러한 인식론적 틀을 극복하는 방법으로서 젠더를 '실재'로 이해하지 않고 '지적 구성물', 즉 인간을 인식하고 연구하는 수단으로 받아들여야 한다고 주장한다.[26]

탈구조주의 젠더사는 단지 여성의 경험이나 인식 세계를 해명하려는 것이 아니라, 젠더 담론의 형성과 젠더의 의미를 중심으로 역사를 재해석한다. 이러한 탈구조주의 시각에서 젠더사는 1980년대 후반 이후 미셸 푸코Michel Foucault, 자크 라캉Jaques Lacan과 탈구조주의 언어학 등의 영향을 받으면서 발전했다. 라캉주의 이론에 따르면 젠더는 언어의 습득을 통해 구성되며, 언어를 사용하는 주체는 상징체계로 진입하는 과정에서 말을 배우고 사용하면서 젠더화된다.[27] 따라서 젠더는 사회문화적 구성물인 동시에, 사회 안의 남성

---

26 Uta C. Schmidt, "Problems of Theory and Method in Feminist History," p.103. 1990년대 말 이후, 여성사 연구자들은 여성학 연구자들과 마찬가지로 젠더와 섹스를 정확하게 구분할 수 없는 것으로서 인식하며, 젠더와 섹스 모두를 지식의 한 형태로 간주한다.

27 젠더 형성과 관련된 이론으로서 대상관계 이론(object-related theory)에 대한 자세한 설명은 배은경, 「사회 분석 범주로서의 '젠더' 개념과 페미니스트 문화 연구: 개념사적

과 여성 간의 관계를 조직하려고 시도하는 사회적 규칙이며 성차에 대한 신념의 재현이기도 하다.[28]

조앤 W. 스콧Joan W. Scott은 젠더를 "양성 간의 인식 차이에 기반을 둔 사회관계의 구성 요소이자 권력관계를 상징하는 주요 방식"이라고 파악했다.[29] 이러한 개념을 이용해 역사에서 전통적으로 남성의 영역이라고 간주되었던 분야에 여성을 (또는 젠더) 끌어온다. 스콧은 특히 종래 젠더의 성역으로 보였던 정치사의 중요한 주제인 전쟁, 혁명 등이 지금껏 여성을 배제시켰으나, 역사적으로 여성이 정치 또는 정치적 변동과 무관했던 것은 아니라고 주장한다. 여성이 정치에 없을지라도 젠더는 정치(정치학의 이론이나 담론에)에 있다는 것이다. 즉, 더 이상 여성과 여성의 활동 영역만을 검토하거나 여성성과 남성성의 사회적 구성만을 볼 것이 아니라 모든 곳, 심지어는 정치, 지적 담론, 경제 등 전통적으로 '중요하게 간주되었던 역사 분야'에서도 권력관계의 의미를 분석하는 가장 중요한 범주로서 젠더를 사용할 수 있다는 것이다.[30]

이러한 젠더사의 관점에서 구성되는 역사교육과정의 중요한 내용에는 탈

접근」, ≪페미니즘 연구≫, 4호(2004), 63~64쪽에서 볼 수 있다. 라캉 이론(Lacanian theory)에 대한 자세한 설명에 대해서는 Joan Wallach Scott, "Gender: A Useful Category of Historical Analysis," pp.33~37에서 볼 수 있다. 대상 관계 이론은 여성의 경험, 특히 가족과의 관계가 젠더 정체성 형성에 중요하다고 주장하고, 라캉 이론은 언어가 젠더 정체성 형성에 중요하다고 본다. 탈구조주의자들은 실제 경험의 영향보다는 의사소통, 해석, 젠더를 표상하는 언어가 젠더 형성에 중요하다고 본다.

28 조앤 W. 스콧, 「젠더와 정치에 대한 몇 가지 성찰」, 배은경 옮김, ≪여성과 사회≫, 13호 (한국여성연구소, 2001), 215쪽.

29 Joan Wallach Scott, "Gender: A Useful Category of Historical Analysis," pp.48~49.

30 같은 글, p.42.

구조주의 시각에서 본 역사의 본질과 역사 분석 방법, 젠더의 개념, 역사에서 젠더의 의미를 분석하는 방법이 포함된다. 특히 교육과정의 개발 과정에서 중요한 것은 어떤 내용이 포함되느냐가 아니라 젠더의 의미를 분석하는 과정이다. 예를 들면 르네상스, 프랑스혁명, 갑오개혁 등과 같은 정치적 사건, 또는 민며느리제, 형사취수, 유화柳花 부인 숭배 등과 같은 풍습이나 관습을 가르치는지 여부가 중요한 것이 아니라, 그러한 사건이나 관습에서 사회적·문화적 구성물로서 젠더의 의미를 어떻게 제시하는지 또 그러한 의미 구성에 어떤 권력관계나 이데올로기가 작용했는지를 분석하는 것이 중요하다. 탈구조주의 시각에서 젠더라는 렌즈를 통해 역사를 분석하도록 하는 것은, 학생들이 역사에서 종래 하던 질문과 다른 질문을 하고 다른 역사를 구성하도록 만드는 것을 의미한다.

탈구조주의 시각을 바탕으로 내용 선정의 주제로서 젠더의 의미와, 분석의 범주로서 젠더를 역사교육과정 개발에 반영할 경우, 젠더의 정의, 젠더의미, 담론화 및 담론의 변화 등에 대한 탐구의 기회는 충분히 주어질 수 있다. 또한 언어적 구성물과 표상들이 규범적·정치적으로 어떻게 젠더 관계를 규정하고 통제했는지, 젠더 담론이 어떻게 사회조직·사회관계를 정의, 정당화, 통제했는지 분석할 기회를 줄 수 있으며, 그 과정에서 남성과 여성의 의미가 각각 어떻게 변화되었는지도 탐구할 기회를 줄 수 있다.

초·중·고등학교 역사교육에서 다양한 각도의 질문, 새로운 역사 지식의 구성에 대한 개방적 태도는 견지되어야 한다. 그러나 이는 대안 없는 상대주의로 치닫거나, 학생들이 역사 인식을 둘러싼 역사학계의 불안정한 논쟁 기류에 휘말리는 것을 제어할 수 있는 장치를 전제로 한다.

21세기에 들어서는 젠더를 분석의 범주로 이론화하는 역사가들도 더 이상 극단적인 탈구조주의적 접근 방법을 택해야 한다는 중압감에 시달리지 않는다. 오히려 젠더와 다층적 구조 간의 관계를 분석하는 방향에서 젠더의 역사를 서술[31]하려 하거나, 신문화사적 방법론에 기초해 문화사로서 젠더의 역사를 서술하고자 하는 경향[32]을 보인다. 탈구조주의적 역사 연구 방법론을 역사교육과정에 본격적으로 적용하기 위해서는 분명한 교육적 목적과 의도, 방향을 설정하는 것이 무엇보다 중요하다.

예를 들어 역사교육이 다양한 역사 인식론과 방법론, 역사 담론을 가르치는 방향에서 기획된다면 젠더사는 하나의 역사 인식론과 여성 연구 방법론으로 제시될 수 있다. 그러나 종래 남성 편향적인 역사 서술에 대해 성찰해 볼 기회가 없었던 학생들에게 탈구조주의 시각의 젠더사가 주어진다면, 여성의 제도적·규범적·정치적 복권과 복원을 주장하는 페미니즘적 문제의식이 역사교육에 반영될 여지는 사라지고 만다. 이렇게 구성된 역사교육과정은 성 정체성, 성 불평등, 성 억압, 성 편견의 이데올로기나 문화, 구조 등에 대한 문제의식을 담보하지 못한다는 비판에서 자유로울 수 없다.

2. 역사교육과정과 교과서에서 여성 관련 내용 구성 방안

1960년대 이후 서구의 여성사가들은 역사학의 남성 편향성, 즉 연구 주제

---

31 이러한 관점에서 역사를 서술한 예에는 메리 E. 위스너-행크스, 『젠더의 역사』, 노영순 옮김(역사비평사, 2006)이 있다. 이 책은 주제 중심이면서도 주제를 연대기적 접근법과 지역 비교에 기초해 서술하고 있다. 이 책에서 다루는 주제에는 가족, 경제생활, 관념, 사상, 규범, 그리고 법률, 종교, 정치생활, 교육과 문화, 섹슈얼리티 등이 있다.
32 문화사의 관점에서 여성사를 구성하고 있는 책으로는 조르주 뒤비, 『12세기의 여인들: 알리에노르 다키텐과 다른 6명의 여인들』, 최애리 옮김(새물결, 2005)이 있다.

는 물론 연구 방법의 측면에서도 여성을 배제·누락시켰다는 점을 본격적으로 비판했다. 이에 대한 해결 방향은 단순히 기존의 역사 연구 방법론에 여성 관련 내용을 포함시키는 데 그치지 않고, 젠더를 중요한 분석 범주로 도입하는 방향에서 새로운 연구 방법론을 모색하는 것이었다. 이후 서구는 물론 한국의 여성사학계도 비약적 발전을 통해 역사에서 여성을 가시화시키고 젠더를 역사 연구의 주요한 범주로 확립시키는 데 어느 정도 성공했다.

그러나 여성사학계는 보편 교육의 기초인 학교 역사교육에서 남성 편향성을 지적하고 비판하는 데는 여전히 소홀하다. 이에 따라 역사교육은 너무나 손쉽게 초·중·고등학생들을 여성 망각의 역사로 몰아넣고 있다. 제7차 교육과정(1997~2007)에 이르기까지 종래의 학교 역사교육과정은 여성을 '언급'하지도 '삽입'하지도 않았으며, 젠더를 역사 탐구의 주요 개념으로 고려하지도 않았다.

남성 편향의 보편사적 시각에서 이루어지는 역사교육은 여성을 주로 '언급'하는 형식으로 다루는 경향이 있다. '언급'이란 역사 내용의 전체적인 맥락이나 역사 인식론과 상관없이, 본문이나 읽기 자료에서 남성적 규준에 기초해 선별된 개별 여성 인물의 공적을 다루는 것이다. 이러한 역사에서는 여성이나 남성이 하나의 독특한 사회·문화 집단이라는 인식이 없다. 역사 교과서에는 여성 명사의 역사, 공헌사의 관점에서 여성을 '언급'하는 방식으로 다루어진다.

제7차 초·중학교 사회과 교육과정의 역사 영역은 여성을 '언급'조차 하고 있지 않으나, 6학년 1학기 사회 교과서 역사 영역과 중학교 국사 교과서는 유관순이나 유희순과 같은 여성 정치 운동가를 '언급'의 방식으로 본문과 '읽기 자료'에 첨가했다. '언급'의 방식은 근본적으로 역사에서 여성을 다루는 방식이 아니라, 여성을 배제시키는 방식이다.

'삽입'이란 전체적인 내용의 맥락에서 적절하게 연결시킬 수 있는 공간에 여성 관련 내용, 또는 젠더 관련 내용을 첨가하는 것이다. 이때 전체적인 맥락은 주로 남성 중심의 역사를 보편으로 간주하며, 따라서 여성은 하나의 사회·문화 집단으로서 '삽입'되지만 남성은 하나의 사회·문화 집단으로 드러나지 않는다.

전체적으로 정치사 중심이든 사회사 중심이든, 아니면 정치·경제·사회·문화의 모든 영역을 다루든, 내용 조직 원리에 상관없이 여성을 다루어야 한다는 적극적인 의식에 의해 여성 관련 내용을 삽입하는 경우도 있다. 그러나 여전히 남성의 관점과 경험은 보편으로 간주되고 그러한 보편적 경험을 '보충'하는 방식으로 여성의 '예외적' 경험을 포함시킨다.

2007년 개정된 초등학교 사회과 교육과정은 역사 영역에서 여성 관련 주제를 '삽입'했다.[33] 기본적으로 정치사·생활사·인물사로 구성되며 전후 맥락의 논리적 측면에서 볼 때 반드시 관련되는 내용이 아닌데도 여성 관련 내용을 삽입한 것이다. 이는 여성 관련 내용을 포함시켜야 한다는 교육과정 개발자의 의지가 작용했기 때문에 가능한 것이었다. 제7차 교육과정의 고등학교 국사 교과서는 사회사 분야에서 '조선시대 여성의 사회적 지위의 변화'와 같은 여성 관련 주제를 '삽입'했다.[34] 이 경우는 사회사의 맥락에서 최근의

33 '조선시대의 새로운 움직임'에서 "조선시대 여성의 생활과 사회적 지위 변화를 파악하고 생활을 개선시키고자 했던 여성의 노력을 이해한다"는 주제가 삽입되었다. 교육과학기술부, 『초등학교 교육과정』, 교육인적자원부 고시 제2007-79호 별책2(2007), 119쪽.

34 교육과정에는 여성 관련 내용이 언급되지 않으나, 교과서는 여성 관련 내용을 한 페이지가량의 소주제로 다루었다. 교육인적자원부, 『초·중·고등학교 교육과정』(1997); 국사편찬위원회·국정도서편찬위원회, 『고등학교 국사』(교육인적자원부, 2006년 개정 발행)의 사회사 분야에서 중세 시기에는 '혼인과 여성의 지위(206쪽)', 근대태동기에는

여성사 관련 연구 성과를 반영하려는 노력이라고 하겠다. 그러나 한국사를 통사로 구성하면서, 시대를 통틀어 조선시대 이전이나 이후에 여성의 사회적 지위에 대한 서술 없이, 여성 관련 주제 하나를 삽입하는 것의 의미는 그리 크지 않다. 여성의 경험을 하나의 일화로 단편화·파편화할 수 있기 때문이다.

'언급'과 '삽입' 이외에 여성을 역사에 반영하는 방식으로 '독립'을 생각해 볼 수 있다. '독립'이란 여성 관련 내용만을 별도로 학습할 수 있도록 독자적인 여성사 교육과정을 개발하는 것이다. 이는 여성 명사나 공헌사의 관점에서도 가능하며 젠더 관계사, 여성문화사, 젠더사 등 거의 모든 여성사 연구 방법론의 시각에서 가능하다.

여성사 독립 교육과정은 크게 두 가지 방향에서 개발될 수 있다. 첫째는 남성 편향적 역사를 보완하는 관점에서 소위 보편사가 다루지 않은 여성 인물이나 여성의 경험을 중심으로 편성하는 것이고, 둘째는 종래 역사의 남성 편향성을 비판하는 대항 담론의 관점에서 여성문화사, 젠더 관계사, 젠더사 등의 방법으로 편성하는 것이다.

전자는 반드시 여성의 관점에서 역사를 재구성하는 것이라고 할 수는 없다. 종래 거대 역사의 남성 편향성에 대한 비판 없이 누락된 여성의 활동과 공적을 다루는 것이기 때문이다. 이 경우 그동안 평가받지 못했던 여성의 역

'가족 제도의 변화와 혼인'(222~223쪽), '청년운동, 여성운동, 형평운동(241~245쪽)'에 삽입되어 다루어졌다. 그러나 2007년 개정판에서는 '혼인과 여성의 지위'라는 소주제가 '가족 제도의 변화와 혼인'이라는 소주제에 의해 대체되었다. 교과서는 이러한 주제에서 가족제도와 혼인제도의 변화를 젠더의 관점에서 분석하고 있다. 국사편찬위원회·국정도서편찬위원회, 『고등학교 국사』(교육인적자원부, 2007년 개정 발행), 222~223쪽. 이외에도 사회사 분야는 대체로 젠더를 분석의 범주로 활용해 서술하고 있다.

할과 공적을 재평가함으로써 여성 정체성의 고양을 꾀할 수 있다.[35] 그러나 종래 역사 서술과 같은 주제·시각·해석·시기 구분 속에서 여성을 다루는 것이기 때문에, 결국은 내용 선정 및 조직에서 남성 중심적 규준이 작동한다는 비판을 면하기 쉽지 않다.

후자는 여성의 시각을 독립변수로 가정하며 여성의 시각에서 중요한 내용을 선정하고 내용을 조직하는 것이다. 앞서 보았던 여성의 관점에서 여성의 문화를 중심으로 교육과정을 구성할 수도 있고, 여성 삶의 변화에 중요한 영향을 미쳤다고 평가할 수 있는 사건들을 중심으로 종래 역사에서와 다른 새로운 주제를 다루며 새롭게 시기 구분을 할 수도 있다. 또한 젠더 관계의 변화를 중심으로 종래 보편사와 다른 주제 및 시대구분을 추구할 수도 있다. 여성사 독립 교육과정은 심층 탐구를 통해 새로운 역사 인식론, 방법론, 또는 역사의 다른 국면이나 다른 해석에 대해 학습할 수 있는 기회를 제공하는 방향에서 선택과목의 교육과정 편재 방식으로 활용될 수 있다.

각각의 역사 연구 방법론을 역사교육과정 개발의 틀로 활용할 경우, 여성이나 젠더는 대체로 교육과정에 '언급' 또는 '삽입'되는 방식으로 반영되거나, '독립'적인 여성사 교육과정을 개발하는 방식으로 발전하게 된다. '언급'이나 '삽입'의 조직 방식으로 반영되는 여성/젠더 관련 내용은 궁극적으로 남성 편향적 역사를 탈피하지 못한다는 점에서 여성 통합 역사교육과정이라고 부르기 어렵다. 그렇다면 여성/젠더가 통합된 역사교육과정은 가능한가?

종래 역사교육과정 조직의 틀로 활용되었던 정치사, 경제사, 사회사, 문화

---

35 박용옥, 『한국 여성 근대화의 역사적 맥락』(지식산업사, 2001)이 이러한 방식을 보여
준다. 이러한 방법론을 기반으로 한 연구 성과에 기초해, 최근 고등학교 국사 교과서는
이러한 관점에서 근대 여성의 교육, 계몽 활동과 공적을 삽입해 다루기도 한다.

사 등의 분야사 구분은 남성 편향성을 탈피하지 못한다. 소위 여성의 영역, 여성 문화, 젠더 관계, 젠더사 등 여성사의 연구 성과는 종래와 다른 방식의 역사교육과정 개발을 요청한다. 그 대안 중 하나는 종래의 역사 연구의 분야 구분을 넘어 주제를 중심으로 역사의 내용을 선정·조직하되, 젠더를 내용 선정과 구성의 중요 개념 중 하나로 포괄하는 '젠더 포괄 역사교육과정'이 될 것이다.[36]

젠더 포괄 역사교육과정은 역사의 모든 내용을 젠더의 시각에서 선정·구성할 것을 요구하는 것도 아니고, 역사교육에서 젠더 관계 이해를 우선으로 내세우는 것도 아니다. 젠더 포괄 역사교육과정이란 내용 선정과 구성 방식을 결정하는 중요한 여러 개념 가운데 하나로서 젠더를 고려해야 한다는 의미이다. 젠더 포괄 역사교육과정은 역사교육에서 사회·문화 집단으로서 그리고 역사 분석의 범주로서 젠더뿐 아니라 다양한 인종, 민족, 계급, 지역 등에 관심을 갖는 것을 의미하며, 이들 범주들 간의 관계를 고려해 역사의 내용을 선정·구성할 것을 요청한다.

젠더 포괄 역사교육과정은 학생들이 모든 사회에는 젠더에 기초한 공간, 행위, 활동, 차이가 존재한다는 것을 인식할 수 있는 방향에서 역사교육과정을 재개념화하는 것이다. 즉, 젠더를 고려하면서 역사를 재개념화하고, 역사에서 '중요성'의 문제에 대해 젠더의 관점에서 재검토하며, 젠더의 관점에서 역사적 행위의 의미에 대해 재해석할 수 있도록 역사교육의 목표를 설정하고 내용을 선정·조직하는 것이다. 구체적으로는 젠더 관계 변화의 측면에서

---

36 메리 E. 위스너-행크스, 『젠더의 역사』는 가족, 경제생활, 관념, 사상, 규범, 그리고 법률, 종교, 정치 생활, 교육과 문화, 섹슈얼리티 등을 주제로 다룬다. 이러한 주제는 젠더를 고려해 역사 연구 영역을 새롭게 분류할 수 있는 가능성과 주제 중심의 역사교육과정을 새롭게 조직할 수 있는 가능성을 보여준다.

중요한 사건을 선택·포함시키며, 젠더를 분석의 범주로 활용해서 역사적 사건들을 분석할 기회를 제공하는 것이다. 또한 여성과 남성의 문화와 그 문화들의 상호 관계도 탐구할 수 있도록 한다.

그리하여 학생들이 역사적 사건이나 현상을 사회·문화 집단 또는 개인으로서, 남성과 여성의 경험, 관계, 업적, 열망, 좌절, 인식 등과 관련시켜 분석하는 것을 자연스럽게 받아들여질 수 있도록 하는 것이다. 이는 사회의 다양한 제도, 관습, 법, 종교 등이 젠더 관계를 어떻게 규정했으며, 역으로 젠더 관계가 노동, 종교, 정치, 가족 등 사회제도와 사회구조에 어떠한 외형을 부여했는지 관심을 갖고 분석할 수 있도록 내용을 선정·구성함을 의미한다. 또한 '이 사건을 통해 젠더 관계, 즉 그 사건이 젠더 관계에 미친 영향, 젠더 관계에 가져온 변화, 또는 젠더 관계가 그 사건에 미친 영향을 분석할 수 있는가?', '이 사건이 젠더 관계에 비추어 중요한가?'라는 질문을 통해, 그 사건의 '중요성'을 판단하고 내용으로 선정할 것인지 결정하는 것을 의미한다.

예를 들면 다음과 같은 질문이 내용의 적합성·중요성을 결정하는 데 사용될 수 있다. '문명의 성립, 산업혁명이라는 주제는 젠더 관계의 관점에서 중요한가?', '문명의 성립, 산업혁명이라는 주제에는 젠더의 관점에서 어떤 내용이 포함되어야 하며, 어떤 내러티브로 재구성되어야 하는가?', '이러한 주제들 속에서 사회적 집단으로서 여성이나 남성에게 초점을 맞출 수 있는 적당한 때는 언제이고, 개인 여성이나 남성의 경험 또는 공적을 언급할 적당한 때는 언제인가?', '조선시대 유교적 통치 질서는 젠더의 관점에서 중요한가?', '그것을 젠더 관점에 비추어 서술하려면 어떤 이야기가 포함되어야 하며, 어떤 질문이 제시될 수 있는가?'

젠더 포괄 역사교육과정은 그동안 역사에서 드러나지 않던 여성은 물론 남성까지도 한층 의미 있게 드러낼 수 있다. 그러나 한편으로는 여성과 남성이라는 집단 자체가 단일하지도 않고, 단일한 정체성으로 규정될 수 없다는 인식도 역사교육과정에 반영되어야 한다. 예를 들어 신분, 계급, 거주 지역, 직업, 민족, 인종 등과 같이 역사적으로 다른 문화를 형성하고 다른 경험을 갖게 했던 요인들은 다양하다. 그러므로 상황과 맥락에 따라 여성들 사이에서도 서로 다른 신분, 계급, 민족 등이 또 다른 차이를 만들며, 서로 다른 계급·민족·인종 내에서 성 차이, 신분과 거주 지역의 차이 그리고 개별 문화들의 차이 등이 또 다른 차이를 만든다는 것을 학생들이 분석할 수 있도록 내용을 선정·구성해야 한다. 요컨대 다양한 사회·문화 집단, 집단들의 경험과 전망을 '포괄'해 역사를 이해·분석할 수 있는 방향에서 역사교육과정이 개발되어야 한다.

3. 맺음말

한 교과의 교육과정을 개발하는 과정에서 '숙의'는 필수적인 절차이다. 숙의 과정에서는 그 교과를 학습하는 학생들의 요구, 사회적 요구와 함께 그 교과의 특징, 내용을 선정하는 시각·원칙·가정 등에 대한 논의가 이루어져야 한다. 그러나 현실적으로 관련 기관이 교육과정 개정을 위한 시간을 충분히 제공하지 않는 상태에서, 심층적으로 숙의되어야 할 문제가 숙의되지 못하는 것이 현실이다. 특히 무엇이 숙의되어야 하는가에 대한 교과 차원의 구체적인 지침이 제시되지 않는 경우, 숙의는 형식적인 수준의 '논쟁'에 그치는 경우가 많다. 이 글에서는 이러한 문제의식 아래 역사교육과정 개발을 위한 '숙의'의 과정에서 고려되어야 할 역사 연구 방법론을 '여성'과 '젠더'의 시각에서 검토했다.

역사교육과정은 대개 역사학을 배경으로 그 논리에 충실하게 내용을 선정하고 조직해왔다. 이러한 점을 고려해 역사학, 특히 여성사 연구 방법론들이 전제하는 가정과 제시하는 중요한 지식 등을 분석하고, 그러한 방법론이 역사교육과정 구성에 적용될 경우 여성/젠더와 관련해 어떤 지식이 채택될 수 있으며, 그러한 지식이 전제하는 가정이 무엇인가를 검토했다. 기본적으로 역사 연구 방법을 역사교육과정 편성의 개념적 틀로 사용할 경우, 역사 연구 방법의 남성 편향성 자체를 극복하지 않으면 여성사를 독립된 과목으로 다루지 않는 한 여성/젠더가 유의미하게 역사교육에 반영될 수 있는 여지는 크지 않다. 특히 보편사적·구조사적 시각에서 역사교육과정을 통사로 편성할 경우, 여성이나 젠더 문제가 들어설 공간은 크지 않다. 따라서 이러한 문제를 해결하는 극단의 방안은 종래 역사교육과정을 전폐하고, 젠더 균형을 이룰 수 있도록 교육과정을 재편하는 것이 될 것이다. 그러나 그것이 교육적이며 현실적인 방안인가에 대해서는 생각해볼 필요가 있다.

학교에서 역사를 학습하는 학생들은 다양한 집단으로 구성되어 있으며, 그들이 갖는 정체성은 복합적이다. 학생들이 학교에서 배우는 역사를 그들 자신의 역사로 인식하고, 그들이 배우는 역사가 그들의 교양과 식견을 넓히는 데, 그리고 사회를 이해하며 그들이 부딪치게 되는 문제를 해결하는 데 도움이 되는 역사로 인식하게 하기 위해서는 역사교육과정에 학생들의 인구 구성과 그들이 속한 사회의 특징과 사회 변화가 반영되어야 한다. 이는 역사교육과정에 기본적인 개념적 틀을 제공했던 기존 역사학의 시각과 방법론에 대한 검토를 토대로, 학생의 특징을 고려하고 사회적 요구를 수용하는 새로운 교육과정의 개념적 틀을 만들어야 함을 의미한다.

여성에 대한 사회적 관심과 양성평등에 대한 교육적 요구가 역사교육과정에 유의미하게 반영되기 위해서는 역사교육과정을 여성/젠더의 관점에서 재편할 것을 요청한다. 이는 종래와 같이 역사에서 여성을 '언급'하거나 '삽입' 하는 방식을 넘어 관점과 인식의 전환, 역사의 재정의 차원에서 시작되어야 한다. 구체적으로는 여성사를 독립시켜 가르칠 수 있는 과목의 개발이나, 젠더를 내용 선정·구성의 주요 개념으로 고려할 수 있는 젠더 포괄 역사교육 과정을 구체화시키는 차원에서 진행되어야 할 것이다.

제**8**장

신문화사와 역사교육

역사 교과서에서 '문화사'는 재미있는 이야기도 없고, 항상 외울 것이 너무 많은 어려운 영역이다. 현존하는 가장 오래된 금속활자본, 가장 오래된 목조 건축물을 기억해야 하며, 주리설과 주기설의 차이, 중농학파와 중상학파의 저서들을 구별해야 하고, 화엄종과 조계종의 어려운 교리들을 암기해야 한다. 한글 소설과 판소리 작품도 구분해서 기억해야 한다. 학생들에게 '문화사'는 과거 인간이 만든 정신적 또는 물질적 결과물이다. 그 당시 사람들은 왜 그러한 것을 만들었을까? 혹은 왜 그러한 생각을 했을까? 역사 시간에 학생으로서 이러한 질문을 해본 적도, 교사로서 받아본 기억도 없다.

역사 교과서에서 문화사는 정치사, 경제사 등과 함께 '분야사'로 인식되었다. 그러나 사실 고등학교 한국사는 정치, 경제, 사회문화를 총체적으로 다루는 문화사라는 개념으로 가르쳐지기도 했다. 그런데 신문화사가 '문화'를 종래와 다르게 정의하고 역사를 읽는 새로운 방법을 소개하면서, 역사교육계도 '문화'를 다르게 읽는 방법에 대해 관심을 갖기 시작했다. 즉, 역사학계에서 과학적 역사에 밀려났던 문화에 대한 관심이 높아지고 신문화사 저작이 증가하면서 역사교육계도 신문화사의 주제나 방법을 교육적으로 활용하는 시도가 증가한 것이다. 신문화사적 관점에서 문화는 인간 행위의 결과물이 아니라 행위와 상호 작용하는 과정이다. 집단이나 개인을 움직이게 하는 문화와 그들이 만드는 크고 작은 문화들은, 역사 연구뿐 아니라 역사 학습의 새로운 지평을 연다.

1. 신문화사와 역사 학습 계열화의 새로운 가능성

역사교육의 주요 연구 분야 중 하나가 가르치는 내용의 범위와 순서를 정하는 문제이다. 범위와 순서를 정하는 것을 계열화라고 한다. 교과의 계열화는 크게 두 가지 방법으로 논의된다. 하나는 학습자의 인지적·정의적 발달을 고려하는 '심리주의적' 방법이며, 다른 하나는 교과나 학습 내용 체계의 논리성에 근거하는 '논리주의적' 방법이다. 심리주의적 방법은 학습자의 정의적·인지적 발달이나 흥미에 따라 학습 내용의 순서와 범위를 정하는 것이다. 이러한 방법에 따르면 쉽고 구체적인 내용에서 점점 어렵고 추상적인 내용으로, 단순한 사고 작용이 요구되는 내용에서 복잡한 사고 작용이 요구되는 내용으로 순차적으로 조직하게 된다. 또 환경확대법(지평확대법, 공간확대법)은 학습 내용을 학습자에게 친숙한 주변 환경과 관련지어 선정하기 시작해, 점차 공간(환경)적 측면에서 범위를 넓혀가는 원칙을 제시하기도 한다. 예를 들면 고장-지역-국가-세계의 범위로 학습의 순서를 정하는 것이다. 최근에는 미디어와 인터넷 같은 통신 기술의 획기적인 발달로 인해 학생이 고장보다는 국가나 세계에 더 많이, 더 자주 접한다는 주장에 따라 역환경확대법에 의해 학습 내용을 계열화해야 한다는 주장도 제기되었다. 교과의 논리성에 근거한 계열화 방안은 특정한 학습 내용이 그다음에 오는 학습 내용의 필요조건이 되는 것을 의미한다.[1] 이는 수학, 과학 등에서 자주 사용하는 계열화 방안으로 알려져 있다.

역사과의 계열화 논리는 위의 두 가지 방법 중에 심리주의적 방법에 가깝다. 초등학교에서는 생활사와 인물사 중심의 주제 학습, 중학교에서는 정치 사건사 중심의 통사 학습, 고등학교에서는 문화사 중심의 주제 학습으로 학습의 순서와 범위를 제시해왔다.[2] 생활사-정치사-문화사로의 계열화는 피아제의 인지 발달 이론이나 생활 중심 교육관에 기초해 정당화된다. 학습자가 경험하는 '생활'에서 출발해, 학습자가 흥미로워하는 정치적 사건, 인간과 사회의 복잡한 전체를 제시하는 문화사로의 순서는 학습자에게 친숙한 것, 구체적인 것, 단순한 것에서 시작한다는 심리주의 원칙에 부합하는 것이다.

그러나 그러한 계열화 방안은 학문이나 학습 영역의 특성과 관련 없이 학생들의 일반적인 발달 단계를 정의한 '영역 일반 인지 이론'에 기초한 것이다. 여타의 학문 영역과 다른 '역사'를 학습하거나 이해하는 고유한 인지 방법 또는 이해 방법이 있다고 주장하는 '영역 고유 인지 이론'에 입각한 계열화 방안은 아니다. 그러한 계열화 방안을 정당화하는 경험적 또는 논리적 근거도 명확하지 않다. 그럼에도 역사교육에서는 상당히 오랫동안 그 방식을 적용해 학습 내용을 선정해왔다. 따라서 그러한 계열화 방안에 대한 도전도 있다.

---

1 예를 들면 수학에서 방정식을 풀기 위해서는 덧셈이나 곱셈이 그 이전에 학습되어야 하므로, 당연히 덧셈과 곱셈을 방정식에 선행해 배울 수 있도록 학습 내용을 계열화해야 한다.

2 교육과정·교과서연구회 엮음, 『한국 교과교육과정의 변천: 고등학교』(대한교과서주식회사, 1990), 98~99쪽.

최근 '학생들이 잘 모른다', '학생들이 어려워한다'는 교수적 경험에 기초해 종래의 역사 계열화 방식을 비판하고 오히려 초·중·고등학교에서 같은 내용을 반복적으로 가르쳐야 한다는 주장이 제기되기도 했다.[3] '어렵다, 학생들이 잘 모른다'라는 개인적인 교수 경험에 기초해 역사가 가르쳐야 할 것에 대한 논의, 학생들의 발달을 고려한 역사 학습 내용 구성에 대한 논의의 필요성을 부정해버렸다. 그러나 이러한 주장이 최근 역사교육과정 개정에 반영되는 양상을 보이기도 한다. 2015 역사교육과정 개정 공청회 자료에서는 초·중·고등학교의 과정을 모두 정치사 중심으로 구성하도록 했다. 그렇게 정치사를 반복해 가르치려는 의도는 무엇인가? 또한 그 논리는 무엇인가?

학습의 순서와 범위를 학습자의 발달에 맞추어 순차적으로 정하는 까닭은 단순히 같은 내용의 반복적인 학습을 피하기 위한 것이 아니다. 그것은 학습자 경험의 점차적인 확대와 사고 능력의 점증적인 향상을 도모하기 위한 것이다. 그러나 교육과정 개정 때마다 학습 내용의 계열화는 난제로 거론된다. 앞서 살펴보았듯이 생활사·인물사-정치 사건사-문화사의 원칙이 학습자에 대한 경험적 연구나 역사 이론의 논리적 근거에 의해 지지되지 않는 상태에서, 역사가 '어렵다', '학습할 내용이 너무 많다'라는 비판에 민감하게 반응해야 했기 때문이다. 학습량을 줄이기 위해 성취 기준의 수를 줄이기도 했으나 학습량은 감소되지 않았다. 학습해야 할 '핵심 표준', '핵심 개념', '핵심 내용'을 추출하라는 요구도 계속된다. 그러나 현재처럼 역사가들이 연구한 결과물에 기초해 시대별로 주제들을 제시해놓고 그것을 학습하게 하는 역사교육 체제 속에서 '핵심 지식'을 걸러내는 것은 쉽지 않다. 시기별로 가르쳐야 할

---

3   신유아, 「역사 교과에서 계열성 구현의 난점」, ≪역사교육≫, 120집(2011).

사건이나 제도를 나열하는 수준에 그치기 쉽다.

그런데 문제의 본질에 대해 다시 한 번 생각해볼 필요가 있다. 역사의 무엇이 어렵다는 것인가? 정치사로 반복하면 쉬워질까? 그리고 쉬운 역사는 좋은 것인가? 2010년에서 2014년 사이에 필자가 인터뷰했던 초·중·고등학생들은 역사 학습 자체가 아니라 역사 시험을 어려워했다. 지금처럼 교과서에 있는 모든 지식들을 암기해 시험을 봐야 하는 시험 및 평가 체제에서는 '외울 것이 너무 많다'는 것이었다. 교과서에 무엇이 어떻게 담겨 있는지, 시험은 학생들에게 무엇을 어떻게 학습할 것을 요구하는지, 실제 학생들이 어려워하는 까닭이 종래와 같은 계열화의 문제인지 교과서의 문제인지, 또는 시험 방식의 문제인지 등에 대한 한층 체계적인 조사 연구를 통해 문제를 파악하고 해결해야 한다. '쉽고 재미있는 역사' 담론이 무엇을 가르쳐야 하는가에 대한 폭넓은 토론을 제약하고 있다.

정치사를 중심으로 초·중·고등학교 역사를 반복적으로 가르치는 것보다는 생활사·인물사-정치사-문화사로의 학습 내용 계열화가 학생들의 경험을 좀 더 풍성하게 할 수 있다는 장점이 있다. 그런데 이러한 역사 학습 계열화 원칙에 사용된 생활사와 문화사는 '분야사'에 머물고 있다. 1990년대 이후 한국 역사학계의 변화, 즉 서양사학계의 신문화사나 한국사학계의 생활사 연구와는 거리가 멀다. 인간 경험의 의미를 부여하고 해석하는 방법들이 변하고 있으며, 역사학계도 새로운 역사 연구 및 서술 방법의 도전 앞에서 역사의 정체성에 대한 근본적인 질문을 다시 던지고 있다. 그렇다면 역사교육은 이러한 역사학계의 변화를 어떻게 고려해야 할까?

사회사의 구조사적 접근 방법과 문제의식은 매우 일찍부터 역사교육에 반영되었다. 제3차 교육과정 시기(1973~1981)에는 역사의 사회과학화를 표방한 독일 사회사의 영향을 받아, 국사의 내용 선정 및 조직의 관점과 틀이 마런되었다. 제2차 교육과정 시기(1963~1973)까지 단원명은 왕조 중심으로 표현하는 방식을 채택해왔으나, 제3차 교육과정에서는 "각 시대의 사회적·경제적 시대 성격을 명확히 나타낼 수 있는 시대구분법을 도입"해, 한국사 "전 시대를 오분하고, 단원명을 왕조명이 아닌 시대 성격을 규정하는 고대, 근대 등의 명칭을 사용"했다.[4] 특히 제4차 교육과정(1981~1988)의 목표 진술에서는 고등학교 역사를 문화사적·구조사적으로 접근해야 한다고 다음과 같이 명확하게 제시하고 있다.

> 교과종합 목표를 중학교에서 시대사, 정치사 중심으로 이해한 국사 지식을 바탕으로 우리 역사를 문화사, 구조사적으로 접근, 이를 종합적으로 이해하고, 이를 통해 우리 민족사에 대한 긍지를 가지고, 나아가 민족중흥에 이바지할 수 있는 한국인을 기른다는 데 주안점을 두었다.[5]

여기서 문화사적 또는 구조사적 접근은 1980년대 한국 역사학계를 풍미했던 사회과학적 역사, 사회사적 패러다임과 관련된다. 사회사의 문제의식과 연구 방법을 기반으로 삼아 정치, 경제, 사회문화를 모두 하나의 구조로 설명하도록 요구한 것이다. 이후 역사교육계는 사회구조사적 시각에서 개별

---

4 교육과정·교과서연구회 엮음, 『한국 교과교육과정의 변천: 고등학교』, 95~98쪽. 제2차 교육과정의 대단원은 ① 역사의 시작, ② 부족 국가 시대의 행활, ③ 삼국 시대의 생활, ④ 통일 신라 시대의 생활, ⑤ 고려 시대의 생활, ⑥ 조선 시대의 생활, ⑦ 조선의 근대화 운동, ⑧ 민주 대한의 발달로 구성되어 있다. 제3차 교육과정의 대단원은 ① 고대 사회, ② 고려 사회, ③ 조선 사회, ④ 근대사회, ⑤ 현대사회로 구성되었다. 제4차 교육과정의 단원에서는 한발 더 나아가서 고대, 중세, 근세, 근대, 현대라는 용어를 사용해 단원을 구성하고 있다.
5 같은 책, 100쪽.

적인 사건이나 인물 또는 인물의 행위보다, 그것의 전제 또는 결과로서 구조와 과정을 파악하게 하는 것을 역사 학습의 주된 과제로 간주했다. 조선 후기의 경우, 고등학교만이 아니라 중학교, 때로는 초등학교에서까지 구조적인 변화의 경향성을 읽을 수 있도록 교과서를 서술해왔다. 그러나 교육과정에서 역사의 구조적 이해를 명시하고 촉구해왔음에도 불구하고 그것이 성과를 거두었다고 보기는 어렵다. 개별 사실들에 매몰되어 사건들 사이의 연관성, 한 사회나 시대를 구조적으로 파악하지 못하게 한다는 비판이 계속되었다. 학생이 '구조'에 대한 개념을 배운 적도 없고, 개별 사건들 사이를 연결·포괄하는 구조를 파악·설명하는 구조사적 접근 방법 또는 설명 방법을 학습해본 경험이 없는 상태에서 시대나 사회를 관통하는 구조와 보편적 방향성을 이해하지 못하는 것은 당연하다.

초·중·고등학교 한국사의 내용은 지배 엘리트를 중심으로 민족의 형성과 발전, 전쟁과 외교, 민중의 정치 활동까지 정치사가 중심 뼈대를 이루고 있다. 1960~1980년대에 '근대화' 담론이 사회 전반을 움직이고 사회과학적역사가 풍미하면서 '민족의 형성과 발전'이라는 '거대 이야기'는 '근대화'라는 '거대 이야기'와 통합되었다. 연구 방법의 측면에서 서로 다른 정치사와 사회사 패러다임이 역사교육에서 어색하게 공존하게 된 것이다.

제7차 교육과정에서는 분류사로 구성된 고등학교 국사에서 사회사를 본격적으로 다루었다. 특히 사회경제사 연구의 축적은 역사 학습 내용에 농민이나 노동자, 서민과 천민 등 하층 신분의 경험, 시대를 관통했던 사회경제적 관계나 그 관계의 구조적 변화와 관련된 주제를 확대했다. 그러나 가부장적 구조나 여성과 남성의 사회적 관계에 대한 연구는 역사교육의 견고한 남성 중심적 벽을 허물지 못했다. 이 책의 '여성사와 여성사 교육'에서 논했듯이, 역사교육이 여성의 경험에 본격적으로 관심을 갖기 시작한 것은 2000년대 초이다. 학교가 정치사적 시각에서 민족의 형성과 발전이라는 거대 이야기를 강조하고 역사에서 민족 정체성만을 심으려고 하는 한, 여성을 비롯한 절대다수 민중의 경험이나 그들의 경험에 대한 해석이 들어설 수 있는 자리는 거의 없다.

제1차 교육과정에서 2011 개정 교육과정에 이르기까지 고등학교는 문화사를 강조했다. 역사교육에서 '문화'는 두 가지 개념으로 적용된다. 하나가 분야사의 관점에서 정치, 사회, 경제와 같이 인간 생활의 한 국면을 나타낸다면, 다른 하나는 전체사의 관점에서 그 모든 역사적 국면이 통틀어 표현되는 인간 생활 전반을 나타낸다. 전체사로서 문화사는 앞서 살펴보았듯이 구조사적 접근과 함께한다. 전체사로서 '문화사' 개념이 역사교육에 적용된 것은 권상선의 글에서 확인할 수 있다. 권상선은 「문화사교육에 대한 소고」에서 "종래 독일류로 정의한다면, '문화'란 학문, 예술, 종교와 같은 것의 발달 곧 정신적 문명을 가리키는 것"이었으나, "근년에 와서 문화사의 영역이 넓고 그 목적이 인류 생활의 종합적 사실을 연구하는 데 있는 만큼 곧 문화사는 인류 생활에 관련되는 전반을 대상으로 취급하는 경향을 가지므로, 종래 독일류를 배척해야 할 것이다"라고 주장했다. 권상선에 따르면 이러한 문화의 개념은 '문명'의 개념과 동일한 것이다.[6] 이렇게 보면 역사교육의 내용을 선정·조직하는 데 '문화'는 이미 오래전부터 중요한 개념으로 사용되어왔다고 할 수 있다.

2007 개정 교육과정에서 고등학교 선택과목 중 하나로 '한국문화사'가 개발되었다. 이 과목 개발진은 한국문화사가 "분야사로서 문화사의 측면을 유

---

6   권상선, 「文化史教育에 대한 小考: 民族主體意識의 確立을 위한 國史教育을 中心으로」, ≪신라대학교 논문집≫, 2호(1972), 99~100쪽.

지하되, 정치·경제·사회 각 분야와의 상관관계 속에서 문화를 다루며 가능하면 정신문화, 물질문화, 생활문화까지 포괄하는 문화사를 담기로 했다"고 하면서, 분류사의 한 부분으로서 문화를 따로 떼어놓는 의미의 문화사가 아니라고 강조했다.[7] '한국문화사'의 개발진은 한국사학계의 문화사에 대한 관심 고조와 고등학교 선택과목으로서 한국문화사 개설의 배경으로 서양사학계의 신문화사 연구 경향을 제시했다.[8]

그러나 다음의 2007 개정 교육과정의 한국문화사 과목은 그 목표 진술이나 내용 체계에서 볼 수 있듯이 다분히 분야사적인 성격을 보였다.

'한국문화사'는 우리 문화가 형성, 발전되어온 과정을 이해함으로써 한국인의 정체성을 함양하기 위해 개설된 선택과목이다. 우리 역사 전반에 대한 이해를 바탕으로 학술, 종교, 문학, 예술, 과학, 기술 등 여러 분야에서 이룩한 성과를 탐구하고, 역사적 사고력을 기르며, 우리 역사의 전개에 능동적으로 참여할 수 있는 자질을 갖추는 데에 중점을 둔다.[9]

학술, 종교, 문학, 예술, 과학, 기술, 생활 습속이나 가족 문화 등의 주제는 문화사를 분야사로 한정한다. 따라서 한국문화사는 개발 과정에서부터 "과목으로의 성격이 모호하다"는 비판을 받기도 했고, 또 "분야사로서의 문화사

---

7 진재관 외, 『고등학교 사회과 선택 중심 교육과정 개선 방안 연구』(한국교육과정평가원, 2006), 47쪽.
8 최종석, 「2007년 개정 교육과정 '한국문화사'의 성격 검토와 내용 진술 방향」, ≪역사교육≫, 105집(2008), 8~9쪽.
9 교육과학기술부, 『사회과 교육과정』, 교육과학기술부 고시 제2009-10호 별책 7(2009), 78쪽.

의 성격이나 여러 문화 개념 가운데 외연이 큰 개념을 적용한 것으로서의 문화사로서 한국사 전체를 지칭하는 것은 아니다"라는 평가를 듣기도 했다.[10] 새로운 문화사를 시도했지만 개발진이 새로운 방향을 명확하게 제시하지 못하면서 제7차 교육과정 10학년 국사의 문화사 부분을 확대해놓은 것 이상이 되지 못할 우려에 휩싸였다. 결국 2011(2009) 개정에서 한국문화사 과목은 폐기되고 한국사로 전환되면서 한국문화사 교과서도 개발되지 못했다.

사실 문화와 정치·경제·사회를 상관적으로 보겠다는 취지는 신문화사만의 연구 방법이라고 할 수 없다. 사회구조사도 그 모든 분야를 상관적으로 관통하는 구조를 보려고 하기 때문이다. 그러나 한국문화사 교육과정은 그러한 주제를 어떤 관점에서 어떻게 접근할 것인가에 대한 방법론적 차원의 설명을 설득력 있게 제시하지는 못했다. 문화와 여타 영역 간의 상관관계를 아날학파처럼 장기지속 관점의 문화 또는 망탈리테의 관점에서 보겠다는 것인지, 아니면 미시적인 관점에서 접근하겠다는 것인지도 불명확했다. 결국 방법론은 교과서 개발진에게 남겨진 과제였다. 한국문화사 교과서의 개발진은 아래와 같은 안병직의 글을 제시하면서 신문화사의 '문화' 개념을 참고해 교과서 모형 단원을 개발하고자 했다.[11]

문화는 인간이 사회적 현실을 인식하고 해석하며 나아가 대응 방식을 결정하는 데 바탕이 되는 준거 틀을 제공하는 것으로서, 한 공동체 내 전체 혹은 일부 구성원들이 공유한 가치나 규범, 믿음, 성향 등을 뜻한다.[12]

---

10 역사과 선택 중심 교육과정 관련학회 공동 세미나 자료집(2006.7.22).
11 최종석, 「2007년 개정 교육과정 '한국문화사'의 성격 검토와 내용 진술 방향」, 22~23쪽.
12 안병직, 「한국문화사 어떻게 쓸 것인가?: 구미 역사학계의 문화사 연구 경향에 비추어」, 『한국사론 35: 한국문화사 연구의 방향과 모색』(국사편찬위원회, 2002), 223쪽.

이러한 안병직 글의 인용문만 보면 문화는 집단 내 사람들의 행위나 사고에 영향을 미치는 거대 문화일 수도 있고, 한 집단이나 그 집단 내 일부 구성원들이 만들기도 하며 구성원들에게 영향을 미치기도 하는 작은 문화들일 수도 있다. 한국문화사 모형 단원 개발자들이 제시한 고려 시기의 '가족 문화'나 '지역 문화'에 대한 설명을 보면, 그들은 공동체 내의 가족 관계를 규정하는 관습이나 규범 등을 '문화'로 포함해 해석한 듯이 보인다. 만약 한국문화사가 신문화사의 문제의식과 방법론 등을 교육적으로 변용해 개발되었다면, 그리고 여러 시행착오들을 수정하면서 현장에 적용되었다면 역사 학습 계열화의 새로운 틀을 정립하는 데 기여할 수 있지 않았을까 하는 아쉬움이 남는다.

2. 역사 이론의 발생적 논리에 기초한 역사 학습의 계열화

20세기 중반에 사회과학적 역사는 정치사의 한계를 비판하면서 입지를 굳혔고, 신문화사는 사회사의 방법론에 대한 반성과 비판에서 출발했다. 또한 정치사, 사회사, 신문화사는 단순히 역사 분야사로서의 의미가 아니라 다른 '문제의식', '방법론', '시각'으로서 차별화된다. 논자에 따라 신문화사의 개념을 구성주의 시각의 역사 이론, 미시사나 일상생활사류, 역사인류학적 문화사와 연결시켜 정의하는 데 그치기도 하고, '언어로의 전환'의 텍스트 분석이나 언어분석을 사용하는 문학비평 이론을 역사 연구에 적용하는 이론까지 포함해 포괄적으로 정의하기도 한다. 여기서는 전자, 즉 구성주의 시각의 신문화사 관점으로 좁혀 논의를 진행한다.

정치사는 민족사적 지향점을 가지고 지배 엘리트 중심의 역사 변화를 조명해왔다. 이에 대해 사회사는 종래의 지배 엘리트 중심의 역사 서술을 넘어 역사의 주체로서 그동안 소외되었던 다양한 집단의 정체성에 활력을 불어넣고, 그동안 가려져 있던 그들의 경험을 드러내고자 했다. 특히 1960년대 이후 사회사는 '아래로부터의 역사'를 외치면서 전통적으로 사회사가[13] 다루어왔던 주제들을 새로운 시각에서 조명해왔다. 예를 들면 여성사의 경우, 여성의 문화적 태도, 페미니스트 정치학, 과거 유명한 여성에 대한 연구에서 보통 여성들의 평범한 일상으로 그 관심을 전환시켰다. 또한 다양한 민족 집단, 연령, 성적 기호(섹슈얼리티) 등도 새로운 연구 범주로 첨가되었다. 노동계급사 또한 제도적 측면에서 정치적 분석 틀을 가지고 연구하던 종래 틀에서 벗어나, 노동자들의 투쟁과 적응뿐 아니라 그들의 가족생활, 노동 경험, 여가와 미래에 대한 전망까지 다루고 있다.[14] 이러한 '위로부터'가 아니라 '아래로부터'의 역사라는 문제의식과 주제의 측면에서 볼 때, 사회사는 신문화사와 크게 다르지 않다.

김기봉은 신문화사가 마르크스주의 역사학의 문제의식을 계승해, 역사 속에서 지배층에 의해 착취와 억압의 대상이 되었던 하층민의 소멸된 역사를 발굴하려 한다고 주장한다.[15] 그러나 신문화사는 사회사의 사회경제적인 결정론을 거부하고, 역사를 연구하기 전부터 상정하는 '구조'의 실체를 부정한

---

13 전통적 사회사에서 사회사는 정치와 관련 없는 사람들의 역사로 이해되어왔다. 따라서 그 내용은 대체로 하층계급이나 사회적 약자 집단을 주로 다루었다. 1960년대 이후 발전한 사회사를 이러한 전통 사회사와 구분하기 위해 신사회사라고 하기도 하나, 이 글에서는 신사회사를 중심으로 사회사에 대해 논의한다.

14 Peter N. Stearns, "Old Social History and the New," in Peter N. Sterns(ed.), *Encyclopedia of Social History*(Gerland Publishing, 1993).

15 김기봉, 「역사서술의 문화사적 전환과 신문화사」, 『오늘의 역사학』(한겨레신문사, 1998), 147쪽.

다. 구조 중심의 역사 이해가 인간 소외와 억압을 가져왔다고 보기 때문이다. 구조의 틀에서 개별적 사건을 연구하는 방법이 인간의 경험, 인간의 인식 세계를 사회구조 안에 종속시키고 있다는 것이다. 따라서 신문화사는 과거의 사회 모습, 계급, 성, 인종, 종교 등 각종 사회적 불평등 구조 자체를 '객관적'으로 설명하는 것보다는 문화를 통해 사회를 해석하려 한다.

종래 정치사나 사회사가 문화를 정치와 사회 변화의 종속적 요인으로 간주했던 것과 달리, 신문화사는 문화를 독자적이고 자율적인 연구 대상으로 보고 그 의미를 해석하려 하는 역사학계의 새로운 경향 또는 패러다임이라고 할 수 있다. 신문화사에서 문화는 "인간들 자신의 과거, 현재, 미래에 대해 성찰하고 자신들의 삶에 의미를 부여하는 지적 과정이자 실제"를 의미한다.[16] 신문화사는 그러한 문화가 만들어지는 방법이나 양식을 문제시한다. 신문화적인 접근을 시도하는 역사 연구자들은 인간 개인의 문화 경험과 문화적 체계 사이의 상호 관계 등에 관심을 갖고, 인간의 역사적 행위가 문화에 의해 구속되는 측면, 또 인간의 역사적 행위가 문화 체계 자체를 변형시키는 측면을 심층적으로 해명하고자 한다.[17]

신문화사는 종래 근대화, 진보, 민족 등의 거대 담론에 의해 축소되었던 인간의 삶을 새롭게 조명하는 데 무게중심을 두며, 구조적 접근의 폐기를 주장한다.

요컨대 신문화사는 구체적이고 세분화된 인간의 '경험', 특히 인간이 '주관적으로' 인식한 경험에 대한 해명을 통해, 개인의 결정과 행위가 모순과 불일

---

16 최갑수, 「문화사란 무엇인가」, 『한국사론 35: 한국문화사 연구의 방향과 모색』(국사편찬위원회, 2002).
17 김기봉, 「역사서술의 문화사적 전환과 신문화사」, 146쪽.

치를 내포한 다면적인 것임을 보여주고자 한다. 여러 요소들을 관통하는 경향성이나 법칙을 구축하려 하지 않고 개별적인 다수의 문화들을 보여주려 한다. 이러한 신문화사의 취지는 역사인류학과 미시 연구 방법으로 나타난다. 즉, 사회사가 통계에 의한 수치와 그 해석에 의존했던 것과 달리, 신문화사는 인류학적인 연구 성과와 방법론을 이용함으로써 미시적인 자료에 대한 상징적 해석을 통해 역사의 실체에 다가서려 한다.[18] 미시사는 인간의 사고와 행위의 테두리를 결정하는 구조가 현실적인 힘을 발휘함으로써 초래된 권력의 문제들에 관심을 갖는다. 미시사는 어떤 특정한 삶의 의미 체계와 권력관계가 구조적인 틀로서 성립하는 과정을 세세하게 그려내려고 하며, 이를 위해 일차적으로 인식 대상의 범위를 축소시켜, 구조화 과정 속에서 정형화되었던 것뿐 아니라 그러한 정형화에서 제외·소외된 것들을 역사적으로 재조명한다.[19]

신문화사는 과거인들이 자신의 경험에 의미를 부여하는 과정에서 만들어낸 그들의 상징체계와 의미체계를 통해 과거를 읽으려고 시도한다. 특히 민중의 의식, 결혼과 성, 가족과 공동체, 신화, 축제, 집단 심리, 종교의식 등 이전에는 사소하거나 의미 없다고 여겨졌던 인간 생활을 역사에서 중요한 연구 대상으로 부각시켰다. 신문화사는 역사에서 목소리 없는 집단으로 간주되어왔던 인간 개개인에게 생기를 불어넣어, 거대 역사에 의해 강요당했던 그들의 정체성을 그들이 해명하는 주관적 정체성으로 대체하고자 한다.

이러한 신문화사의 문제의식과 역사교육이 어떤 방식으로 소통할 수 있을까? 만약 사회사가 민족의 거대 이야기에 농민, 노동자, 여성의 경험을 산발

---

18 조한욱, 「사회사와 신문화사」, ≪서양사론≫, 71호(2002). 172쪽.
19 김기봉, 「역사서술의 문화사적 전환과 신문화사」, 180쪽.

적으로 첨가했던 전철을 밟는다면, 신문화사도 축제, 살인 사건, 민중재판 등을 종래 거대 이야기와 큰 관련성 없이 첨가하게 될 것이다. 예를 들어 미시사의 관심을 역사교육의 내용 선정에 반영한다면, 역사의 '구조화 과정 속에서 정형화되었던 것' 또는 '그러한 정형화에서 제외되고 소외된 것'을 역사에서 가르쳐야 한다고 주장할 수 있다. 그리고 그러한 주제들을 통해 "사회사가 규정하고 정형화시켰던 집단들의 정체성을 재검토하고, 사회와 구조의 이름하에 구속되었던 이름 없는 민중의 독특한 인식 세계"[20]에 대해 탐구할 것을 요구한다. 즉, 신문화사는 거대 이야기가 말해주지 않는 역사적 국면들을 작은 이야기를 통해 해명하려 한다. 그런데 거대 이야기에 대한 문제의식이 없는 상태에서 '작은 이야기'를 부분적으로 첨가한다면, 신문화사의 취지는 약화될 수밖에 없다. 그렇다고 거대 이야기 자체를 부정하며 '작은 이야기'로만 역사를 구성할 경우, 역사교육은 그 이야기 속에 존재했던 주인공들이 시간의 한계 속에서 주관적으로 인식했던 여러 '세계들'의 편린 차원에서 접근되고, 또 만족될 가능성이 크다. 또한 현재와 같은 역사교육의 구조에서는 중학교 단계에서 거대 이야기를 학습했다고 하더라도, 고등학교 학생들이 그것을 다 기억하고 비판하면서 '작은 이야기'의 의미를 해석하기란 어렵다. 따라서 학생의 지식과 지평의 점차적인 심화와 확대를 추구한다면, 고등학교 역사에서 '작은 이야기'는 '거대 이야기'와 유기적인 관련 속에서 탐구되는 것이 바람직하다.

또한 사회사나 신문화사를 엄격하게 그대로 적용하는 것이 아니라 문제의식, 질문과 설명, 해명 방법을 변용해 역사 학습의 계열화에 적용해야 한다. 즉, 역사 이론 발생의 선후 관계에 따라 '거대 이야기'를 낮은 단계의 학교에

---

20 같은 글, 180쪽.

서 먼저 가르치고, 그다음 단계에서 거대 이야기의 빈틈들을 보완하는 관점 또는 역사를 다층적으로 보는 관점에서 '작은 이야기'를 다룰 수 있다. 이러한 역사 이론의 발생적·논리적 질서를 따른다면, 역사교육은 역사학의 중심 주제와 문제의식의 변화 과정, 질문 및 대답 방법 등을 기반으로 삼아 정치사적 접근, 사회구조사적 설명, 신문화사적 해명으로 계열화할 수 있다. 물론 정치사를 학습해야만 사회사를 학습할 수 있고, 사회사를 학습해야만 신문화사를 학습할 수 있다는 '논리주의'가 철저히 적용되는 것은 아니다. 또한 정치사, 사회사, 신문화사는 연구 방법의 측면에서 서로 다른 패러다임적 성격을 지니므로 '보완적'으로 사용하는 것이 논리상 어렵지만, 다양한 역사 연구 방법을 경험해보게 하는 것을 목표 중 하나로 삼는다면 불가능한 일은 아니다.

중요한 것은 큰 이야기와 작은 이야기가 서로 상관없이 병렬되지 않고, 긴밀하게 연결되는 방식으로 구성되어야 한다는 것이다. 이를 위해서는 한 사회의 성격을 규정하는 거대한 구조·흐름과 함께, 그 흐름에 역행했거나 관련 없던 관습, 신념, 종교 등을 함께 생각해볼 수 있도록 내용을 구성해야 한다. 예를 들어 조선시대 여성의 삶을 통제해왔던 남성 중심 사회구조와 함께 특정 여성이 만들었던 상징체계나 그들의 일상적인 관습적 행위에서 그 구조에 대한 여성들의 주관적 해석을 읽게 할 수 있다. 조선시대 여성들의 삶이 구조에 의해 구속되는 측면을 보여주면서, 그 구조를 비판하거나 그 구조와 상관없이 그들이 만들었던 문화를 부각시킴으로써 주변화되었던 그들의 인식 세계를 조명하는 것이다.

요컨대 역사교육에서 '거대 이야기'의 해체라는 목적보다는 그러한 '작은 이야기'를 통해 한 시기 민중의 구체적인 경험과 의식 세계를 '구성'한다는 목적이 부각되는 방향에서 신문화사의 '작은 이야기들'을 '삽입'할 수 있다.

그것은 전경목이 '양면 또는 다면 보기'라고 명명했던 읽기 또는 해명하기 방식과도 관련된다.[21] 그가 말하는 '양면 또는 다면 보기'란 작고 미세한 사실도 보편적인 전체 상과 조화를 이루도록 연구하는 방법이다. 이외에 '다른 면 보기'라는 개념을 통해 특정 시기의 보편적인 전체 문화와 조화를 이루지 않는 면들을 함께 보면서, 거대 문화와 다른 작은 문화들도 함께 볼 수 있게끔 내용을 구성할 수 있다. 이러한 역사를 통해 학생들에게 역사 해석의 다층성에 대해 생각해보고, 해석의 정당성에 대해서 판단해보도록 유도할 수 있다.

그런데 그러한 역사 이론의 발생적 논리를 역사 학습의 계열화 원칙으로 삼는 것이 학생들의 수준을 고려할 때 가능한가? 초등학생을 대상으로 실시한, 매우 제한적인 몇몇 국내외 연구들은 초등학생들이 구체적인 인물이 등장하는 정치적 사건이나, 현재와 다른 낯선 생활을 보여주는 과거의 국면 또는 사건에 흥미를 보이며, 역사를 이야기 구조로 이해하는 경향이 있다고 보고했다.[22] 물론 학생들의 흥미라는 것도 그들을 둘러싸고 있는 문화 또는 상황과 별개로 분석되거나 설명될 수 있는 것이 아니다. 즉, 학생들을 둘러싸

---

21 전경목, 『고문서, 조선의 역사를 말하다』(휴머니스트, 2013), 7쪽.

22 강선주, 「5학년 역사 내용 구성 방향」, ≪역사교육≫, 117집(2011); M. G. McKeown and Isabel L. Beck, "The Assessment and Characterization of Young Learners' Knowledge of a Topic in History," *American Educational Research Journal,* Vol. 27, No. 4(1990); B. VanSledright and Jere Brophy, "Storytelling, Imagination, and Fanciful Elaboration in Children's Historical Reconstructions," *American Educational Research Journal*, Vol. 29, No. 4(1992); Linda S. Levstik, "Narrative Structure and History Education," in Keith C. Barton and Linda S. Levstik(eds.), *Teaching History for the Common Good*(Mahwah, New Jersey: Larence Earlbnaum Associates, Publishers, 2004).

고 있는 일상 문화, 정치경제적 쟁점, 그리고 학교 역사교육 방식 등이 학생들의 흥미와 그들이 역사를 읽고 이해하는 방식에 영향을 미친다는 점을 간과할 수는 없다.

그럼에도 몇몇 국내외 연구들이 공통적으로 보고하는 초등학생들의 역사 이해 양상은 주목할 만하다. 초등학생은 역사책에 있는 내용 그대로 과거 사건이 실제 일어났다고 생각하는 경향이 있으며, 자료의 내용을 직관적으로 받아들이는 경향이 있다. 또한 그들은 사람들 사이나 집단 간 갈등, 위대한 영웅들의 이야기, 국가가 확장해나가는 이야기, 그리고 자기 경험과 다른 낯선 인간세계를 보여주는 이야기를 좋아한다. 이러한 연구들은 학생들이 역사적 설명과 재창조된 픽션의 차이를 명확하게 이해하지 못한다는 점, 내러티브 또는 이야기 형식으로 쓴 역사책tradebooks이 학생들의 역사 이해를 왜곡할 수 있다는 점을 경계해야 한다고 주장한다. 또 학생들이 역사적 인물의 행위를 탈역사적 맥락에서 인간의 '보편적인 본성으로 간주될 수 있는 심성이나 이해관계'를 중심으로 이해하는 한계가 있다는 점도 지적했다. 이러한 초등학생의 역사 이해 양상을 고려하면서, 인물 중심의 정치사를 생활문화 요소와 함께 이해할 수 있도록 초등학교 역사를 구성하는 것이 타당해 보인다. 물론 초등학생들이 보이는 여러 한계를 고려하면서 그들의 역사 학습 방안을 마련할 필요가 있다.

중학생이나 고등학생도 역사를 이야기로 들려주면 재미있어할 뿐 아니라 쉽게 역사적 사건을 이해한다. 그러나 이 시기 학생들은 사람들의 개별적인 행위나 사고, 사람 사이의 관계를 설명할 때 구조에 의해 제약되는 측면을 자주 언급한다.[23] 예를 들면 조선시대에 신분제의 제약 때문에 주종 관계로

---

23 강선주, 「초·중·고등학생이 구성하는 역사담론과 추구하는 역사의식: 역사 텍스트의

서 노비 주인과 노비 사이에서 노비가 자유로울 수 없었던 점이나, 유교적인 가부장적 구조 속에서 여성과 남성의 역할이나 관계가 형성되었던 점을 이해한다. 또한 명과 조선의 사대 관계가 왕과 신하의 선택이나 행위를 제약할 수 있는 측면, 그러한 사대 관계 속에서 조선이 나라로서, 또 왕과 신하가 개인이나 집단으로서 제약받았던, 혹은 그 제약 속에서도 발휘할 수 있었던 자율성에 대해서도 이해한다. 즉, 매우 정교한 차원의 구조적 이해에 이르지는 못하더라도 사회경제적 구조나 거대 문화와 인간의 자율성 사이의 긴장 관계를 이해한다.

제한적이지만 학생들의 역사 이해 양상에 대한 경험적 연구 결과들을 참고해 학습을 계열화한다면, 초등학교 역사는 정치 사건사를 생활문화사적 요소와 결합시켜 인물들의 이야기로 구성하고, 중학교에서는 정치·사회·문화 영역의 사건들을 구조와의 관련 속에서 설명하는 방식으로 구성하며, 고등학교에서는 신문화사적 연구 방법에 기초해 중학교에서 다루었던 주제나 사건들을 다른 각도에서 해석해볼 기회를 줄 수 있다.

3. 신문화사적 역사 읽기와 역사 읽기 학습의 계열화

최근 역사학계의 인식론적 전환은 역사의 의미뿐 아니라 사료의 의미를 새롭게 정의할 것을 촉구한다. 이러한 일련의 변화는 1990년대 한국에서 축적되어온 '역사적 사고력'에 대한 연구뿐 아니라 '사료 학습'에 대한 연구가 생성·배포했던 지식과 사고를 문제화하고, 역사교육과 관련된 연구 담론이

선택적 읽기」, ≪역사교육연구≫, 19호(2014).

새롭게 전환되어야 할 필요성을 제기하기도 한다.

역사적 사고력의 함양은 역사교육의 중요한 교과 목표로 인식되고 있으며, 많은 연구자들이 역사적 사고력의 개념을 규정하고 수업에 효과적으로 적용하기 위해 역사적 사고력의 구성 요소를 규명해왔다. 역사적 사고력의 개념과 구성 요소에 대해서는 학자들에 따라 견해 차이가 있다.[24] 그 가운데 김한종이 제시한 역사적 사고력의 개념과 성격을 보면, 김한종은 역사적 사고에는 일반 과학에서와 마찬가지로 논리적 탐구 방법을 사용하는 측면과 과학적 사고보다 직관적 방법을 더 많이 사용하는 역사적 상상의 두 가지 측면이 있다고 본다.[25] 그리고 다른 학문의 사고와 구별되는 역사적 사고의 특성을 다음의 세 가지로 요약했다. 첫째, 역사적 사고란 과거의 사건 뒤에 숨어 있는 사람들의 사상을 추체험하는 것이다. 둘째, 역사적 사고는 사건의 유사성보다는 개별성과 다양성에 관심을 둔다. 셋째, 역사적 사고는 시간 속에서 계속성과 변화를 추구한다. 또한 역사적 사고력의 영역을 역사적 탐구 기능과 역사적 상상력으로 구분했다. 역사적 탐구 기능은 다시 일반적 기능과 역사적 기능의 두 영역으로 구분하고, 일반적 기능의 구성 요소에는 문제 인지, 자료 수집, 자료 처리, 결론 도출, 일반화 능력이 포함되며, 역사적 기능에는 역사적 개념의 사용, 역사적 자료의 활용, 역사적 연구 방법의 수행 능력이 포함된다고 보았다. 그리고 역사적 상상력은 역사적 판단력, 역사적 감정이입, 역사적 삽입 등으로 이루어진다고 주장했다.[26]

---

24 역사적 사고력의 다양한 견해에 대해서는 송춘영, 「역사적 사고력을 기르기 위한 사료 활용방안」, 『역사교육의 이론과 방법』(삼지원, 1997), 354~363쪽을 참고.

25 김한종, 「역사적 사고력의 구성 요소와 역사수업의 발문」, ≪사회과교육≫, 29호(1996), 89~90쪽.

26 김한종, 「역사적 사고력의 개념과 그 교육적 의미」, 『역사교육의 이론과 방법』(삼지원,

요컨대 탐구 기능이 주로 역사적 자료들 사이의 상호 관계를 파악·분석·비교하는 능력이라면, 역사적 상상력은 주어진 자료의 한계를 극복하고 좀 더 창조적으로 의미를 부여하는 작업이라고 할 수 있다. 역사적 사고는 대체로 역사가들이 역사 탐구 과정에서 수행하게 되는 자료의 조작·해석과 관련된 일련의 사고 과정을 모델로 설정하고 체계화한 것이다. 따라서 역사적 사고력의 함양을 위한 가장 효과적인 방법으로 사료 탐구를 통한 '역사하기'가 매우 강조되었다.

역사적 사고력과 관련된 연구들은 역사철학적으로 접근했는데, 특히 1960~1970년대 영국의 역사교육 연구 성과의 영향을 크게 받았다. 당시 영국의 역사교육에서 역사적 사고력에 대한 담론은 로빈 G. 콜링우드Robin G. Colling-wood의 역사 인식과 역사 연구 방법론의 통제를 받고 있었으며, 영국의 역사교육 이론을 주로 참고했던 한국도 콜링우드의 역사 인식과 역사 연구 방법론에 기초해 역사적 사고력에 대해 연구했다. 역사적 사고 과정에 대한 구성 요소의 분류에 대해 다양한 논의가 진행되었지만, 기본적으로 역사적 사고와 역사 이해의 연구는 콜링우드류의 역사 인식 범주에서 거의 벗어나지 않았다. 콜링우드는 인간의 행위는 자연현상과 달리 외면과 내면을 가지고 있는데, 인간 행위를 인식하는 것은 그 내면을 이해하는 것으로서 이를 위해서는 '추체험'이 필요하다고 했다. 추체험을 중심으로 하는 역사 이해는, 역사교육에서 역사적 사건의 맥락을 파악하고 과거 인물의 행위와 생각을 당시 상황과의 관련성 속에서 파악하는 것을 역사 학습의 본질로 설정한다.

이러한 역사 학습의 본질은 사료를 읽고 분석해 과거를 이해하는 역사가

1997), 336~341쪽; 최상훈, 「역사적 사고력의 의미와 하위범주」, 『역사교육과 역사인식』(책과 함께, 2005), 55~94쪽.

의 연구 과정을 경험해보는 것으로 간주되었으며, 사료는 과거의 진실을 담고 있는 재료이자, 과거의 삶을 해석할 수 있는 증거로 이해되었다. 그리고 역사가의 추체험을 통한 행위자들의 내면에 대한 이해는 종종 극화 학습과 같은 역사 학습의 궁극적인 목적이 되기도 했다. 이러한 역사 연구 방법은 역사적 사고력 함양을 위한 사료 학습 방안을 개발하는 데도 적용되었다. 특히 송춘영은 역사적 사고력이 역사 인식의 중요한 바탕이며 창조의 원천으로서 역사교육의 목표라고 주장하고, 가장 효과적인 역사적 사고력 신장 방법은 사료 학습이라고 했다.[27]

종래 사료 학습은 주로 강우철과 송춘영에 의해 제시된 모델을 중심으로 구성·변형·적용되어왔다. 강우철과 송춘영은 사료 학습이 크게 '사실 탐구'와 '의미 탐구'의 과정으로 구성된다고 보았다. 사실 탐구란 과거에 존재했던 흔적들을 역사적 사실로 바꾸기 위한 분석과 비판의 과정, 즉 사료가 하나의 사실로 인정받기 위한 탐구로서, 사료에 대한 내적·외적 비판이 이에 속한다. 의미 탐구란 사실로 확정된 것에 대한 해석을 통해 역사적 사실과 그에 관련된 다른 사실들이 역사를 구성하는 데 어떤 의미를 갖는지 탐구하는 절차이다.[28] 이러한 사료 학습 모형에서 역사적 사실은 사료에 남아 있으며, 따라서 역사가에게 사료 없는 사실이란 있을 수 없는 것으로 간주되어왔다. 요컨대 사료는 과거의 진실을 담고 있는 재료, 과거의 삶을 복원할 수 있는 증거로 이해되어왔다. 역사가의 임무는 '사실을 있는 그대로' 밝히는 것으로서, 이는 다시 말해 사료의 내용을 정확히 밝혀내는 것으로 이해되어왔다. 이러

---

27 송춘영, 「역사적 사고력을 기르기 위한 사료 활용방안」, 354쪽.
28 강우철, 「역사 학습과 탐구 기능」, 『역사 연구 방법과 그 교육적 접근』(탐구당, 1975), 69~87쪽.

한 사료 학습은 실증사학에서 제시하는 사료와 역사가의 역사 탐구 과정에 대한 개념을 기초로 구성된 것이다.

그런데 최근 '담론으로서 역사'와 남아 있는 자료들의 '텍스트성'이 지적되면서 역사 학습의 본질은 물론이고 목적, 방법, 자료 등에 대해서도 새롭게 접근하는 연구들이 나오고 있다.[29] 이러한 연구들은 역사란 실제 일어났던 사건들이나 과거 사람들의 삶을 규정한 구조들의 연관 관계가 아니라 담론일 뿐이라는 전제를 수용한다. 이러한 방법론에 따르면, 특정한 지식이 생산된 맥락과 그러한 맥락에서 그 지식의 정치적 의미를 분석하는 것이 역사 읽기의 본질이 된다. 역사 연구와 역사 학습에 사용되는 자료들은 저자의 의도·관점·해석을 담고 있다. 그러므로 연구와 학습에서 그 자료는 저자가 말하고자 하는 것과 말하고 싶어 하지 않는 것, 과장하고 있는 것과 축소하고 있는 것 등을 해명하는 데 사용될 수는 있으나, '있었던 그대로의 역사'를 재현하는 재료가 될 수는 없다. 이렇게 본다면 역사 학습의 본질은 '일어났던 사건으로서 역사'를 이해하는 것이 아니라 '역사의 담론적 질서'를 파악하는 것이며, '사료 학습'의 주목적은 자료를 통해 일어난 사건을 복원하는 것이 아니라 학생들 스스로 자료의 텍스트성을 분석·해석하는 것이 된다. 이러한 관점에서 양호환은 '역사화'의 중요성을 강조했고, 김한종과 이영효는 '비판적 역사 읽기와 역사 쓰기'의 가능성을 탐색했다.

포스트모던적 '언어적 전환'이 역사 학습에서 역사 자료의 텍스트성에 대

---

29 이영효,「포스트모던 역사 인식과 역사학습」, ≪역사교육≫, 74집(2000); 양호환,「역사학습의 인식론적 모색」, ≪역사교육≫, 75집(2000); 양호환,「역사서술의 주체와 관점: 역사교과서 읽기와 관련하여」, ≪역사교육≫, 68집(1998); 양호환,「역사적 사고의 한계와 역사화의 가능성」, ≪역사교육≫, 79집(2003); 김한종·이영효,「비판적 역사 읽기와 역사 쓰기」, ≪역사교육≫, 81집(2002).

한 탐구를 강조한다면, 신문화사는 역사 학습에 남아 있는 자료의 한계를 지적하고, 자료의 해체적 읽기와 우회적 해석을 통해 역사에서 소외된 사람들의 인식 세계를 해명하도록 요구한다. 이러한 신문화사의 문제의식과 방법론에 기초해 조한욱은 '두껍게 읽기', '다르게 읽기', '작은 것을 통해 읽기', '깨뜨리기'의 네 가지 역사 자료 '읽기 방식'을 제안했다.[30] 이러한 네 가지 방식은 그가 지적하고 있듯이 서로 명확하게 구분되어 사용되는 것이라고 할 수는 없다. '두껍게 읽기'는 인류학자인 기어츠의 '두꺼운 묘사'라는 개념에서 영감을 얻은 것으로, 남아 있는 자료나 지속되는 현상 또는 반복적으로 사용되는 개념에 담긴 의미의 다양한 층위와, 시대와 사회마다 다른 그 의미의 변화를 추적하면서 읽는 것이다. '작은 것을 통해 읽기'는 남아 있는 기록의 양적 제한성에 대한 통찰을 기초로, 빈곤한 사료에서 과거 평범한 사람들의 세계를 읽는 것이다. 이는 미시사 연구 방법에서 영감을 얻은 것이다.

'다르게 읽기'는, 조한욱에 따르면 "전통적으로 유지해왔던 역사를 보는 관점과는 다른 맥락에서 역사를 파악하려는 시도"이다. 즉, 종래 읽었던 내용이나 읽어왔던 방식을 비판하면서 읽는 것이다. 이는 역사 서술에서 기득권층의 목소리·어법·표현에 가려져 있던 소외층의 목소리·표현·어법 등을 가려내면서 읽는 것이다. 종래 남성의 관점으로 해석하고 의미를 부여해왔던 프랑스혁명과 르네상스, 남성의 시각에서 규율해왔던 한국의 호주제와 가족법 등을, 종래 배제되어왔던 여성의 관점, 나아가 젠더의 관점에서 그것을 다시 읽고 의미를 부여하는 작업이 여기에 해당한다고 할 수 있다. 이는 "당연하게 간주되어오던 역사 서술의 중심점을 깨뜨려 여러 주변에서 역사를 읽을 경우 그것이 제시해줄 수 있는 여러 가지 새로운 가능성을 모색"하

---

30 조한욱, 『문화로 보면 역사가 달라진다』(책세상, 2000).

는 것이다.[31]

전경목은 조한욱이 소개한 미시사 연구 방법을 변형해 고문서 읽기 방법을 제시했다.[32] 두껍게 읽기를 '내면 들여다보기'로, 다르게 읽기는 '뒤집어보기'로, 작은 것을 통해 읽기는 '용어를 통해 보기', 깨뜨리기는 '의심해보기'라고 명명했다. 그리고 여기에 앞서 제시했듯이 '양면 또는 다면 보기'를 첨가했다. '양면 또는 다면 보기'는 미시사 연구가 사소하고 지엽적인 주제에 지나치게 몰두하기 때문에 전체 상과 맞지 않는 연구 결과를 도출한다는 비판을 보완하기 위한 방법으로 개발한 것이다.

이러한 신문화사의 경향은 종래 당연시해왔던 '역사적 사고력'의 범주와 구성 요소의 재고를 요구한다. 이제 "역사적 사고란 과거의 사건 뒤에 숨어 있는 사람들의 사상을 추체험하는 것"이 아니라, 과거 사람들이 경험한 인식 세계를 해명하는 것이다. 신문화사는 특히 당연시되어왔던 것에 대해 의심할 것을 주문한다. 신문화사는 민중 문화에 관한 구체적 내용을 전해주는 자료가 매우 적다는 사실을 일깨워주고 있다. 또한 역사 연구에서 주로 사용되어왔던 자료가 기록의 권력을 가졌던 지배층·지식인들의 관찬 자료와 개인 문집이었다는 점을 인식시킨다. 이러한 자료를 기반으로 한 역사 서술은 지배 엘리트의 역사가 될 수밖에 없으며, 종래의 역사 서술에서 배제되었던 민중의 경험과 인식 세계, 민중들의 태도, 집단적 열망 등을 생생하게 드러내 보이고 그들의 세계관을 재구성하기 위해서는 작은 것을 통해 읽기, 두껍게 읽기 방식이 중요하다는 점을 말해준다. 특히 신문화사는 자료를 남길 수 없었던 사람들의 경험에 관심을 가질 필요를 제기했다. 즉, 대중들의 일상적

---

31 같은 책, 103쪽.
32 전경목, 『고문서, 조선의 역사를 말하다』, 6~7쪽.

실천들이나 상징들 ― 가족 관계, 성관계, 제례, 축제 행사, 주술들 ― 과 그들이 날마다 겪는 애정, 공포, 희망 등에 대해 관심을 갖도록 유도한다.[33] 이러한 역사 연구 주제의 확대는 역사 연구와 학습에 활용되는 자료 범위의 확대로 이어지고 있다.

종래 사료 학습에서 '사실 탐구', 즉 사료 비판의 과정은 주로 내적 비판을 중심으로 이루어졌다. 내적 비판이라 함은 사료의 내용을 분석해 그 신뢰성을 결정하는 작업으로, 소극적 의미로는 사료를 만든 저작자의 능력이나 자격을 규명하는 것이고, 적극적 의미로는 사료 내용의 참다운 의미를 규명하는 것이다. 내적 비판에서는 주로 사료에 의식적으로나 무의식적으로 거짓, 과장, 잘못된 내용이 섞여 있는지 검토하는 수준에서 텍스트 비판이 이루어졌다. 그러나 신문화사는 역사가들이 우회적인 방식을 동원해 메노키오의 재판 기록을 바탕으로 숨겨지고 억압되어 있는 민중 문화를 해명했듯이, 학생들도 치밀한 사료 비판과 해석을 통해 자신을 대변할 수 없었던 사람들의 경험을 해명하도록 요구한다. 이는 사료 속에 포함된 풍자, 비유, 수사법 등에 대한 분석을 통해 사료가 함축한 다양한 의미를 도출하는 것을 의미한다.

나아가 신문화사는 사료 비판 과정에서 사료에 남겨진 내용이 왜 남겨져 있는지, 그것이 왜 문제가 되는지, 이러한 사료를 통해 해명하는 역사의 의미는 무엇인지, 사료가 말하고 있지 않은 부분은 무엇이고 왜 말하고 있지 않은지 등 '남겨진 사료'에 대해서도 의심의 눈초리로 볼 것을 강조하고, 그것을 사료 학습에 포함할 것을 요구한다. 즉, 신문화사는 사료 학습에서 사료의 개념, 사료 탐구의 초점, 사료 학습의 목적 등 사료 학습과 관련된 새로

---

33 강영심, 「문화를 통해 역사를 보는 신문화사의 연구 경향을 둘러보며」, ≪한국문화연구≫, 4호(2003), 2쪽.

운 담론의 창조를 요구한다.

또한 종래 사료 학습은 사료와 사료 사이의 간극을 역사적 상상력을 통해 메우는 탐구 기능을 가르치도록 요구해왔다. 그러나 신문화사의 사료 읽기는 이보다 한층 더 고도의 역사적 상상력을 요구하고 있다. 사료가 억압하는 부분과 말하고 있지 않은 부분을 읽어내기 위해, 역사 연구자들은 그 사료가 기록될 당시 또는 전후의 역사적 맥락이나 당시 사회와 문화를 규율했던 지배 담론들을 검토한다. 그렇다면 역사적 맥락을 전혀 파악하지 못하고, 당시 지배 담론들을 추출해본 적도, 그 담론이 어떻게 규율과 통제의 역할을 했는지 분석해본 적도 없는 학생들이 역사가가 하듯이 남아 있는 사료가 말하지 않는 부분에 대한 우회적인 비판과 해석을 통해 숨겨진 삶을 해명할 수 있을까?

사무엘 와인버그Samuel Wineburg의 연구에 따르면, 읽기 능력이 뛰어나고 역사 지식적 소양이 높은 학생들도 역사 자료에 포함된 서브텍스트subtext, 즉 표면적으로 드러나지 않는 의미를 이해하지 못하는 반면, 역사가들은 학생들에 비해 역사 지식이 부족하거나 별로 차이가 없는 경우에도 그 의미를 이해했다.[34] 역사가와 학생들의 이러한 차이는 역사적 사실에 대한 지식의 차이에서 오는 것이 아니라, 역사 문헌에서 서브텍스트를 읽어야 한다는 문제의식의 유무에 기인한다는 것이다. 학생들은 텍스트 내용을 비판적으로 분석·해석한 경험이 거의 없기 때문에 표면적으로 나타나는 텍스트의 내용을 받아들였을 뿐 그 밑에 깔려 있는 전제나 관점, 의도를 파악하지 못했던

---

34 Samuel S. Wineburg, "On the Reading of Historical Text: Notes on the Breath between School and Academy," *Historical Thinking and Other Unnatural Acts* (Philadelphia: Temple University Press, 2002), pp.78~79.

288 제2부 역사 연구의 새로운 방법과 역사교육

것이다. 와인버그의 연구에 따르면, 학생들에게 역사 읽기는 저자의 의도가 무엇인지 캐묻거나 텍스트를 사회적 세계에 위치시키는 과정이 아니라, '정보를 담고 있는 것'으로서 텍스트에서 정보를 수집하는 과정이다. 와인버그는 대부분의 학생들이 텍스트에 숨겨진 의도가 있다는 것을 전혀 생각하기 못하기 때문에, 그들이 텍스트에 숨겨져 있는 것들을 읽기 위해서는 우선 그러한 '숨겨진 것들'이 있다고 믿어야 한다고 주장한다.

와인버그의 연구는 학생들이 사료를 읽기 전에 그 사료가 특정한 지배 담론에 의해 규율되고 있다는 것, 또 사료가 말하는 부분 못지않게 말하지 않고 있는 부분이 있다는 것을 의식해야 하며, 그에 대한 우회적 비판의 필요성을 느껴야 한다는 것을 시사한다. 사료의 텍스트성에 대한 그러한 인식이 없는 상태에서는, 그 사료가 학생들이 특정 사건에 대해 특정 방식으로 보도록 유도하는 표현, 어법 등을 포함한 일련의 전략들을 분별해내기가 어렵기 때문이다. 와인버그의 연구는 또한 학생들이 사료를 읽기 전에 신문화사가 지향하는 민중 문화의 해명을 위해서는 신문화사의 접근 방법, 즉 작은 것을 통해 읽기, 두껍게 읽기, 깨뜨리기, 다르게 읽기의 필요성을 인식하고 그 방법과 전략에 대해 알고 있어야 한다는 점을 시사한다.

필자도 「고등학생과 역사가의 역사 텍스트 독해 양상과 텍스트 독해 교수학습 전략」(2013)이라는 글에서 학생들에게 역사 텍스트 독해 방법에 대해 가르칠 필요가 있다고 주장했다. 역사 읽기 또는 역사 텍스트 읽기, 사료 또는 텍스트를 어떤 시각에서 접근하든 그것을 학습 내용으로 적극적으로 끌어들여 학생들에게 가르칠 필요가 있다.

김한종이나 최상훈이 제시했던 역사적 사고력과, 조한욱이나 전경묵이 제시한 역사 텍스트 읽기 또는 고문서 읽기 방식은 서로 다른 역사 인식론과 문제의식에 기초한다. 역사교육에서는 어떤 것이 '맞고 틀리다'라는 시각이 아니라 '다르다'라는 시각에서 이러한 사고 방법 혹은 읽기 방법을 계열화하는 방안에 대해 연구하고 구체화할 필요가 있다. 피터 J. 리Peter. J. Lee도 강조했듯이 "역사적 이해를 가르친다는 것은 부분적으로는 학생들에게 다른 인지적 도구, 다른 가정들과 전략들을 연습할 기회를 제공하는 것"이기 때문이다.[35] 역사에서 서로 다른 과거에 접근하는 시각과 방법을 학생들 수준에 맞게 가공해 역사 학습의 계열화를 시도해볼 수 있다.

  뤼젠은 학생의 역사의식이 전통적-전형적-비판적-발생적 역사의식의 유형순으로 '발달'한다고 주장한다.[36] 물론 뤼젠은 '역사의식'이 현재 상황에서 어떤 행위를 하는 데 전제가 되는 성향이며, 그것은 현재를 이해하기 위해 과거를 파악하는 데 도움을 주는 방식으로 작용한다고 본다. 그리고 역사의식에는 인간의 행위를 매개하는 윤리적 함의가 담겨 있다고 보았다. 즉, 역사의식은 윤리적 성향과 떨어져서 이해할 수 없으며, 그러한 역사의식이 과거나 현재를 이해하고, 또 현재에 어떤 행위를 하는 데 영향을 미친다는 것이다. 그의 역사의식 이론에 대해 리는 역사에 대해 학생들이 갖는 선개념의 일종이라고 말하기도 했다. 그러나 학생들이 과거를 해석하는 방법이라는 측면에서 뤼젠의 유형화에 대해 다음과 같이 발달 과정을 설명할 수 있다. 전통적 유형은 과거의 이야기(약속)를 그대로 수용해 적용한다. 전형적 유형

---

35 Peter J. Lee and Tosalyn Ashby, "Empathy, Perspective Taking, and Rational Understanding," in O. L. Davis Jr., Elizabeth Anne Yeager and Stuart J. Foster (eds.), *Historical Empathy and Perspective Takin in the Social Studies*(London: Rowman & Littelfield Publishers, INC, 2001), p.25.

36 Jörn Rüsen, "Historical Consciousness: Narrative Structure, Moral Function, and Ontogenetic Development," in Peter Seixas(ed.), *Theorizing Historical Consciousness* (University of Toronto Press: Toronto, 2004).

은 과거의 특정 사건을 보편으로 삼아 다른 사건들에도 적용한다. 즉, 여러 사례들을 관통하는 원리나 법칙을 찾고 그에 입각해 사건을 이해·판단한다. 비판적 유형은 외부와 과거가 규정하거나 부여하는 원칙을 따르지 않고 현재 자신의 관점에서 사건을 해석하며 새로운 정체성을 만들어간다. 즉, 과거와 현재가 전혀 다른 규범과 질서에 의해 규정될 수 있다고 보는 것이다. 이는 사건들 사이의 단절과 개별화를 추구한다고 할 수 있다. 발생적 유형은 과거에서 내려온 것을 인정하면서도 그것을 변화한 사회에 비추어 새롭게 해석한다. 새로운 해석을 통해 새로운 질서를 만드는 것이다. 과거부터 내려온 주어진 규범을 그대로 받아들여 과거를 해석하는 수준에서, 주어진 규범이나 질서를 비판적으로 바라보는 가운데 과거와 현재의 관계를 설정하고 나아가 과거의 규범을 다르게 바라보며 새로운 규범들을 생성해나가는 방향으로 발달 과정을 상정한다.

만약 학생들이 과거를 바라보는 방식이 '과거에 대한 수용적 태도-비판적 태도-비틀기를 통한 새로운 해석'으로 발달한다는 전제로 역사교육을 구상한다면, 초등학생에게 과거 자료에 있는 내용에 기초해 역사적 인물에 대한 '추체험(과거인의 관점 취하기)'[37]을 독려하면서 이야기를 구성하게 하고, 중학

---

37 예를 들어 인물 중심 사건사를 탐구하는 데 행위자의 행위 이유나 동기, 상황 인식 등을 '추체험' 혹은 '감정이입'과 연결시킬 수 있다. 인식론적 측면에서 감정이입이 가능한가에 대한 논란도 있다. 그러나 여기서는 인식론적으로 감정이입이 가능한가라는 질문은 잠시 보류하고자 한다. 필자는 '추체험'이나 '감정이입'이라는 용어보다는 '과거인의 관점 취하기'라는 용어를 사용한다. 사실 영국의 연구자 피터 J. 리는 감정이입 단계를 '감정이입적 이해를 하지 않으려는 단계', '일상적 감정이입', '제한적인 역사적 감정이입', '맥락적·역사적 감정이입'으로 구분했다. 여기에서 맥락적·역사적 감정이입은 교수 전략의 측면에서 '역사적 맥락에서 행위자의 관점 취하기'라고 정의하고 가르칠 수도 있다. 필자는 「초·중·고등학생이 구성하는 역사담론과 추구하는 역사의식: 역사 텍스

생에게는 과거 자료들을 비판적으로 비교 분석해 사건을 구조와의 관계 속에서 인과적으로 설명해보게 할 수 있다. 또 고등학생에게는 조한욱이나 전경목이 제시한 읽기 방법을 변형해서 '다르게 읽기', '작은 것을 통해 읽기', '양면 보기' 또는 '다른 면 보기' 등을 통해 자료를 읽은 후 자신이 알고 있는 과거에 대해 다시 한 번 다른 각도에서 생각하고 성찰해보게 하는 방향에서 '역사 읽기'를 계열화할 수 있다. 그러나 이러한 계열화는 원칙에 불과하며 학생들의 수준과 학교 역사의 취지를 고려해 역사 읽기 방법들을 단순화·변형시키는 과정이 필수적이다.

트의 선택적 읽기」라는 글에서 학생들이 피터 J. 리의 구분에 기초하면 대체로 '일상적 감정이입'에 머물러 역사적 감정이입 단계로 나가지 못하는 경우가 많다는 점을 지적한 바 있다. 실제 학생들은 행위자가 처한 여러 역사적 상황이나 문화, 제도적 한계 등에 대해 고려하지 못해 행위나 행위의 이유 등을 이해하기 전에 그 행위를 현재적 잣대에 비추어 평가해버리는 경우가 많다. 즉, 학생들이 과거 인물의 내면세계로 들어가지 못하고 오히려 과거인을 현재인화시킴으로써 시대착오적 역사 해석을 하는 것이다. 그 까닭이 반드시 학생들의 발달 단계 때문이라고 하기는 어렵다. 오히려 학생들이 역사적 맥락에서 인물의 행위를 이해하는 방법을 잘 알지 못하는 데서, 자신의 역사 지식을 활용하고 여러 자료를 증거 삼아 역사 문서를 해석하는 방법이 익숙하지 않은 것에서 비롯되었다고 봐야 한다. 역사 수업의 현장에서는 '네가 만약 그 역사적 인물이었다면 어떻게 했을까'라는 질문을 통해 학생들이 과거인의 내면세계로 들어갈 것을 요구하는 활동을 자주 한다. 그러나 그러한 질문만으로 학생들의 역사적 감정이입을 자극하기는 어렵다. 맥락적으로 역사를 이해하기 위해 중요한 것은 그 인물이 처했던 역사적 맥락·상황에 대한 심층적 이해이며, 당시 상황에 대한 그 인물의 해석을 아는 것이다. 이러한 맥락적 역사 이해의 특징을 고려하고, 초·중학생이 보이는 역사 이해와 역사 텍스트 읽기 양상에 의거해 초등학교나 중학교 단계에서 다다라야 할 역사 이해, 역사 탐구의 수준과 그것을 가르칠 수 있는 방법을 제시해야 한다.

4. 맺음말

　신문화사는 그동안 역사교육에서 '거대 역사', '총체적 역사'를 강조하는 교육 담론이 억압·소외했던 인간의 삶이 있음을 인식시키고, '아래로부터의 역사'라는 문제의식을 심화시켰으며, 학생들이 역사과에서 학습해야 할 영역을 확대시켰다. 신문화사는 사회과학적 연구 문제와 방법론을 부정하고 그 모순을 비판하는 가운데 사회과학적 역사를 해체하고자 했다. 이제 역사는 하나의 거대 이야기가 아니라 여러 이야기들이다. 그러나 학교 역사에서 학생들에게 신문화사의 문제의식과 방법론은 사회과학적 역사 방법론이 구성하는 역사상을 '해체'하기보다는 '성찰'하고 다른 각도에서 분석해볼 수 있는 기회를 주는 방향에서 적용할 필요가 있다.

　또한 신문화사의 읽기는 남아 있는 기록이 은폐·억압하고 있는 부분에 대한 우회적인 탐구를 통해 기록을 남길 수 없었던 소외된 민중들의 삶을 해명하도록 요구한다. 이러한 신문화사의 읽기 방식은 그동안 역사 학습에서 강조되어온 역사적 사고력 논의나 사료 학습의 개념에 대해 재검토·재개념화할 것을 요청하고 있다. 그러나 역사교육에서는 그동안의 역사적 사고력 논의와 종래 사료 읽기 방식을 부정하기보다는, 그 논의들과 방법들을 신문화사에서 시도하는 새로운 읽기와 함께 다양한 역사 읽기 방안을 구축하는 방향에서 검토할 필요가 있다.

제9장

박물관과 역사교육

　박물관은 이제 하나의 문화 공간이자 교육의 주체로서 우리 생활에 깊이 뿌리내리고 있다. 박물관은 초·중·고등학생들은 물론이고 학교 교육 체제에서 벗어난 일반 대중이 인간과 과거에 대해 학습하는 중요한 장이다. 특히 평생교육 담론이 확대되면서 교육 서비스의 주체로서 박물관의 역할이 주목받고 있다. 박물관은 대중의 흥미를 만족시키기 위한 특별 전시를 기획·운영하기도 한다. 미국의 경우 성인 열 명 가운데 여섯 명은 적어도 일 년에 한 번 이상 박물관을 방문한다는 보고가 있다. 12학년을 마친 이후에 공식적으로 역사를 학습하는 사람은 많지 않지만 박물관을 방문하는 사람은 많다는 것이다.[1] 직접적인 통계 자료를 구하지는 못했지만, 한국에서도 어린이를 동반한 부모부터 교사가 인솔한 초·중·고등학생들은 물론이고 데이트를 즐기는 성인 남녀에 이르기까지 많은 사람들이 박물관을 찾는다.

1　Alan S. Marcus, Jeremy D. Stoddard and Walter W. Woodward, *Teaching History with Museums: Strategies for K-12 Social Studies*(Routledge, 2011), p.8.

박물관은 다양한 교육 프로그램을 운영한다. 그러나 대부분의 사람들이 그러한 교육 프로그램보다는 전시 관람을 통해서 때로는 아는 지식을 확인하고, 때로는 새로운 지식에 접한다.

　최근에 박물관의 역사 전시관이 체험 학습의 장으로 자주 활용된다. 영상에 친숙하고 디지털한 감수성을 갖춘 세대, 교사의 강의보다는 오감을 활용한 다양한 '자기 주도적' 학습활동을 독려받은 세대에게 문자로 읽는 역사와 강의실에 앉아서 듣는 역사는 아날로그 시대의 산물로 비춰질 수 있다. 이들은 적극적이고도 주체적인 지식의 구성과 창의적인 자기표현을 통해 성취의 즐거움을 느낀다. 박물관은 이러한 세대의 감수성에 걸맞은 학습 환경을 제시할 수 있기 때문에 많은 사람들의 주목을 받는다. 박물관은 학생들이나 일반 대중이 책을 통해 평면적으로 익힌 역사 지식을 입체적으로 재구성할 수 있는 기회, 또 학교와는 다른 인지적·정의적 자극을 통해 오감을 활용해서 여러 분야의 지식을 확장하고 변화시킬 수 있는 장을 제공한다. 그렇기 때문에 박물관이 제시하는 역사는 사람들의 역사 이해와 역사 인식에 지대한 영향을 미친다. 이는 역사교육계가 박물관이 추구하는 역사교육에 본격적으로 관심을 가져야 하는 중요한 이유 중 하나이다. 그렇다면 역사교육은 박물관 역사 전시와 어떻게 만날 수 있을까? 역사 전시에서 무엇을 가르칠 수 있을까?

1. 역사의 효용

　역사교육 연구자들은 역사의 '유용성', '가치' 또는 역사교육의 '목적' 등의 표현을 통해 '역사를 왜 가르쳐야 하는가', '역사를 공부하면서 어떤 효용을 기대하는가'라는 질문에 대답해왔다.[2] 한국의 역사교육 연구자들은 학교 역사의 가치를 다음과 같은 점으로 제시한다.

- 전통/유산을 보존하고 전승하는 데 중요한 역할을 한다는 점
- 정체성을 확인하게 해준다는 점
- 우리가 어떻게 현재에 이르게 되었는가를 이해할 수 있게 해준다는 점
- 과거에 일어난 일에 비춰 현재 문제를 해결하는 데 도움을 줄 수 있다는 점
- 시간과 공간을 넘어 인간의 자기 이해의 폭을 넓혀준다는 점, 즉 인간과 사회에 대한 통찰력을 길러준다는 점
- 역사적 사고를 통해 문제를 해결할 능력을 신장시켜준다는 점

이외에 역사를 가르쳐야 할 주요 이유를 '역사의식'에서 찾기도 한다.[3] '역사의식'이라는 용어를 통해 무엇을 의미하고 추구하는지는 논자마다 다르

---

2 이인호, 「역사는 가르쳐야 하나」, ≪역사비평≫, 12호(1990), 144~151쪽; 정현백, 「역사교육이 강화되어야 한다」, ≪사회와 사상≫, 19호(1990); 윤세철·최상훈, 「역사의 유용성과 역사교육목표」, ≪역사교육≫, 87집(2003); 정선영, 「역사교육의 최종 목표와 역사적 통찰력」, ≪역사교육≫, 108집(2008); 강선주, 「역사교육의 목적과 초등교사의 역사교육관」, ≪역사교육≫, 108집(2008); 이만열 외, 「역사교육을 묻는다: 역사교육과 역사 교과서에 대한 4개 질문 10인의 응답」, ≪역사비평≫, 107호(2014); Linda Levstik and Kieth Barton, "Committing Acts of History: Mediated Action, Humanistic Education and Participatory Democracy," in William B. Stanley(ed.), *Critical Issues in Social Studies Research for the 21st Century*(Greenwich: Information Age Publishing, 2001).

3 이인호, 「인문교육으로서 세계사 교육의 중요성」, ≪역사교육≫, 52집(1992), 161~165쪽; 이병희, 「民人의 歷史意識과 歷史敎育」, ≪역사교육≫, 57집(1995); 김한종, 「역사의식은 역사와 교육의 접점이다」, ≪내일을 여는 역사≫, 24호(2006).

다. 여러 저작은 그 용어를 통해 현실에 대한 비판적 이해와 현재 및 미래의 문제 해결을 위한 실천적 노력의 측면을 강조한다.[4] 역사에서 현재 문제를 비판하고 해결하는 능력과 안목을 가르쳐야 한다는 주장도[5] 행동하는 지성을 키우기 위해 역사의식을 강조한다.

다문화교육과 평화교육을 역사교육과 접맥시키려는 시도도 실천적 역사의식이라는 교육 의도와 일맥상통한다. 물론 연구자에 따라 현재 세계의 정치적·민족적·문화적 갈등이 무엇이고, 그와 관련해 다문화교육과 평화교육에서 어떤 주제나 가치를 어떤 관점에서 가르쳐야 하는지에 대해 다른 의견을 보이기도 한다. 그러나 그러한 갈등을 역사적 맥락에서 이해하고 그것을 해결하기 위해 노력할 것을 주장한다는 점, 그리고 다양성, 관용, 조화, 공존 등과 같은 가치를 어떻게 다룰 것인가에 대해 논의한다는 점에서는 공통적이다.

한국에서도 평화교육에 대한 논의가 시작되었다. 다른 나라의 역사적 평화교육에 대한 사례연구를 통해 한국 역사교육을 평화교육과 접맥시키려는 시도도 있다. 역사적 평화교육이 어떤 철학적 기반에서 어떤 내용과 방법으로 진행될 수 있는가에 대한 논의는 다양하다.[6] 그러나 학생들이 전쟁·폭력·편견 등에 대해 역사적으로 탐구하게 하고, '평화로운 미래'를 설계하는데 실천적인 노력을 기울일 수 있게 해야 한다는 문제의식은 공통적이다.

한편 역사의 인문학적 성격에 초점을 맞추어, 역사가 인간의 자기 이해를 확장시켜 통찰력을 발달시킬 수 있다는 점을 강조해 역사교육을 추구하기도

---

4   강선주, 「역사교육계의 역사의식 이론과 학생들의 역사의식 조사 연구에 대한 검토」, ≪역사교육연구≫, 51호(2013).

5   정현백, 「역사교육과 평화교육의 만남」, ≪역사교육≫, 80집(2001).

6   같은 글.

한다.[7] 특히 최근 인문학의 한 분야로 자리매김하고 있는 '인문치료학'의 맥락에서 역사를 통한 '치유'를 추구하는 경우도 있다.[8] 인문치료학의 필요성과 가능성을 주장하는 사람들은 "'인문학적 병'을 '인간다움'과 관련된 세계관(인생관, 인간관 등을 포함), 가치관(진, 선, 미, 성, 정의 등의 인문학적 가치에 대한 다양한 관점)에 대한 무지, 혼란, 오류 등에 의해 생기는 마음의 고통이나 불편함"이라고 정의하고 이 병을 인문학이 치유할 수 있다고 주장한다.[9] 이러한 인문치료학은 개인이나 집단의 트라우마 치료 또는 역사에서 비롯된 사회적 병인을 치유하는 데 역사가 적절한 역할을 할 필요가 있다고 주장한다.

개인이나 집단의 '역사적 기억'과 '트라우마'를 역사적·사회적으로 공론화하고 그것이 재현되었던 방식에 대해 조명한 연구들도 있다.[10] 특히 홀로코스트 역사와 피해자의 기억, 여러 역사적 전쟁과 관련된 상흔 등에 주목했으며 기념관, 박물관, 역사 교과서 등이 그러한 역사적 상흔을 어떻게 재현했는지에 대해 연구하기도 했다.[11] 치료의 개념은 역사학이 역사적 트라우마의 재현을 통해 그것을 적극적으로 치유하는 데 앞장설 것을 요구한다. 이러한 경향에 부응해 한국에서도 위안부 문제와 6.25 전쟁 과정에서 개인의 역사적 트라우마와 그것의 재현 방식 및 치유 등에 초점을 맞춘 연구가 진행되기

---

7   이인호, 「역사는 가르쳐야 하나」, 정선영, 「역사교육의 최종 목표와 역사적 통찰력」.

8   유재춘, 「인문치료학에서 역사학의 역할: 역사의 효능과 인식 갈등의 치유 문제를 중심으로」, ≪인문과학연구≫, 26호(2010), 492~524쪽.

9   최희봉, 「인문학, 인문학 실천, 그리고 인문치료」, ≪인문과학연구≫, 25호(2010).

10 전진성, 「역사와 기억: 기억의 터」, ≪서양사론≫, 12호(2002); 안병직, 「홀로코스트의 기억과 역사가」, ≪독일연구≫, 14호(2007).

11 전진성·이재원 엮음, 『기억과 전쟁: 미화와 추모 사이에서』(휴머니스트, 2009).

도 했다. 다문화교육, 평화교육, 치유로서 역사의 효능에 대한 담론은 아직 초·중·고등학교 역사교육과정에 직접적으로 영향을 미치고 있지는 않다. 그러나 역사 수업에서는 이러한 방향에서 역사교육을 고민하고 실행하려는 노력들이 나타나고 있다.

또 '지식기반 사회', '정보 사회' 담론의 영향을 받은 교육계의 '창의성' 바람은 역사에서 어떻게 창의력을 함양할 수 있는가에 대한 관심을 불러일으키기도 한다.[12] 창의성이란 자신을 둘러싼 사회문화 환경에서 '필요'를 일상적인 방식과 다른 방식을 통해 만족시키는 특성, '문제'를 관행적인 방식과 다른 독특한 방식으로 해결하는 특성이다.[13] 나아가 '필요' 자체와 '문제' 자체까지 일상적·관행적이지 않은 방식으로 인식·제기하는 특성이라고 할 수 있다.[14] 기본적으로 '알려지지 않은 것', '이해하기 어려운 것'에 대해 상상력을 발휘해 그것이 무엇이며, 왜 그러한 것이 있었(일어났)는가와 같은 질문에 매우 다양한 방식으로 접근하고 대답해볼 수 있는 특성과 관련된다.[15] 창의력이란 무無에서 유有를 창조하는 타고난 능력이라기보다는 '알고 있는 지식을 재구조화하기', '주어진 지식을 의심하기', '종래 당연하게 받아들이는 것을 다르게 보기·읽기·느끼기', '정형이라고 간주되는 것을 깨뜨리기' 등과

---

12 강선주, 「창의적 체험을 위한 역사적 장소 탐방 수업 방안」, 『역사교육연구』, 49집 (2012); Hilary Cooper, "Creativity in Primary History," in Anthony Wilson(ed.), *Creativity in Primary Education*, Second edition(Learning Matters Ltd., 2009), pp.177~188.

13 강선주, 「창의적 체험을 위한 역사적 장소 탐방 수업 방안」, 263쪽.

14 같은 글, 263쪽.

15 M. A. Walach and N. Kagan, *Modes of Thinking in Young Children*(New York: Holt, Reinehart & Winston, 1965); Hilary Cooper, "Creativity in Primary History," p.178 재인용.

같은 사고를 습관화하는 것에서 키워질 수 있다. 이러한 창의적 사고는 역사적 사고력과 일면 맞닿아 있다.[16]

힐러리 쿠퍼Hilary Cooper는 역사적 탐구란 과거에 대한 설명을 구성하기 위해 추론하고 사료에 대해 연역하며, 시간, 원인과 결과, 동기의 개념을 사용하는 것인데, 이러한 과정 자체가 '창의적'이라고 주장한다.[17] 이러한 과정에서 다양한 가능성을 생각하고 논리적으로 사고하며, 감정적으로 느끼고 또 상상하기도 하며, 과거인의 감정, 사고, 동기 등을 이해하려 시도하기 때문이라는 것이다.

역사를 이해하기 위해서는 현재 우리가 살고 있는 세계와는 다른 '낯선 세계'로 들어가야 한다. 역사는 우리를 둘러싼 '현재'라는 시간과 '여기'라는 장소 그리고 내가 처한 상황 등에서 벗어나, 다른 시간과 장소 그리고 상황에 들어갈 것을 요구하고 그러한 방식의 사고를 '습관화'하는 것의 장점을 가르친다. 물론 역사 이해는 특정한 시기, 장소, 인물, 사건 등에 미쳤던 구조, 법과 제도, 문화, 상황 등에 대해 고려할 것을 요구한다는 점에서 '맥락 특정적' 상상력과 창의력에 기초한다.[18] 그런데 그러한 맥락 특정적 상상력이란 그 사고 과정에서 현재로부터 벗어날 것, 현재와 다른 방식과 태도로 사물과 사건을 볼 것, 그리하여 현재 우리가 '정상'과 '보편', '정형'으로 간주하는 것의 틀을 깰 것을 요구한다. 따라서 '잘 가르치면' 역사적 상상력은 창의적 사고의 발판이 될 수 있다.

또한 다중지능 이론에 기초한 간교육과정적 접근cross-curricular approaches은

16 강선주, 「창의적 체험을 위한 역사적 장소 탐방 수업 방안」, 265쪽.

17 Hilary Cooper, "Creativity in Primary History," p.186.

18 강선주, 「창의적 체험을 위한 역사적 장소 탐방 수업 방안」, 264쪽.

창의적 사고를 한층 더 자극할 수 있는 학습 환경을 제공한다.[19] 창의력은 현재와 과거의 문제를 다각도에서 해결하고 그것을 설득력·호소력 있게 제시하는 방법, 아는 지식을 표현하는 방법에서도 발휘되기 때문이다.

이러한 점들 외에, 역사를 사회과의 일부로 보면서 역사교육의 궁극적 목적을 '민주 시민의 자질 함양'이라고 주장하기도 한다.[20] 그런데 이 경우도 역사는 본질적으로 인문학적 성격을 지니고 있으므로 인간에 대한 이해를 확대할 수 있다는 점을 부정하지 않는다. 다만 역사적 탐구를 통해 역사적 사고력이나 비판적 사고 능력을 육성해야 한다고 강조한다. '민주 시민의 자질 함양'이 사회과 역사교육의 궁극적인 목적이며, '역사적 사고력 육성'이 바로 그러한 목적에 도달하는 목표라고 해석하는 것이다.[21] '역사의 독특한 사고 방법'을 역사교육의 목적으로 보는가, 민주 시민 양성의 수단으로 보는가의 차이가 있지만 강조점은 크게 다르지 않다.

사실 역사 수업에서 교사들은 특정한 하나의 방향에서 역사교육을 추구하지는 않는다.[22] 이러한 경향은 영국이나 미국의 역사/사회과 교육과정, 그리고 한국의 역사교육과정에서도 확인할 수 있다. 그럼에도 역사교육 연구자, 역사가, 역사 교사마다 역사교육에서 중점적으로 추구하는 것과 강조하는

---

19 Cooper, Creativity in Primary History, p. 183.
20 주웅영, 「초등 사회과 역사교육의 목적과 교실 수업의 실제」, ≪역사교육논집≫, 45집 (2010), 10~11쪽.
21 같은 글, 11쪽.
22 Sunjoo Kang, "A Report form South Korea: What Elementary School Teachers Want to Teach and What They Teach in the History Class: Korea Case," *International Journal of Historical Learning Teaching and Research*, Vol. 10, No. 1 (2011); 백은진, 「중등 역사교사의 역사교육 목적에 대한 인식과 수업 실천」(서울대학교 박사학위논문, 2014).

것이 조금씩 다르다. 레브스틱과 바턴도 여러 입장의 역사교육이 역사 교실의 현장에서 중첩적으로 나타나기도 하지만, 역사 교육인마다 중점을 두는 입장이 다르다는 점을 지적한다.[23]

역사의 효용에는 인문·사회 분야의 여러 학문 또는 과목이 제시할 수 있는 거의 모든 가치와 덕목, 사고 방법이나 문제 해결 능력 등이 포함된다고 해도 과언이 아니다. 역사가 인간 삶의 거의 모든 국면을 포괄해 다루는 '우산'과 같은 학문이기 때문이다. 실제로 초·중·고등학생과 대학생을 비롯한 한국의 일반 대중들이 역사에 기대하는 것도 앞서 언급한 것처럼 다양하다. 역사책을 읽으면 일상의 지루함에서 탈피할 수 있으며 교양을 쌓는 데도 도움이 된다고 생각한다. 또 역사 공부가 상식을 풍부하게 만들어 대학 진학이나 직업을 갖는 데도 도움이 된다고 본다. 물론 역사는 자신의 뿌리와 정체성을 확인할 수 있게 해주며 현재를 이해하고 미래를 예측하는 데도 중요한 역할을 한다고 말한다.

새로운 사회적·학문적·교육적 담론의 등장은 역사의 교육적 잠재력을 확대시킴으로써, 앞서 살펴본 것처럼 매우 다양한 방향에서 역사교육을 추구하도록 요구한다. 그렇다면 박물관은 어떤 방향에서 역사를 가르치는가?

2. 박물관 역사 전시의 '잠재적' 교육 방향과 역사 수업

박물관의 역사 전시는 관람자에게 무엇을 가르치는가? 박물관은 박물관

---

23 Linda Levstik and Kieth Barton, "Committing Acts of History: Mediated Action, Humanistic Education and Participatory Democracy."

의 독특한 설립 취지 안에서 전시를 기획한다. 그리고 그러한 기획은 특정한 역사 내러티브에 기초한다. 그 내러티브는 때로 초·중·고등학교 역사교육과 문화를 공유하기도 하고 때로는 보완하며, 해체하고 새로운 문화를 만들기도 한다.

첫째, 역사교육과 박물관은 '정체성 확인'이라는 측면에서 문화를 공유한다. 19세기 말 이후 박물관은 수집과 보존의 역할을 수행하면서, 동시에 전시와 교육을 통한 국민의 정체성 함양이라는 기능을 담당해왔다. 한국의 '국립' 박물관도 민족적 특성을 내포하거나 국가의 세계사적 위용을 자랑할 수 있는 유물을 전시함으로써 한민족과 한국인의 공통된 기억, 문화적 뿌리, 공통된 자연환경이나 삶의 터전을 확인시키는 역할을 해왔다.[24] 자국민의 유대감을 형성하고 민족의식을 고양시키는 데 크게 기여한 것이다.

경주, 공주, 서울, 전주 등 각지에 위치한 국립박물관, 서울역사박물관 등에서도 전시와 교육 기획의 기본 방향은 지역의 고유한 전통문화 전수와 역사적 뿌리의 확인, 즉 정체성 교육과 밀접하게 연관된다. 예를 들면 서울역사박물관은 2008년 박물관이 추구할 교육적 가치를 "문화감수성을 계발하고 향유할 수 있는 박물관", "서울의 전통과 문화를 체험할 수 있는 박물관"으로 정하고, 이를 각종 프로그램의 기획 방향으로 삼았다.[25] 문화 감수성과 함께 '서울'의 전통과 문화 전수를 통한 지역 정체성을 추구한 것이다. 지역박물관의 경우 대부분 지역 공동체의 전통문화와 기억을 공유할 수 있도록 전시를 기획한다. 예를 들면 전주국립박물관이 기획했던 '임실 역사관'이나

---

24 오영찬, 「역사전시와 역사교육: 국립중앙박물관과 국사교과서」, ≪역사문화연구≫, 33집(2009), 362쪽.

25 정명아, 「공립박물관과 청소년 교육」, 한국대학박물관협회 제57회 추계학술발표회 '대학박물관과 청소년문화'(2007), 56쪽.

천안박물관이 상설 전시하고 있는 '천안고고실', '천안역사실' 등에서는 그 지역의 역사와 문화를 살펴볼 수 있게 함으로써 지역 정체성을 강화하는 역할을 한다.

주제 박물관 가운데는 지방자치단체나 기업, 개인이 만든 박물관이 많다. 예를 들어 수원화성박물관, 실학박물관, 허준박물관, 겸재정선미술관 등은 지방자치단체가, 김치, 화장품, 에너지, 화폐 등을 주제로 한 박물관은 기업이, 그리고 인천의 한국근현대사박물관의 경우는 개인이 수집한 소장품을 전시하는 박물관이다. 이러한 주제 박물관은 겉으로는 정체성과 관련이 없는 것처럼 보이지만, 전시관들이 들려주는 이야기는 특정 집단의 기억 그리고 정체성과 관련 있다. 때로 주제 박물관이 들려주는 이야기는 여성, 의사, 교육자 등과 같은 특정 집단의 것이기도 하다. 그런데 주제 박물관의 전시물 가운데서도 타민족과 다른 '우리'를 확인할 수 있는 장치가 있는 경우가 많다. 예를 들면 허준박물관에서 동의보감이 조선뿐 아니라 일본에까지 번역되었다는 설명, 스페이스씨(화장품 박물관)에 전시되어 있는 다른 나라의 장신구, 한국은행 화폐박물관에 있는 일제의 화폐 정책에 대한 설명 등이 바로 그러한 장치이다. 그러나 모든 박물관이 '정체성' 확인이라는 측면에서 문화를 만들고 공유한다고 할 수는 없다.

개인의 정체성이 작동하는 방식은 매우 복잡하다. 그러므로 역사 수업에서 박물관 전시를 관람하는 가운데 내가 누구인가를 확인하는 것도 하나의 방법이지만, 그 전시물/유물에 담긴 정체성이 어떤 것인지, 그러한 정체성이 어떤 방식으로 역사적 순간에 영향을 미쳤을지 그 과정을 탐구해보는 것도 의미 있는 역사 학습 방법이다. 이는 박물관 전시의 의도를 무의식적으로 따라가면서 관람하는 차원을 넘어, 역사적 증거로서 전시물을 통해 역사를 분석·탐구하는 방향에서 정체성 문제를 다루게 하는 것이다.

둘째, 역사교육과 박물관은 인간이 자기 이해를 확장시킬 수 있는 장으로서 만난다. 박물관은 현재와는 다른 과거의 예술품과 생활문화에 접할 수 있는 공간이다. 박물관은 시간을 관통하면서 발견되는 '인간성', 또는 시대와 문화마다 다르면서도 공통된 '인간의 특수한 생존 방식'에 대해 탐구할 수 있는 장이다.[26] 박물관은 다양한 시기와 문화에서 확인되는 생존을 위한 상호 의존성, 결혼과 가족에 관련된 다양한 문화, 사회정의, 윤리와 덕목을 판단하고 실행하는 방법 등을 탐구하면서 '인간성'이란 무엇인가를 오감으로 확인할 수 있는 기회를 준다.

박물관의 전시물은 사람들이 항상 오늘날과 같은 방식으로 사고하고 생활한 것은 아니며, 현재 우리가 '정상' 또는 '보편'이라고 간주하는 것들이 시·공간적 맥락에 따라 다르게 해석될 수 있다는 점, 또 시대와 문화에 따라 '아름답다'를 판단하는 미적 기준이나 '정의롭다'를 판단하는 법적·윤리적 기준, 또 피에르 부르디외Pierre Bourdieu의 개념을 빌려 설명하자면 '구별 짓기' 방법 등이 달랐다는 점 등을 확인할 수 있는 장을 제공한다.

예를 들면 화장품 박물관, 의학 박물관 등에서는 오늘날과는 다른 과거의 독특한 미적 감각과 의료 행위를 감상할 수 있으며, 농업 박물관이나 선사문화 박물관에서도 현재와는 다른 과거 특정한 시대의 과학기술과 생활문화를 이해할 수 있다. 또 범죄 박물관에 전시된 특정 시기 범죄의 예와 단죄의 예, 범죄 예방책 등에 대한 전시를 보면, 그 사회가 '정상'이자 '바람직하다'고 생각했던 사고와 행위에 대해 확인할 수 있다. 시간과 공간을 넘어 인간이 남긴 유물들을 비교·분석함으로써 특정 시기 인간의 감각, 사고, 생활 등의 전형성이나 특수성에 대해 탐구하는 것이다.

---

26 강선주, 「박물관 활용 역사 수업 방안」, ≪기전문화연구≫, 34집(2008).

각 나라의 국립박물관 전시물을 통해서도 서로 다른 시대의 독특한 인간 문화에 대해 생각해볼 수 있다. 2012년에 한국의 국립중앙박물관에서 마련한 특별전 '타임캡슐을 열다: 색다른 고대 탐험'은 '신라의 우물과 작은 쇠솥에 담긴 염원에 대한 두 가지의 이야기'라는 주제로 기획되었다.[27] 1부에서는 신라의 어느 우물 속에서 발견된 개와 고양이를 비롯한 수많은 동물 뼈와 어린아이의 뼈, 토기와 기와, 두레박 같은 목제품 등을 소개하고, 그것들에 담긴 신라인의 생각, 소망, 고민, 해결 방법 등을 읽게 한다. 현재와 다른 방식의 믿음과 소망 표현 방식을 통해 '낯선 인간'을 발견할 수 있게 하는 것이다. 왜 이러한 것들이 우물에서 발견될까? 이러한 질문을 하며 그것에 대답하기 위해 역사 자료들을 찾고 과거로 들어가려는 노력을 하게 되면, 역사적으로 생각하면서 과거와 만날 수 있는 기회를 가질 수 있다.

이러한 방식으로 역사 전시를 관람하면 현재 나를 둘러싼 것과 다른 문화에 대한 '나'의 편견을 되짚어보고, 열린 태도로 '다름'에 다가가는 것이 나의 삶을 풍요롭게 하며 새로운 것을 창조하는 토대가 될 수 있다는 점을 배울 수 있다. 즉, 박물관을 우리가 아는 인간의 한계를 극복하고, 인간성의 경계를 넓힐 수 있는 장으로서 활용할 수 있다.

셋째, 최근 홀로코스트 담론은 '역사적 치유'의 장으로서 역사교육과 박물관의 가능성을 탐색하게 한다. 개인이나 집단이 겪은 역사적 상흔을 드러내고 치유하려는 노력은 홀로코스트에 대한 역사적 조명에 그치지 않고, 홀로코스트 박물관과 기념관을 건립하는 방향으로 확대되었다. 여러 홀로코스트 박물관과 기념관을 통해 유대인이 겪은 여러 종류의 비인간적 체험이 다양한 방식으로 재현되었다.[28]

---

27 국립중앙박물관 특별전, "타임캡슐을 열다: 색다른 고대 탐험"(2012).

박물관이나 기념관 건립을 통해 역사에서 비롯된 상흔을 치료하려고 시도한 예는 한국의 경우 제주4.3평화공원에서도 볼 수 있다. 제주도인은 공원과 기념관을 "4.3 사건의 희생자를 추모하고 유족을 위무하는 추모의 공간과 4.3의 진실을 드러내는 기억의 공간"으로 본다.[29] 4.3 기념관은 상당히 오랫동안 정치적·사회적으로 '억압'되었던 역사적 경험과 상흔을 드러내고, 앞서서 기억·추모·위로함으로써 역사적 치유를 꾀한다.

서울에 있는 국립여성사전시관도 한국 역사에서 가치 없는 것, 사소한 것으로 여겨졌던 여성들의 업적을 재조명하고자 한다. 또 소외와 억압을 그리고, 그러한 소외와 억압에 대한 집단과 개인으로서 여성의 기억을 들려준다.[30] 그러한 기억을 드러내서 말할 수 있는 장을 제공함으로써 공감을 이끌어내고, 집단적 억압으로 인한 집단적 상흔의 치유를 의도한다.

한국의 역사 교과서는 대체로 거대 서사를 중심으로 집합 기억을 제시한다. 역사적으로 많은 사람에게 상흔을 남겼던 전쟁, 갈등, 억압, 강제, 소외 등에 대해 때로는 크게, 때로는 작게 서술한다. 그러나 그러한 집합 기억 속에 잠재한 집단의 상흔을 되짚어보려는 의식적인 노력은 부족하다. 이러한 교과서에서 집단의 기억과 다를 수도 있는 개인의 사적 기억까지 드러내 개인의 상흔까지 껴안아주기를 기대하는 것은 쉽지 않다. 그런데 박물관은 역사 교과서와 다른 방향에서 사건을 조명하고, 역사 교과서에서 볼 수 없었던 사람들의 구체적이고 생생한 이야기를 들려주기도 한다. 그러므로 박물관

---

28 구연정, 「트라우마의 역사와 부재의 체험: 베를린의 유대인 박물관을 중심으로」, ≪독일어문화권연구≫, 20집(2011).

29 제주 4.3 평화공원 누리집, "제주특별자치도지사의 인사말," http://jeju43.jeju.go.kr/index.php?mid=KR0101(검색일: 2012.9).

30 국립여성사전시관, http://eherstory.mogef.go.kr

역사 전시를 활용하면 학교에서 학습한 여러 역사적 서사들의 이면에 있는 집단과 개인의 기억들을 생각해볼 기회를 줄 수 있다. 박물관 전시와 역사 교과서를 비교해 각각 특정한 사건에 대해 어떤 목소리를 들려주는지, 그 목소리에는 어떤 감정이 담겨 있는지, 또 다른 목소리로 그 사건에 대해 이야기할 사람이 있을지에 대해 탐구해볼 기회를 주고, 역사적 상흔을 치유할 수 있는 박물관의 기능에 대해 생각해보게끔 하는 것이다. 즉, 박물관 역사 전시가 제시하는 내러티브가 교과서를 통해 학습한 역사 내러티브를 보완하는 방향에서 역사 수업을 계획할 수도 있다.

넷째, 최근 창의성 교육 담론은 역사교육과 박물관 교육의 새로운 가능성을 제시한다. 텔레비전 채널의 증가와 인터넷을 통한 정보교환 문화의 확대는 사람들이 문자보다는 영상 매체를 통해 정보를 획득하고 지식을 구성하는 것에 한층 친밀감과 익숙함을 느끼게 한다. 이러한 분위기는 역사 드라마, 영화, 뮤지컬, 오페라, 소설 등 역사 창작물에 대한 대중적 인기에서도 확인할 수 있다. 역사에 대한 관심은 사람들이 역사를 생생하게 '느끼고 배우기' 위해, 또 여가 문화를 향유하기 위해 역사적 장소를 찾아 나서게 한다.

특히 지식기반 사회 담론의 지원을 받아 '창의적 체험 활동'이 강조되면서, 역사적 유적지나 박물관에서 제공하는 다양한 전시 및 교육 프로그램에도 많은 사람들이 몰려든다. 이에 따라 여러 박물관들은 '창의성'을 박물관 운영의 중요한 모토로 내세우고 있다. 문화·예술 전시뿐 아니라 역사 전시에서도 창의성을 강조한다. 한선학 고판화박물관장은 "창의성은 변화를 이끄는 과정으로, 새로운 아이디어를 탄생하게 만드는 것이다"라고 정의하고, "박물관이 창의성 교육의 중심"이라고 주장한다.[31]

---

31 한선학, "박물관과 창의성 교육", 《강원일보》, 2010년 11월 1일 자.

박물관은 영상, 체험, 창작 등에 대한 대중적인 호감에 부응해 강의실에 앉아 강의를 듣는 방식을 넘어 '탐방'과 '체험'을 통합하는 방향에서 프로그램을 개발하고 있다. '오감'을 만족시키고 주제척인 '지식 구성' 및 '창작'의 의욕을 만족시키는 방향이다.[32] 각종 박물관은 주말과 방학 동안에 화려한 영상과 체험 활동을 통합한 다양한 역사 프로그램을 개발·제공한다. 그리고 그 프로그램들의 취지를 설명하는 글에서 창의성 계발을 강조한다.

그렇다고 박물관에 가면 창의성이 저절로 계발되는 것은 아니다. 학생들이 알고 있는 지식·상식·편견을 '의심'해보게 하고, 몰랐던 역사적 국면에 대해 새롭게 지식을 구성할 수 있게 박물관 자료를 제공하는 것이 중요하다.

학생들에게 박물관에 전시된 돌도끼, 토기, 도자기 등은 너무 '낯익은' 물건들이다. 따라서 호기심과 의문을 갖고 보려 하지 않고 주변에서 흔히 보는 것처럼 대하는 경우가 많다. 학생들이 그것들에 '낯설게' 다가가고 그로부터 새로운 자극을 얻을 수 있을 때, '창의성'이라는 것이 수면 위로 올라올 수 있다. 그러므로 박물관 전시물에 대해 역사적 질문을 통해 '낯설게' 할 수 있는 방안을 찾는 것은 박물관과 역사교육이 창의성을 중심으로 상승적 작용을 하면서 만날 수 있는 길이다.

---

[32] 홍경아, 최윤희 등은 학교 교육 연계를 위한 프로그램 개발에서 '체험'을 강조한다. 홍경아·최윤희, 「국립중앙박물관의 학교교육 연계 관람 프로그램 개발」, 『한국대학박물관협회 제54회 춘계학술대회』(2006). 정명아가 제시한 서울역사박물관의 청소년 교육 프로그램을 보면 많은 부분이 관람, 체험, 활동(창작) 등으로 이루어져 있다. 정명아, 「공립박물관과 청소년 교육」, 57쪽. 또 서울역사박물관이나 여러 박물관 홈페이지에 게시된 연간 교육 프로그램을 보면 교육이 대체로 '체험'과 '관람'으로 이루어져 있음을 확인할 수 있다. 이보람, "체험형 박물관에 가면", ≪중앙일보≫, 2011년 11월 22일 기사는 주말에 많은 박물관이 체험형 프로그램을 제공해 어린이들의 참여를 통한 학습을 유도하고 있다고 보고했다.

다섯째, 박물관은 역사적으로 사고하는 방법을 학습할 수 있게 역사교육을 지원한다. 박물관은 물리적인 공간, 보존하고 전시하는 유물, 관리자와 연구자, 다양한 교육 프로그램과 온라인 자료 등을 통해 역사 이해를 돕는다. "박물관 활용 수업 방법과 전략을 잘 개발하면, 박물관은 학생들의 적극적인 역사 탐구의 장, 나아가 학생들이 숨 쉬는 역사를 학습할 수 있는 장이 될 수 있다."[33]

앨런 S. 마커스Alan S. Marcus 등도 역사 수업에서 박물관을 활용해야 하는 까닭 중 하나로 교과서와 강의의 순환 고리를 깨고, 심층적으로 역사를 이해할 수 있게 해준다는 점을 지적한다.[34] 그리고 그러한 과정에서 학생들이 여러 탐구 및 사고 능력을 개발할 수 있다고 주장한다. 마커스는 이러한 능력을 다음의 일곱 가지로 제시했다. ① 역사적 증거를 분석·종합·평가하기 ② 역사적 감정이입 ─ 이는 바턴과 레브스틱이 말한 '다른 사람의 관점을 인식perspective taking'하기 능력이기도 하다 ③ 역사적 내러티브를 검토하고, 의미를 탐구하기 ④ 문제 제기, 원인과 결과 이해, 역사적 행위자 결정하기 등과 같은 역사적 사고 기능에 대해 알고 연습하며 향상시키기 ⑤ 과거와 현재 연결하기 ⑥ 현재주의를 인식하고 설명하기 ⑦ 논쟁적인 쟁점에 대한 토론에 참여하고 결정을 내리기 등이 포함된다.

그러나 박물관의 전시나 교육 프로그램 그 자체가 역사적으로 탐구하고 사고하는 방법을 직접적으로 가르치는 방향에서 기획되는 경우는 드물다. 역사적으로 사고하는 방법을 가르치기 위해 박물관이 제공하는 물적·인적·

---

33 강선주, 「박물관 활용 역사 수업 방안」, 10쪽.

34 Alan S. Marcus, Jeremy D. Stoddard and Walter W. Woodward, *Teaching History with Museums: Strategies for K-12 Social Studies*, p.7.

공간적 자원을 의도적으로 활용할 때, 박물관은 역사적으로 사고해 역사 지식을 구성하는 장이 된다. 박물관에서 역사 전시를 분석적·비판적으로 사고하면서 관람하지 않고, 전시 기획자가 들려주는 내러티브 속으로 아무런 경계도 없이 빠져들게 되면, 박물관이 제공하는 자원은 역사적으로 사고하는 데 크게 도움이 되지 못한다.

그러므로 박물관이 지원하는 풍성한 자료와 공간을 활용해 역사적으로 사고할 수 있도록 역사 수업을 설계할 필요가 있으며, 나아가 역사 전시의 본질을 이해하고 새로운 문제를 제기·해결하는 능력과 태도가 일상적인 습관으로 자리 잡을 수 있게 교육하는 것이 중요하다.

여섯째, 역사교육과 박물관은 때로 역사의식의 함양이라는 목표나 목적을 공유한다. 전쟁 박물관, 평화 박물관 등은 구체적인 내용과 방법, 이데올로기 측면에서는 다를지라도 '평화'를 키워드로 사용해 박물관 전시와 교육의 취지를 설명한다. 예를 들면 한국의 평화박물관과 자유수호평화박물관은 6.25 전쟁을 중심으로 전쟁에 대한 이해를 추구하고, '자유와 평화 수호'의 의지를 다지며, 선열을 추모하고 '애국심'을 함양하는 데 중점을 둔다. 평화박물관은 "베트남전 참전에 대한 사죄와 화해 운동을 기반으로 한다. 즉, 평화박물관은 역사적 반성 및 화해의 의미와 가치를 더욱 보편화시키고 심화시키"고자 하며, "'평화의 역사'를 새로 써나가"고자 한다.[35] 자유수호평화박물관은 "잊혀져가는 6.25 전쟁에 대한 이해와 자유 및 평화를 수호하기 위해 희생하신 분들의 뜻을 기리고 유엔 참전국과의 우호 증진을 위해 건립"되었다고 건립 취지를 밝히고 있다.[36] 평화박물관과 자유수호평화박물관은 모두

---

35 평화박물관, http://www.peacemuseum.or.kr
36 자유수호평화박물관, http://www.ddc21.net/museum/cms/contents.asp?conNum=1250

'평화'를 추구하지만 전시와 교육의 주요 내용이 다르며 평화를 모색하는 방법도 다르다. 이러한 차이는 전시관 설립과 기획의 근본적인 취지와 역사의식이 다르기 때문이다. 이에 따라 전시가 추구하는 역사 내러티브에도 차이가 있다. 그러므로 각 박물관 전시가 추구하는 '평화', '자유 수호' 등의 의미를 심층적으로 분석하면서 박물관 전시를 관람하는 것이 중요하다.

프랑스나 독일의 현대사 박물관은 현대사에 대해 비판적으로 이해할 수 있는 장을 제공한다. 최근 한국에서도 현대사의 기억을 되짚어볼 수 있는 장을 마련하려는 움직임들이 있다. 대한민국역사박물관 등과 같은 것이다. 이러한 박물관들은 고유한 역사의식을 추구하고, 이는 곧 박물관의 역사교육 방향과 연결된다. 그러므로 박물관 역사 전시가 어떤 역사의식을 추구하는가에 대해 큰 구도에서 분석하며 박물관 전시를 활용할 필요가 있다. 이렇게 분석을 하면서 박물관 역사 전시를 감상할 수 있게 하려면 역사 문해력historical literacy을 개발할 필요가 있다. 역사 문해력이 기초가 된다면 박물관은 개인에게 자신의 역사의식을 확인하거나 발전시킬 수 있는 장이 될 것이다. 역사 문해력이란 역사적 사건에 대한 설명을 알고, 역사적 문제를 제기하고 해결하는 데 그러한 설명을 비판적으로 적용하는 것은 물론이고 그러한 사건에 대한 설명이 어떻게 생산되었는지, 그 설명이 어떤 역사적 증거와 주장들에 기초한 것인지, 어떤 역사의식을 추구하는지 등에 대해 분석하고 자신의 역사 지식을 구성해 표현할 수 있는 능력을 말한다.

3. 박물관 활용 역사 수업에서 역사 문해력의 중요성

지금까지 살펴보았듯이 박물관은 상당히 다양한 지점에서 역사교육과 만난다. 박물관 전시를 활용하면 역사적 사고와 창의력의 발달, 다양한 문화에 대한 이해, 자신의 복합 정체성의 확인, 알아가는 즐거움, 인간의 자기 이해 확장, 전쟁과 평화를 보는 태도 기르기, 역사적 치유, 역사의식의 함양 등 여러 각도에서 입체적으로 과거와 소통하도록 유도할 수 있다.

그런데 많은 사람들은 박물관을 신뢰할 수 있고 권위 있으며 절대적인 역사 지식을 제시하는 주체로 인식한다. 사람들이 박물관에 이러한 신뢰를 보이는 것은 박물관이 진품의 유물이나 사료들을 보관하는 장소라고 생각하기 때문이다. '진품'이라는 것에 대한 믿음은 과거에 대해 경이를 느끼게 하고 과거인과 동질감을 갖게 한다. 현재와 동떨어진 시간대의 사람들이 실제로 만들고 사용했던 '진품'에 대해 느끼는 친밀감이나 경이감은 박물관을 찾게 하는 까닭 중 하나이다. 그런데 그 '진품'은 그 자체로 존재하는 것이 아니라 여러 전시물과 함께 하나의 내러티브를 구성한다. 그 '진품'에 주어진 '해설' 도 그러한 내러티브의 연장선상에 있다. 즉, 박물관은 전시라는 행위와 전시 품인 유물에 대한 해설을 통해 그 유물들에 대한 잠정적인 해석 가운데 하나를 제시할 뿐이다. 그러므로 박물관 전시를 역사 수업에 활용할 때는 "박물관은 역사적 지식의 원천 중 하나"라는 점을 이해시키는 것이 중요하다.[37]

박물관은 결코 '제도적으로 권위 있는 하나의 목소리를 내는 중립적인 공간'이 아니다.[38] 그런데 박물관이 전시물에 대한 해설을 제시하는 방식은 마치 매우 객관적·중립적 '사실'만을 제시하는 것처럼 착각하게 만든다. 그 해설에 대한 '이설'은 물론 그 '해설'의 권위와 신뢰성을 평가하는 데 근거 자료

---

37 Alan S. Marcus, Jeremy D. Stoddard and Walter W. Woodward, *Teaching History with Museums: Strategies for K-12 Social Studies*, p.9.
38 같은 책, p. 9.

가 될 수 있는 출처에 대한 설명도 없다. 이러한 박물관의 전시 방식은 역사 수업에서 성전적 교과서관이 만드는 문제와 비슷한 문제를 파생시킨다.[39] 박물관의 해설을 절대적이고 가장 권위 있는 지식으로 인식하게 함으로써 다른 해설의 가능성을 생각하지 못하게 하는 것이다.

박물관이 소장한 자료는 대부분 유물로 대표되는 전시품이고, 이는 문자로 서술된 역사와는 다른 방식으로 의미를 전달한다. 박물관은 '기획'에 기초해 전시관을 구분하고, 각각의 전시관의 전시물들을 선정·구성하며, 이야기하고자 하는 내러티브를 선택한다.[40] 박물관이 제시하는 과거에 대한 내러티브에 영향을 미치는 여러 요소가 있다. 예를 들면 박물관의 학예사나 관리자, 박물관의 경제적 상황이나 사회적·정치적 압력 등과 같은 것이다. 또 고고학적·역사적·미술사적 관점 등이 전시관 구분과 전시물 선정에 영향을 미치기도 하고, 박물관의 경제적 상황 때문에 오락적인 요소를 통합시켜 역사 전시를 구성하기도 한다. 따라서 전시실 전체에서 읽고 이해할 수 있는 역사는 누군가가 만든 내러티브이다. 그 내러티브에서 고고학적 관점이 역사적 관점을 제한할 수도 있고, 문학적 혹은 미학적 관점이 역사적 해석을 축소할 수도 있다.[41] 그리고 그 내러티브에는 특정한 방향의 역사 인식과 역사의식이 깔려 있다. 즉, 문자로 서술된 역사와 전시로 구성된 역사 모두 특정한 기획 의도에 기초한 내러티브를 제시한다. 따라서 박물관의 전시라는 행위도 지식을 구성하는 방식 중 하나로서 인식하게 하는 것이 중요하다.

---

39 같은 책, p. 9.
40 같은 책, p. 9; 오영찬, 「역사전시와 역사교육: 국립중앙박물관과 국사교과서」, 373쪽.
41 오영찬은 국립 박물관의 고구려, 신라, 백제 등 삼국시대와 통일신라·발해시대 전시가 역사학적 관점이 배제된 채 고고학적 관점에 의해 전시될 수도 있다고 보았다. 같은 글, 367쪽.

'역사'라는 콘텐츠의 특성과 박물관이라는 기관의 특성 때문에 대중은 박물관에서 '호기심'을 만족시키는 것 이상의 무엇을 얻어가려 하고, 또 얻어간다. 따라서 학생들이 역사 전시물, 역사 체험 프로그램의 특성에 대해 이해하고, 그러한 전시와 체험을 비판적·창의적으로 문해할 수 있게 도와주는 것, 그리고 박물관 자료들을 활용해 역사를 구성할 수 있게 유도하는 것이 무엇보다 중요해졌다.

박물관 역사 전시를 통해 학생들에게 과거인의 생활 모습이나 사유 세계를 이해시키고자 한다면 우선 교사가 박물관 역사 전시의 '기획' 의도와 그 의도가 인도하는 역사 내러티브가 무엇인가를 분석적으로 평가하고, 반성적으로 사고해볼 필요가 있다. 특히 박물관이 제시하는 전시관을 따라가면서 관람할 때는 전시관이 보여줄 수 있는 과장과 축소를 경계해야 하며, 오히려 전시관이 표현하는 주관적·선택적 과거가 어떤 것인지를 분석하려는 태도가 중요하다. 박물관 역사 전시가 제시하는 내러티브에 대한 분석에 기초해 박물관 활용 역사 수업을 기획해야 하는 것이다.

학교는 어떤 장소, 어떤 매체, 어떤 물적·인적 자원을 이용하든 '역사 문해력'을 향상시킬 수 있는 방향에서 역사 수업을 계획할 필요가 있다. 그것이 바탕이 될 때 다양한 역사물이 제시하는 정체성과 역사의식 등에 대해 반성적으로 사고해볼 수 있으며, 나아가 자신의 역사의식을 확인하고 과거와 현재의 문제를 해결할 수 있기 때문이다.

4. 맺음말

박물관은 좋은 역사교육의 장소이자 자료이다. 종래 박물관은 학교에서 학습한 역사를 확인하거나 보완하는 장소로 여겨졌다. 그러나 최근 현장 체험 학습이 강조되면서 학교 단위의 단체 방문은 물론 학생과 부모의 자발적인 박물관 전시 관람도 증가하고 있다. 특히 이러한 체험 학습은 아는 지식을 '확인'하는 수준을 넘어, '체험'과 '사고'를 통한 지식의 구성에까지 이를 것을 강조한다.

이러한 문제의식을 박물관 활용 역사 수업에 반영한다면 많은 것을 단시간에 관람하게 하는 방식은 지양되어야 한다. 학생들이 제한된 숫자의 전시된 유물만을 보더라도, 관람하면서 스스로 '사고'해 지식을 분석·구성하는 기회를 갖는 것이 무엇보다 중요하다. 관람과 체험이 사고로 연결될 수 있도록 프로그램을 개발할 필요가 있다는 것이다. 그렇다면 역사 수업은 박물관에서 어떤 체험과 사고를 자극할 수 있고 자극해야 하는가?

박물관 역사 전시는 역사교육과 정체성, 인간 이해, 창의성, 역사적 사고, 역사의식 등 여러 지점에서 의도와 문화를 공유한다. 그러나 역사교육에서 역사라는 학문의 '해석적' 성격에 초점을 맞추어 박물관 역사 전시를 활용하고자 한다면 여러 층위에서 학생들의 수준을 고려하며 역사 문해력을 개발하는 것이 중요하다. 박물관 역사 전시도 여러 역사 지식의 원천 중 하나이며, 특정한 의도와 방향에서 역사 내러티브를 구성해 제시하기 때문이다.

역사는 과거를 '낯선 세계'로 체험하고, 그러한 체험을 통해 인간과 사회에 대한 이해를 넓히며, 현재 우리에게 너무나 익숙한 사고의 틀을 벗어나 다른 방식으로 문제를 찾고 해결하는 것의 장점을 가르친다. 박물관 역사 전시는 '죽은 사람들의 이야기'처럼 보이는 역사를 한층 생생하게 산 것으로 만드는 장점을 가지고 있다. 이러한 장점이 상승적으로 작용할 수 있도록 박물관 활용 역사 수업의 구체적인 방안들에 대한 연구가 많이 나오길 기대한다.

참고문헌

1. 교육과정 및 교육과정 해설

교육과학기술부. 2007. 『초등학교 교육과정』, 교육인적자원부 고시 제2007-79호 별책 2.

_____. 2009. 『사회과 교육과정』. 교육과학기술부 고시 제2009-10호 별책 7.

_____. 2011. 『사회과 교육과정』. 교육과학기술부 고시 제2011-361호 별책 7.

_____. 2012. 『사회과 교육과정』. 교육과학기술부 고시 제2012-14호 별책 7.

교육부. 1992. 『고등학교 교육과정 해설, 사회』.

_____. 1997. 『고등학교 교육과정 해설, 사회』.

교육인적자원부. 1997. 『교육부 고시 제1997-15에 따른 초등학교 교육과정 해설 III: 국어, 도덕, 사회』.

_____. 1997. 『초·중·고등학교 교육과정』.

_____. 2007. 「사회과교육과정 5차 공동연구진 회의록(2005.8.26)」. 『사회과교육과정(시안) 연구 개발』.

문교부. 1955. 『국민학교 교육과정』.

_____. 1969. 『1969년 9월 개정 국민학교 교육과정』. 문교부령 제251호 별책. 배영사.

_____. 1973. 『문교부령 제310호 준거 국민학교 교육과정 해설』. 교학도서주식회사.

_____. 1981. 『초·중·고등학교 교육과정(1946~1981), 사회과·국사과』.

_____. 1987. 『문교부령 고시 제87-9호 국민학교 교육과정해설』. 교육과학사.

_____. 1988. 『고등학교 사회과 교육과정해설』.

2. 국문 자료

간디, 릴라(Leela Gandhi). 2000. 『포스트식민주의란 무엇인가』. 이영욱 옮김. 현실문화연구.

강선주. 2001. 「미국 세계사 인식의 변화와 세계사 교육」. 윤세철교수정년기념역사학논총간행위원회 엮음. 『역사교육의 방향과 국사교육』. 솔.

_____. 2002. 「세계화 시대의 세계사 교육: 상호관련성을 중심원리로 한 내용구성」. ≪역사교육≫, 82집.

_____. 2003. 「세계사 교육의 '위기'와 '문제': 역사적 조망」. ≪사회과교육≫, 42권 1호.

_____. 2004. 「참여와 상호작용의 세계사」. ≪역사교육≫, 92집.

_____. 2005. 「초등학교 생활사 교육의 내력과 방향」. ≪역사교육≫, 95집.

_____. 2006. 「문화적 접촉과 교류의 역사」. ≪역사교육연구≫, 3호.

_____. 2006. 「미국 대학의 교양 교육과정에서 '서구 문명' 강좌의 변천: 하버드, 콜롬비아, 시카고 대학의 사례를 중심으로」. ≪역사와 담론≫, 44집.

_____. 2007. 「역사교육에서 내용 선정 및 조직의 개념으로서 성별」. ≪역사교육≫, 102집.

_____. 2008. 「박물관 활용 역사 수업 방안」. ≪기전문화연구≫, 34집.

_____. 2008. 「역사교육의 목적과 초등교사의 역사교육관」. ≪역사교육≫, 108집.

_____. 2010. 「역사교육의 내용 선정과 조직 연구의 현황 및 문제」. ≪역사교육≫, 113집.

_____. 2011. 「5학년 역사 내용 구성 방향」. ≪역사교육≫, 117집.

_____. 2011. 「중학교 역사 과목 구성의 개념적 틀 검토: 한국사와 세계사 연계 통합 내러티브에 접근하는 방법들」. ≪역사교육≫, 120집.

_____. 2012. 「역사교육과 박물관 역사 전시의 만남」. ≪역사교육연구≫, 16호.

_____. 2012. 「창의적 체험을 위한 역사적 장소 탐방 수업 방안」. ≪역사교육연구≫, 49집.

_____. 2013. 「동아시아사 교과서에서 세계사 연계 방안」. ≪동북아역사논총≫, 40호.

_____. 2013. 「역사교육계의 역사의식 이론과 학생들의 역사의식 조사 연구에 대한 검토」. ≪역사교육연구≫, 51호.

_____. 2014. 「유럽중심주의 담론을 통해 본 역사교육의 과제」, ≪역사교육≫, 131집.

_____. 2014. 「초·중·고등학생이 구성하는 역사담론과 추구하는 역사의식: 역사 텍스트의 선택적 읽기」. ≪역사교육연구≫, 19호.

강선주 외. 2007. 『초등학교 사회과 역사 영역에서 생활사 내용 선정에 관한 연구』. 2006년도 교과교육공동연구 결과보고서.

강성호. 2013. 「한국 서양사 연구의 현황과 전망: 유럽중심주의 서양사를 넘어 세계사로」. ≪내일을 여는 역사≫, 50호.

강양희. 1981. 「현장에 있어서의 세계사교육」. ≪역사교육≫, 29집.

강영심. 2003. 「문화를 통해 역사를 보는 신문화사의 연구 경향을 둘러보며」. ≪한국문화연구≫, 4호.

강우철. 1974.『歷史의 敎育』. 교학사.

_____. 1975.「역사 학습과 탐구 기능」.『역사 연구 방법과 그 교육적 접근』. 탐구당.

_____. 1978.「歷史意識과 歷史的 思考」.≪사회과교육≫, 11호.

고원. 2007.「마르크 블로크의 비교사」.≪서양사론≫, 93호.

곽차섭. 2002.「'새로운 역사학'의 입장에서 본 생활사의 개념과 방향」.≪역사와 경계≫, 45집.

교육과정·교과서연구회 엮음. 1990.『한국 교과교육과정의 변천: 고등학교』. 대한교과서주식
회사.

구연정. 2011.「트라우마의 역사와 부재의 체험: 베를린의 유대인 박물관을 중심으로」.≪독일
어문화권연구≫, 20집.

국립여성사전시관 홈페이지. http://eherstory.mogef.go.kr

국립중앙박물관 특별전. 2012. "타임캡슐을 열다: 색다른 고대 탐험."

국사편찬위원회·국정도서편찬위원회. 2006(개정 발행).『고등학교 국사』. 교육인적자원부.

_____. 2007(개정 발행).『고등학교 국사』. 교육인적자원부.

권상선. 1972.「文化史敎育에 대한 小考: 民族主體意識의 確立을 위한 國史敎育을 中心으로」.≪신
라대학교 논문집≫, 2호.

김광억. 1999.「동아시아 담론의 실체: 그 분석과 해석」. 정재서 엮음.『동아시아 연구, 글쓰기에
서 담론까지』. 살림.

_____. 2008.「환경사란 무엇인가: 환경과 인간의 상호작용의 역사」. 한국서양사학회 엮음.『제
12회 한국서양사학회 학술대회; 서양의 환경과 생태의 역사』.

김기봉. 1998.「역사서술의 문화사적 전환과 신문화사」.『오늘의 역사학』. 한겨레신문사.

김덕수. 2009.「2007 개정 교육과정의 중학교『역사』교과서 서양사 내용과 문제」.≪사회과학
교육≫, 12집.

김만곤. 2000.「교과서관에 따른 사회과 교과서의 변화: 사회과 교과서의 변화상 연구를 위한제
안」.≪사회과교육≫, 33호.

김성보. 2007.「탈중심의 세계사 인식과 한국근현대사 성찰」.≪역사비평≫, 80호.

김영한. 1983.「서양사교육의 의의와 과제」.≪대학교육≫, 6집.

김용우. 2012.「식민지주의의 그림자들: 새로운 세계사와 서구 포스트-식민박물관의 경우」.
≪코기토≫, 71호.

김응종. 2007.「서구중심주의 역사학에 대한 비판과 반비판: 페르낭 브로델을 중심으로」.≪프
랑스사 연구≫, 16호.

김정. 2007.「탕평 군주 영·정조와 절대 군주 루이 14세: 동서양의 절대왕정」.≪국사시간에 세

계사 공부하기≫. 웅진.

김지영. 2012. 「한국사학계에서 생활사의 가능성과 한계: 송기호 저 생활사 세권에 대한 서평」. ≪역사학보≫, 213집.

김철. 1974. 「국사교육과정의 계열성」. ≪사회과교육≫, 7호

김택현. 2012. 「유럽중심주의 비판을 다시 생각함」. ≪서양사론≫, 114호.

김한종·이영효. 2002. 「비판적 역사 읽기와 역사 쓰기」. ≪역사교육≫, 81집.

김한종. 1996. 「역사적 사고력의 구성 요소와 역사수업의 발문」. ≪사회과교육≫, 29호.

_____. 1997. 「역사적 사고력의 개념과 그 교육적 의미」. 『역사교육의 이론과 방법』. 삼지원.

_____. 2001. 「중·고등학교 국사교육의 내용구성 원리」. ≪역사교육논집≫, 26집.

_____. 2006. 「역사의식은 역사와 교육의 접점이다」. ≪내일을 여는 역사≫, 24호.

_____. 2008. 「다원적 관점의 역사이해와 역사교육」. ≪역사교육연구≫, 8호.

_____. 2013. 「몽골제국의 세계정복과 지배: 거시적 시론」. ≪역사학보≫, 217집.

김흥수. 1992. 『韓國歷史敎育史』. 대한교과서.

깐수, 무함마드. 1992. 『신라 서역 교류사』. 단국대학교 출판사.

나이버그(David Nyberg)·이건(Kieran Egan). 1996. 『교육의 잠식』. 고려대학교교육사·철학연구회 옮김. 양서원.

노명식. 1971. 「서양사교육의 문제와 방향」. ≪역사교육≫, 14집.

다이아몬드, 재레드(Jared Diamond). 1998. 『총, 균, 쇠』. 김진준 옮김. 문학사상.

뒤비, 조르주(Georges Duby). 2005. 『12세기의 여인들: 알리에노르 다키텐과 다른 6명의 여인들』. 최애리 옮김. 새물결.

딜릭, 아리프(Arif Dirlik). 2010. 「탈중심화하기: 세계들과 역사들」. 조지형·김용우 엮음. 『지구사의 도전: 어떻게 유럽중심주의를 넘어설 것인가』. 서해문집.

뤼젠, 외른(Jörn Rüsen). 2010. 「집단중심주의를 넘어 보편사로: 문제와 도전」. 조지형·김용우 엮음. 『지구사의 도전: 어떻게 유럽중심주의를 넘어설 것인가』. 서해문집.

류승렬. 1996. 「해방 후 교육과정 변천과 역사교과의 위치」. ≪역사교육≫, 60집.

맥닐(John R. McNeal)·맥닐(William H. McNeill). 2007. 『휴먼 웹: 세계화의 세계사』. 유정희·김우영 옮김. 이산.

문기상. 1996. 「일상생활사」. ≪역사교육≫, 57집.

민두기. 1976. 「동양사와 세계사 교육」. ≪역사교육≫, 19집.

민윤. 2005. 「생활사 학습의 과정에 나타난 추체험의 양상」. ≪사회과학교육연구≫, 12권 1호.

박영태. 1994. 「역사인류학의 방법에 대한 연구: 독일 일상사 방법의 모델을 중심으로」. ≪성대

사림≫, 10권.

박용옥. 2001.『한국 여성 근대화의 역사적 맥락』. 지식산업사.

박평식. 2013.「조선시대 연구 성과와 국사교육」. ≪역사교육≫, 125집.

박혜정. 2013.「하나의 지구, 복수의 지구사: 상호역사로서의 세계사/지구사, 세계체제론, 아래
　　　로부터의 지구사」. ≪역사학보≫, 214집.

방지원. 2010.「새교육과정 역사의 다원적 관점의 역사 이해와 중학교 검정 교과서 서술」. ≪역
　　　사교육연구≫, 12호.

_____. 2011.「초등 역사교육에서 생활사 내용 구성」. ≪역사교육≫, 119집.

배긍찬 외. 2002.『바다의 실크로드』. 청아출판사.

배은경. 2004.「사회 분석 범주로서의 '젠더' 개념과 페미니스트 문화 연구: 개념사적 접근」. ≪페
　　　미니즘 연구≫, 4호.

배한극. 2003.「글로벌 히스토리와 글로벌 교육」. ≪서양사학연구≫, 8집.

백은진. 2014.「중등 역사교사의 역사교육 목적에 대한 인식과 수업 실천」. 서울대학교 박사학
　　　위논문.

벤틀리, 제리 H.(Jerry H. Bentley). 2010.「다양한 유럽중심의 역사와 해결책들」, 조지형·김용
　　　우 엮음,『지구사의 도전: 어떻게 유럽중심주의를 넘어설 것인가』. 서해문집.

변기찬. 1999.「여성사: 또 하나의 역사」. ≪역사비평≫, 46호.

_____. 1999.「'여성의 문화'와 '여성의 권력'의 상관성: 여성사 연구를 위한 제언」. ≪중앙사론≫,
　　　12·13집.

_____. 2000.「고등학교 세계사 교과서에 나타난 서양 여성」. 부산외국어대학교 교육대학원.
　　　≪교육논총≫, 2집.

교육부. 2015.8.7.「2015 개정 역사과 교육과정 시안 검토 공청회」.

서울대학교 사회교육과 시민교육연구실. 1994.「세계화, 시민의식, 시민교육」. 1994년도 시민교
　　　육 학술 세미나 자료집.

성민엽. 1999.「같은 것과 다른 것: 방법으로서의 동아시아」. 정재서 엮음.『동아시아 연구, 글쓰
　　　기에서 담론까지』. 살림.

손승철 외. 2011.『동아시아사』. 교학사.

송상헌. 2003.「초등학교 역사교육 편제와 내용의 계열화 문제」. ≪역사교육≫, 87집.

송요후. 2007.「2007 개정 세계사 교육과정에서 '서구중심주의' 극복론에 관하여」. ≪역사교육논
　　　집≫, 29집.

송춘영. 1982.「인물교재의 교육적 기능과 그 지도방안」. ≪대구사학≫, 20·21권.

_____. 1997. 「역사적 사고력을 기르기 위한 사료 활용방안」. 『역사교육의 이론과 방법』. 삼지원.

스콧, 조앤 W.(Joan W. Scott). 2001. 「젠더와 정치에 대한 몇 가지 성찰」. 배은경 옮김. ≪여성과 사회≫, 13호.

스턴스, 피터 N.(Peter N. Stearns). 2001. 『문화는 흐른다』. 문명식 옮김. 궁리.

신유아. 2011. 「역사 교과에서 계열성 구현의 난점」. ≪역사교육≫, 120집.

신진균. 2006. 「포스트모던 역사학의 구성적 특성과 역사교육에의 적용」. ≪역사교육연구≫, 4호.

안병우 외. 2011. 『동아시아사』. 천재교육.

안병직. 1998. 「'일상의 역사'란 무엇인가」. 『오늘의 역사학』. 한겨레신문사.

_____. 2002. 「한국문화사 어떻게 쓸 것인가?: 구미 역사학계의 문화사 연구 경향에 비추어」. 『한국사론 35: 한국문화사 연구의 방향과 모색』. 국사편찬위원회.

_____. 2007 「홀로코스트의 기억과 역사가」. ≪독일연구≫, 14호.

_____. 2012. 「한국 생활사 연구의 성과와 과제」. ≪역사학보≫, 213집.

야코브, 하인리히 E.(Heinrich E. Jacob), 『커피의 역사』, 박은영 옮김(우물이 있는 집, 2002)

양호환. 1995. 「역사학습에서 인지발달에 관한 몇 가지 문제」. ≪역사교육≫, 58집.

_____. 1998. 「역사서술의 주체와 관점: 역사교과서 읽기와 관련하여」. ≪역사교육≫, 68집.

_____. 2000. 「역사학습의 인식론적 모색」. ≪역사교육≫, 75집.

_____. 2002. 「역사서술의 주체와 관점 그리고 역사 교과서」. 『포스트모더니즘과 역사학』. 푸른역사.

_____. 2003. 「역사적 사고의 한계와 역사화의 가능성」. ≪역사교육≫, 79집.

역사과 선택 중심 교육과정 관련학회 공동 세미나 자료집. 2006.7.22.

역사교육 심포지엄. 1981. 「세계사 교육의 제 문제」. ≪역사교육≫, 29집.

오병수. 2001. 「'동아시아' 인식과 세계사교육의 내용구성」. 윤세철교수정년기념역사학논총간행위원회 엮음. 『역사교육의 방향과 국사교육』. 솔.

오영찬. 2009. 「역사전시와 역사교육: 국립중앙박물관과 국사교과서」. ≪역사문화연구≫, 33집.

우인수. 1999. 「조선시대 생활사 연구의 현황과 과제」. ≪역사교육논집≫, 23·24권.

위스너-행크스, 메리 E.(Merry E. Wiesner-Hanks). 2006. 『젠더의 역사』. 노영순 옮김. 역사비평사.

劉奉鎬. 1992. 『韓國教育課程史 研究』. 교학연구사.

유은숙. 2012. 「새로운 세계사의 재편을 위한 방향 모색: 중앙아시아 연구의 경향」. ≪역사학보≫, 215집.

322

유재춘. 2010. 「인문치료학에서 역사학의 역할: 역사의 효능과 인식 갈등의 치유 문제를 중심으로」. ≪인문과학연구≫, 26호.

육정임. 2012. 「몽골사와 관계사의 약진: 2010~2011년 송·원·금·원사연구 개관」. ≪역사학보≫, 215집.

윤병석. 1978. 「韓國史와 歷史意識」. ≪역사교육≫, 24집.

윤세철. 1979. 「세계사 교육과 국제이해」. 서울대학교 사범대학. ≪사대논총≫, 20집.

_____. 1982. 「세계사와 아시아사」. ≪역사교육≫, 32집.

윤세철교수정년기념역사학논총간행위원회 엮음. 2001. 『역사교육의 방향과 국사교육』. 솔.

윤세철·최상훈. 2003. 「역사의 유용성과 역사교육목표」. ≪역사교육≫, 87집.

윤종영. 1990. 「「국사」 敎科書의 編纂方向」. ≪역사교육≫, 48집.

_____. 1983. 「新敎育課程社 會科의 歷史學 內容의 特性」. ≪사회과교육≫, 16호.

이강훈. 2003. 「新國家建設期 '새교육운동'과 생활교육론」. ≪역사교육≫, 88집.

이기동. 2008. 「비교사의 방법론과 세계사적 파악의 필요성: 한국고대사의 연구 성과를 어떻게 발전시킬 것인가」. ≪한국고대사연구≫, 50권.

이동윤. 1957. 「세계사 교육의 당면과제」. ≪역사교육≫, 2집.

이만열 외. 2014. 「역사교육을 묻는다: 역사교육과 역사 교과서에 대한 4개 질문 10인의 응답」. ≪역사비평≫, 107호.

이민호. 1986. 「세계사 교육과 교과과정의 문제점」. ≪역사교육≫, 40집.

이병인. 2007. 「개인, 국가, 문화권의 다양한 역사상과 세계사 교과서」. ≪역사교육연구≫, 5호.

이병희. 1995. 「民人의 歷史意識과 歷史敎育」. ≪역사교육≫, 57집.

이선숙·정진경. 2011. 「새로운 역사이론과 역사교육」. 『한국 역사교육의 연구동향』. 책과함께.

이성수. 1959. 「세계사의 성격과 그 교육론」. ≪역사교육≫, 9집.

이수건. 2000. 『조선시대 생활사 2』. 역사비평사.

이순구. 2011. 『조선의 가족 천 개의 표정』. 너머북스.

이영효. 2000. 「포스트모던 역사 인식과 역사학습」. ≪역사교육≫, 74집.

_____. 2002. 「포스트모던 역사 인식과 역사학습」. 『포스트모더니즘과 역사학』. 푸른역사.

_____. 2003. 「세계사 교육에서의 '타자 읽기'」. ≪역사교육≫, 86집.

이인호. 1981. 「세계사교육의 방향」. ≪역사교육≫, 29집.

_____. 1990. 「역사는 가르쳐야 하나」. ≪역사비평≫, 12호.

_____. 1992. 「인문교육으로서 세계사 교육의 중요성」. ≪역사교육≫, 52집.

이진일. 2007. 「비교사에서 교류사로」. ≪사림≫, 28호.

이해준. 2001. 「생활사 연구의 역사민속학적 모색」. ≪역사민속학≫, 13호.

이희수. 1991. 『한·이슬람 교류사』. 문덕사.

임상우. 2008. 「동아시아에서 유럽 중심적 역사관의 극복」. ≪서강인문논총≫, 24집.

임지현. 1986. 「서양사 교육의 과거와 현재」. ≪역사교육≫, 40집.

장철수. 1996. 「민속학 연구 50년사」. ≪한국학보≫, 82집.

전경목. 2013. 『고문서, 조선의 역사를 말하다』. 휴머니스트.

전진성. 2002. 「역사와 기억: 기억의 터」. ≪서양사론≫, 12호.

전진성·이재원 엮음. 2009. 『기억과 전쟁: 미화와 추모 사이에서』. 휴머니스트.

전해종. 1971. 「동양사교육의 문제와 방향」. ≪역사교육≫, 14집.

정명아. 2007. 「공립박물관과 청소년 교육」. 한국대학박물관협회 제57회 추계학술발표회 '대학
　　박물관과 청소년문화'.

정선영. 2008. 「역사교육의 최종 목표와 역사적 통찰력」. ≪역사교육≫, 108집.

정연식. 2001. 『일상으로 본 조선시대 이야기』. 청년사.

_____. 2009. 「한국 생활사 연구의 현황과 과제: 조선시대 생활사 연구를 중심으로」. ≪역사와
　　현실≫, 72호.

정현백. 1990. 「역사교육이 강화되어야 한다」. ≪사회와 사상≫, 19호.

_____. 1996. 「새로운 여성사, 새로운 역사학」. ≪역사학보≫, 150집.

_____. 2001. 「역사교육과 평화교육의 만남」. ≪역사교육≫, 80집.

조병한. 1999. 「90년대 동아시아 담론의 개관」. 정재서 엮음. 『동아시아 연구, 글쓰기에서 담론
　　까지』. 살림.

조복희·도현심·유가효. 2010. 『인간발달』. 교문사.

조상제. 1995. 「세계사 교육과 교과서」. ≪교과서연구≫, 21집.

조지형. 2002. 「새로운 세계사와 지구사: 포스트모던 시대의 성찰적 역사」. ≪역사학보≫,
　　173집.

조지형 외. 2008. 『지구화 시대의 새로운 세계사』. 혜안.

조한욱. 2000. 『문화로 보면 역사가 달라진다』. 책세상.

_____. 2002. 「사회사와 신문화사」. ≪서양사론≫, 71호.

주겸지. 2003. 『중국이 만든 유럽의 근대』. 전홍석 옮김. 청계.

주영하·김호. 2005. 「생활사 연구와 이규경」. 『19세기 조선, 생활과 사유의 변화를 엿보다』. 돌
　　베개.

주웅영. 2010. 「초등 사회과 역사교육의 목적과 교실 수업의 실제」. ≪역사교육논집≫, 45집.

주커먼, 래리(Larry Zuckerman). 2000. 『감자 이야기』. 박영준 옮김. 지호.

진순신. 2002. 『페이퍼 로드』. 조형균 옮김. 예담.

진재관 외. 2006. 『고등학교 사회과 선택 중심 교육과정 개선 방안 연구』. 한국교육과정평가원.

차하순. 1976. 「서양사와 세계사 교육」. ≪역사교육≫, 19집.

최갑수. 2000. 「유럽중심주의의 극복과 대안적 역사상의 모색」. ≪역사비평≫, 52호.

_____. 2002. 「문화사란 무엇인가」. 『한국사론 35: 한국문화사 연구의 방향과 모색』. 국사편찬
　　위원회.

최병택. 2012. 「현행 초등학교 사회과 역사 영역 내용 구성의 문제점」. ≪역사교육≫, 124집.

최상훈. 2005. 「역사적 사고력의 의미와 하위범주」. 『역사교육과 역사인식』. 책과 함께.

최석진. 1989. 「사회」. 『국민학교 교육과정 해설』. 배영사.

최소자. 1991. 『동서문화교류사: 명·청시기 서학수용』. 삼영사.

최숙경. 1994. 「한국 여성사 연구의 성립과 과제」. ≪한국사 시민강좌≫, 15집.

최양호. 1976. 「고교 세계사 교육과정에 있어서 지역적 접근법에 의한 시안: 특히 동아시아사를
　　중심으로」. ≪역사교육≫, 19집.

최용규. 2004. 「사회과에서의 생활사 학습 지도 및 교재 구성 방안」. ≪사회과학교육연구≫,
　　7호.

_____. 2000. 「구성주의 학습을 위한 역사 교과서 내용 구성 방안」. ≪역사교육≫, 73집.

최재호. 2008. 「한국사와 연계한 세계사, 세계사와 연계한 한국사」. ≪역사교육논집≫, 40집.

최종석. 2008. 「2007년 개정 교육과정 '한국문화사'의 성격 검토와 내용 진술 방향」. ≪역사교
　　육≫, 105집.

최희봉. 2010. 「인문학, 인문학 실천, 그리고 인문치료」. ≪인문과학연구≫, 25호.

크로스비, 앨프리드 W.(Alfred W. Crosby). 2000. 『생태제국주의』. 안효상·정범진 옮김. 지식
　　의 풍경.

크로슬리, 파멜라 K.(Pamela K. Crossley). 2010. 『글로벌 히스토리란 무엇인가』. 강선주 옮김.
　　휴머니스트.

클라크, 존 J.(John J. Clarke). 1997. 『동양은 어떻게 서양을 계몽했는가』. 장세룡 옮김. 우물이
　　있는 집.

프랑크, 안드레 G.(Andre G. Frank). 2003. 『리오리엔트』. 이희재 옮김. 이산.

한국고문서학회. 1996. 『조선시대 생활사』. 역사비평사.

한선학. 2010.11.1. "박물관과 창의성 교육". ≪강원일보≫.

한희숙. 2003. 「조선시대 여성사 연구의 최신 동향(1991년 이후~)」. 가톨릭대학교 인문과학연구소. ≪인문과학연구≫, 8호.

홉슨, 존 M.(John M. Hobson). 2005. 『서구 문명은 동양에서 시작되었다』. 정경옥 옮김. 에코리브르.

홍경아 · 최윤희. 2006. 「국립중앙박물관의 학교교육 연계 관람 프로그램 개발」. 한국대학박물관협회 제54회 춘계학술대회.

홍웅선. 1973. 『신교육과정의 연구』. 연세대학교 출판부.

황유복. 1995. 『한 · 중 불교문화교류사』. 까치글방.

3. 영문 자료

Allardyce, Gilbert. 1990. "Toward World History: American Historians and the Coming of the World History Course." *Journal of World History*, Vol. 1, No. 1.

Atwell, William, 1985. "Ming China and the Emerging World Economy, c. 1470-1650." in D. Twitchett and F.W. Mote(eds.). *The Cambridge History of China: The Ming Dynasty*, Vol. 8. Cambridge: Cambridge University Press.

Banks, James. A. 2004. "Multicultural Education: Historical Development, Dimensions, and Practice." in J. A. Banks(ed.). *Diversity and Citizenship Education: Global Perspective*. San Francisco: Jossey-Bass.

Bentley, H. Jerry. 1993. *Old World Encounter*. New York: Oxford.

_____. 1996. "Cross-cultural Interaction and Periodization." *American Historical Review*, Vol. 30, No. 2.

Bock, Gisela. 1989. "Women's History and Gender History: Aspects of an International Debate." *Gender & History*, Vol. 1, No. 1.

Braudel, Fernand. 1987. *A History of Civilizations*. translated by Richard Mayne. Penguin Books(1963년 초판 발행).

Brophy, Jere and Bruce VanSledright. 1997. *Teaching and Leraning History in Elementary Schools*. New York: Teachers College, Columbia University.

Burke, Peter. 2002. "Civilizations and Frontiers: The Anthropology of the Early Modern Mediterranean." in John A. Marrno(ed.). *Early Modern History and the Social Sciences: Testing the Limits of Braudel's Mediterranean*. Kirksville.

Canclini, Nestor Garcia. 1995. *Hybrid Cultures: Strategies for Entering and Leaving Modernity*. translated by Christorpher L. Chiappati and Sylvia L. Lopez. MN: University of Minnesota Press.

Chapman, Arthur. 2011. "Historical Interpretation." in Ian Davies(ed.). *Debates in History Teaching*. Routeldge.

Charkrabarty, Despesh. 2000. *Provincializing Europe: Postcolonial Thought and Historical Difference*. Princeton.

Chaudhuri, K. N. 1985. *Trade and Civilization in the Indian Ocean: An Economic History from the Rise of Islam to 1975*. Cambridge: Cambridge University Press.

Cooper, Hilary. 2009. "Creativity in Primary History." in Anthony Wilson(ed.). *Creativity in Primary Education*. Second edition. Learning Matters Ltd.

Crawford, K. 1995. "A History of the Right: The Battle for Control of National Curriculum History, 1989-1994." *British Journal of Educational Studies*, Vol.43, No.4.

Curtin, P. D. 1984. *Cross-Cultural Trade in World History*. Cambridge: Cambridge University Press.

Dauphin, Cécile et al. 1996. "Women's Culture and Women's Power." in Joan Wallach Scott(ed.). *Feminism and History*. Oxford: Oxford University Press.

Davis, Natalie Zemon. 1996 "'Women's History' in Transition." in Joan Wallach Scott(ed.). *Feminism and History*. Oxford: Oxford University Press.

Dirlik, Arif. 2012(4.27~29). "Thinking Modernity Historically: Is 'Alternative Modernity' the Answer?"(Keynote Addresses). 제2회 아시아세계사학회 국제학술대회(The Second Congress of the Asian Association of world Historians, 서울).

DuBois, Ellen Carol et al. 1980. "Politics and Culture in Women's History." *Feminist Studies*, Vol.6, No.1.

Dunn, Ross E. 1985. "The Challenge of Hemispheric History." *The History Teacher*, Vol.18, No.3.

_____. 1989. "Central Themes for World History." in P. Gagnon and the Bradley Commission on History in the Schools(eds.). *Historical Literacy*. Houghton Mifflin Company.

_____. 2000. *The New World History*. Boston: Bedford St. Martin's.

Ebrey, Patricia Buckley. 1993. *The Inner Quarters: Marriage and the Lives of Chinese Women in the Sung Period*. Berkeley: University of California Press.

Farmer, Edward L. 1985. "Civilization as a Unit of World History: Eurasia and Europe's Place in It." *The History Teacher*, Vol.18, No.3.

Geyer, Michael and Bright Charles. 1995. "World History in a Global Age." *American Historical Review*, Vol.100, No.4.

Gosch, Steve. 1994. "Cross-Cultural Trade as a Framework for Teaching World History: Concepts and Applications." *The History Teacher*, Vol.27, No.4.

Green, William A. 1995. "Periodizing World History." *History and Theory*, Vol.34, No.2.

Grever, Maria. 2007. "Plurality, Narrative and the Historical Canon." in Maria Grever and Siep Stuurmann(eds.). *Beyond the Canon*. Palgrave Macmillan.

Grever, Maria and Siep Stuurmann(eds.). 2007. *Beyond the Canon*. Palgrave Macmillan.

Hodgson, Marshall G. S. 2000. "Hemispheric Interregional History as an Approach to World History." in Ross E. Dunn(ed.). *The New World History*. Boston: Bedford St. Martin's.

JoBuble, Mari. 1993. "Feminist Approaches to Social History." Mary K. Cayton, Elliot J. Gorm, Peter W. Williamns(eds.). *Encyclopedia of American Social History*. Scribner.

Jones, E. and Derman-Sparks L. 1992. "Meeting the Challenge of Diversity." *Young Children*, Vol.47, No.2.

Kang, Sun Joo. 2011. "A Report form South Korea: What Elementary School Teachers Want to Teach and What They Teach in the History Class: Korea Case." *International Journal of Historical Learning Teaching and Research*. Vol.10, No.1.

_____. 2012. "Conceptions of Modernity in the Middle School World History Curriculum in the Republic of Korea: Adopting Theories of European Inherited Modernity and Moderni-zation." *The Journal of Northeast Asian History*, Vol.9, No.2.

Kai, Yu. 2011(10.31~11.2). "Discussion on the Education of Chinese History from a Global Perspective," *Proceedings of the Conference on Representation of the World history from 1945 up to Now: Comparing the Characteristics of Asia and European Textbook.* the conference held in East China Normal University.

Kelly-Gadol, Di Joan. 1977. "Did Women have a Renaissance." in Renated Bridenthai and Clandia Koonz(eds.). *Women in European History* Houghton Mifflin.

Kieth, Barton and Levstik Linda S. 2004. "Individual Achievement and Motivation." *Teaching History for the Common Good*. Mahwah, New Jersey: Larence Earlbnaum Associates,

Publishers.

Kocka, Jürgen. 2012. "Global History: Opportunities, Dangers, Recent Trends." *Culture & History Digital Journal*, Vol.1, NO.1.

Lee, Peter and Ashby Tosalyn. 2001. "Empathy, Perspective Taking, and Rational Under-standing." in O. L. Davis Jr., Elizabeth Anne Yeager and Stuart J.Foster(eds.). *Historical Empathy and Perspective Takin in the Social Studies*. London: Rowman & Littelfield Publishers, INC.

Lerner, Gerda. 1990. "Reconceptualizing Differences among Women." *Journal of Women's History*. Vol.1, No.3.

Levstik, Linda and Barton Kieth. 2001. "Committing Acts of History: Mediated Action, Humanistic Education and Participatory Democracy." in William B. Stanley(ed.). *Critical Issues in Social Studies Research for the 21st Century*. Greenwich: Information Age Publishing.

Levstik, Linda S. 2004. "Narrative Structure and History Education." in Keith C. Barton and Linda S. Levstik(eds.). *Teaching History for the Common Good*. Mahwah, New Jersey: Larence Earlbnaum Associates, Publishers.

_____. 1986. "The Relationship Between Historical Response and Narrative in a Sixth Grade Classroom." *Theory and Research in Social Education*, Vol.14, No.1.

Marcus, Alan S., Stoddard Jeremy D. and Woodward Walter W. 2011. *Teaching History with Museums: Strategies for K-12 Social Studies*. Routledge.

Mazlish, Bruce. 1993. "An Introduction to Global History." in B. Mazlish and R. Buultjens (eds.). *Conceptualizing Global History*. Boulder: Westview Press.

McKeown, Margaret. G. and Beck Isabel L. 1994. "Making Sense of Accounts of History: Why Young Students Don't and How They Might." in G. Leinhardt, I. Beck and C. Stainton(eds.). *Teaching and Learning in History*. Hillsdale, NJ: Erlbaum.

_____. 1990. "The Assessment and Characterization of Young Learners' Knowledge of a Topic in History." A*merican Educational Research Journal* Vol.27, No.4.

Ming, Zhu. 2011(10.31~11.2). "Issues on Periodization for the History of the Modern World in Chinese Textbooks(after 1945)." *Proceedings of the Conference on Representation of the World history from 1945 up to Now: Comparing the Characteristics of Asia and European Textbook*. the conference held in East China Normal University.

Nandy, Ashis. 1995. "History's forgotten Doubles." *History and Theory*, Vol.34, No.2.

National Center for History in the Schools. 1996. *National Standards for History*. Los Angeles: University of California.

Ning, Wang. 2010. *Translated Modernities: Literary and Cultural Perspectives on Glamorization and China*. Ottawa: Legas.

Pacey, Anorld. 1991. *Technology in World Civilization: A Thousand-Year History*. Boston: The MIT Press.

Partington, Geoffrey. 1980. *The Idea of History*. Oxford: NFFR Publishing Company.

Perdue, Peter. 2008. "Eurasia in World History: Reflections on Time and Space." *World History Connected*, Vol.5, No.2.

Pomper, Philip. 1998. "The Theory and Practice of World History," in Philip Pomper, Richard H. Elphick and Richard T. Vann(eds.), *World History: Ideologies, Structures, and Identities*. Malden, Massachusetts: Blackwell Publishers Inc.

Ringrose, D. R. 2001. *Expansion and Global Interaction, 1200-1700*. New York: Longman.

Rüsen, Jörn. 2004. "Historical Consciousness: Narrative Structure, Moral Function, and Ontogenetic Development." in Peter Seixas(ed.). *Theorizing Historical Consciousness* (University of Toronto Press: Toronto.

Sachsenmaier, Dominic. 2011. *Global Perspectives on Global History: Theories and Approaches in a Connected World*. Cambridge University Press.

Scott, Joan Wallach. 1987. "Women's History and the Rewriting of History." in Christie Farnham(ed.). *The Impact of Feminist Research in the Academy*. Bloomington: Indiana University Press.

_____. 1986. "Gender: A Useful Category of Historical Analysis." *The American Historical Review*, Vol.91, No.5.

Seixas, Peter. 2007. "Who Needs a Canon?" in Maria Grever and Siep Stuurmann(eds.), *Beyond the Canon*. Palgrave Macmillan.

Schafer, Wolf. 1993. "Global History: Historiographical Feasibility and Environmental Reality." in B. Mazlish and R. Buultejens(eds.). *Conceptualizing Global History*. Boulder: Westview Press.

Shaffer, Lynda. 1994. "Southernization." *Journal of World History*, Vol.5, No.1.

Siegrist, Hannes. 2006. "Comparative History of Cultures and Societies, From Cross-societal

Analysis to the Study of Intercultural Interdependencies." *Comparative Education*, Vol.43, No.2.

Smith-Rosenburg, Carroll. 1975. "The Female World of Love and Ritual: Relations Between Women in Nineteenth-century America." *Signs*, Vol.1, No.1.

Sowell, Thomas. 1996. *Migrations and Cultures: a World View*. Basic Books.

Spengler, Oswald. 1922. *The Decline of the West*, Vol.2. translated by Charles Francis Alkinson. New York: Alfred A. Knopf.

Spongberg, Mary. 2003. *Writing Women's History Since the Renaissance*. Palgrave MacMillan.

Stavrianos, Leften. 1962. *A Global History of Man*. Boston: Allen and Bacon.

Stearns, Peter. 1987. "Periodization in World History Teaching: Identifying the Big Changes." *The History Teacher*, Vol.20, No.4.

_____. 1993. "Old Social History and the New." in Peter N. Sterns(ed.). *Encyclopedia of Social History*. Gerland Publishing.

_____. 2007. "Internationalizing the United States History Survey." in Maria Grever and Siep Stuurmann(eds.). *Beyond the Canon*. Palgrave Macmillan.

Symcox, Linda and Arie Whschut(eds.). 2009. *National History Standards: The Problems of the Canon and The Future of Teaching History*. Information Age Publishing, Inc.

Toynbee, Anold. 1962. *A Study of History*. Oxford University Press.

VanSledright, Bruce and Brophy Jere. 1992. "Storytelling, Imagination, and Fanciful Elaboration in Children's Historical Reconstructions." *American Educational Research Journal*, Vol.29.

VanSledright, Bruce. 2002. *In Search of America's Past*. New York: Teachers College. Columbia University.

Walach, M. A. and Kagan N. 1965. *Modes of Thinking in Young Children*. New York: Holt, Reinehart & Winston.

Wineburg, Samuel S. 2002. "On the Reading of Historical Text: Notes on the Breath between School and Academy." *Historical Thinking and Other Unnatural Acts*. Philadelphia: Temple University Press.

Wolf, Eric R. 1982. "Introduction." *Europe and the People without History*. Los Angeles: University of California Press.

_____. 2000. "Connections in History." in Ross E. Dunn(ed.). *New World History*. Boston:

Bedford St. Martin's.

Zimbalist, Rosaldo Michelle. 1974. "Woman, Culture and Society: A Theoretical Overview." in M. Z. Rosaldo and L. Lamphere(eds). *Woman, Culture and Society*. Stanford University Press.

찾아보기

338

지은이

강선주

서울대학교 사범대학 역사교육과를 졸업하고 미국 인디애나 대학에서 박사
학위를 받았다. 중학교 교사로 재직한 경험이 있으며, 현재 경인교육대학교
에서 교수로 재직 중이다. 초등학교와 중·고등학교 역사교육을 아울러 연구
하고 있다.
주된 관심 분야는 역사교육, 세계사, 박물관 교육 등이다. 『역사교육과 역사
인식』(2005), 『역사교육의 내용과 방법』(2007), 『지구화 시대의 새로운 세계
사』(2008), 『좋은 사회과 수업을 위한 컨설팅의 내용과 방법』(2008), 『기억
과 전쟁: 미화와 추모 사이에서』(2009) 등을 함께 썼으며, 『글로벌 히스토리
란 무엇인가』(2010)를 번역하였다. 최근에는 외국 학자들과 함께 *Identity,
Trauma, Sensitive and Controversial Issues in the Teaching of History*
(Cambridge Scholars publishing, 2015)를 펴냈다. 또한 아동 청소년 대중 역사
책에도 관심이 있어 『마주보는 세계사 교실』(2007)과 같은 아동 청소년을 위
한 역사서를 쓰기도 했다.

한울아카데미 1843

역사교육 새로 보기

복합의 시각

ⓒ 강선주, 2015

지은이 ㅣ 강선주
펴낸이 ㅣ 김종수
펴낸곳 ㅣ 도서출판 한울

편집 ㅣ 조인순·정경윤

초판 1쇄 인쇄 ㅣ 2015년 11월 25일
초판 1쇄 발행 ㅣ 2015년 11월 30일

주소 ㅣ 10881 경기도 파주시 광인사길 153 한울시소빌딩 3층
전화 ㅣ 031-955-0655
팩스 ㅣ 031-955-0656
홈페이지 ㅣ www.hanulbooks.co.kr
등록번호 ㅣ 제406-2003-000051호

Printed in Korea.
ISBN 978-89-460-5843-9 93900(양장)
     978-89-460-6082-1 93900(학생판)

※ 책값은 겉표지에 표시되어 있습니다.
※ 이 책은 강의를 위한 학생용 교재를 따로 준비했습니다.
   강의 교재로 사용하실 때에는 본사로 연락해주시기 바랍니다.